中 / 国 / 分 / 省 / 系 / 列 / 地 / 图 / 册

湖北省

HUBEI SHENG DITUCE

地图册

星球地图出版社 编制

星球地图出版社
STAR MAP PRESS

图书在版编目（CIP）数据

湖北省地图册 / 星球地图出版社编制. －2版. －北京 ：星球地图出版社，2015.1
(中国分省系列地图册)
ISBN 978-7-5471-1585-5

Ⅰ. 湖… Ⅱ. 星… Ⅲ. 行政区地图－湖北省－地图集 Ⅳ. K992.263

中国版本图书馆CIP数据核字(2013)第116824号

湖北省地图册

作　　者	星球地图出版社
责任编辑	游永勤
封面设计	弓　洁
出版发行	星球地图出版社
地址邮编	北京北三环中路69号　100088
网　　址	http://www.starmap.com.cn
印　　刷	北京华联印刷有限公司
经　　销	新华书店
开　　本	890毫米×1240毫米　1/32
印　　张	5.5
版次印次	2023年修订第2版　2023年1月第12次印刷
定　　价	29.00元
审 图 号	JS(2014)01-097

中国图片网、Phototime提供部分图片。
书中部分图片作者不详，有关事宜，请与本社联系。
如有残损随时调换（发行部电话：010-82028269）
图内界线不作划界依据

目　　录

序　图

地县图

附　录

图　例

序　图

★北京	首都
武汉	省级行政中心
宜昌	地级市行政中心
恩施市	地区、盟、自治州行政中心
竹山县	县级行政中心
土城	乡级行政中心

地县图

居民地

武汉	省级行政中心
宜昌	地级市行政中心
恩施市	地区、盟、自治州行政中心
竹山县	县级行政中心
土城镇	乡级行政中心
郭家庄	村庄
巴彦塘	蒙古包

境　界

国界 未定国界

省级界 未定省界

特别行政区界

地级界

县级界

特种地区界

交　通

国家级 G4 省级 S5	高速公路及编号
	在建高速公路
	高速公路出入口 收费站 服务区
107	国道及编号
310	省道及编号
12 (千米)	县乡公路 里程 起讫点
	复线铁路 隧道
建筑中	单线铁路 车站
	高速铁路客运专线

烟台至大连89(165) 海里(千米)	航海线及里程
	长城
	桥梁 隧道 隧道群
	机动渡口 人力渡口
	机场 港口 口岸

水　系

海岸线

常水河 瀑布

干河 时令河

水库 闸坝

咸水湖 淡水湖

时令湖 干湖

运河

沟渠

坎儿井

泉 井

地形及其他

	沙漠 自然保护区界
	沼泽 盐沼
	盐田 雪山
天柱峰▲1612	山峰及高程(米)
	山隘
明显陵	世界遗产
武当山	国家级风景名胜区
之江	国家旅游度假区
神农架	国家森林、地质公园
青龙山	国家级自然保护区
黄鹤楼	其他风景名胜区
三角山	其他森林公园
木林子	其他自然保护区
文峰塔	旅游景点

城市图

	街区 街道 干线路
	公园、绿地
在建	轨道交通 车站 换乘站
	隧道
	索道
	城墙
	省级政府
	地级政府
	县级政府
	乡级政府
	交警部门
	宾馆、饭店
	大厦
	商场
	学校
	医院
	银行
	邮局
	体育场馆
	图书馆
	电影院
	电视塔
	加油站
	修理厂
	停车场
	庙宇 清真寺
	古塔
	亭
	墓地
	长途汽车站
	立交桥
	旅游景点
	其他单位

比例尺 1∶3 400 000

34.0千米 0 34.0 68.0 102.0千米

区　湖北省简称“鄂”，位于长江中游、洞庭湖以北。
南，南接江西、湖南，东邻安徽，西依重庆，西北与陕西
全省面积约19万平方千米，人口6178万，辖12个地级市、1
州、39个市辖区、26个县级市、35个县、2个自治县和1个
省会武汉市。
北省历史悠久。春秋时(公元前770—公元前476年)，国土主要
湖南、湖北地区。公元前221年，统一的秦朝分天下为四十
北大部属南郡，西北、北、西南各一部分属汉中、南阳、
黔中等郡。西汉划天下为十三部(州)，湖北以汉水为界，西
，东为江夏，均隶属于荆州。三国时，吴魏分治湖北，都
梁以后建制较乱，至隋统一，仍称荆州，一度称鄂州，
简称鄂。宋分全国为十五路，湖北有三十多县属荆湖北路，
湖北之名始于此。清康熙三年(公元1664年)湖广分治，大体上以洞庭湖为界。南为湖南省，北为湖北省，是为湖北建省之始。

湖北是一个民族成分比较齐全的省份，也是全国8个既有自治州又有自治县的省份之一。有53个少数民族，人口约为257.97万人，少数民族人口占全省总人口的4.3%，主要有苗族、白族、土家族、畲族、彝族、藏族、瑶族、维吾尔族、布依族等，主要分布在恩施土家族苗族自治州、宜昌市、武汉市、荆州市、荆门市和十堰市等。

行政区划统计表

地名	人口(万人)	面积(平方千米)	地名	人口(万人)	面积(平方千米)
武汉市	**906**	**8483**	**鄂州市**	**112**	**1505**
江岸区	79	64	鄂城区	66	520
江汉区	51	33	梁子湖区	19	525
硚口区	54	46	华容区	27	460
汉阳区	72	108	**黄石市**	**273**	**4576**
武昌区	110	81	黄石港区	21	30
青山区	46	45	西塞山区	20	100
洪山区	122	509	下陆区	16	69
东西湖区	35	439	铁山区	5	28
汉南区	12	288	大冶市	100	1566
蔡甸区	47	1094	阳新县	112	2783
江夏区	65	2015	**咸宁市**	**305**	**10019**
黄陂区	116	2261	咸安区	63	1502
新洲区	97	1500	赤壁市	53	1723
十堰市	**366**	**23698**	嘉鱼县	37	1017
张湾区	40	652	通城县	53	1129
茅箭区	42	578	崇阳县	51	1968
丹江口市	46	3121	通山县	49	2680
郧阳区	57	3863	**荆州市**	**637**	**14104**
竹山县	46	3586	沙市区	53	469
房县	47	5110	荆州区	55	1046
郧西县	52	3509	石首市	61	1427
竹溪县	36	3279	洪湖市	91	2519
襄阳市	**590**	**19626**	松滋市	82	2235
襄城区	47	645	江陵县	39	1032
樊城区	81	614	公安县	99	2258
襄州区	100	2306	监利市	157	3118
老河口市	51	1032	**宜昌市**	**391**	**21081**
枣阳市	112	3277	西陵区	40	90
宜城市	56	2115	伍家岗区	20	69
南漳县	57	3859	点军区	10	546
谷城县	60	2553	猇亭区	5	118
保康县	27	3225	夷陵区	53	3424
荆门市	**291**	**12100**	枝江市	48	1310
东宝区	35	1645	宜都市	39	1357
掇刀区	30	639	当阳市	46	2159
钟祥市	104	4488	远安县	19	1752
沙洋县	59	2044	兴山县	16	2327
京山市	63	3284	秭归县	37	2427
孝感市	**515**	**8941**	长阳土家族自治县	39	3430
孝南区	96	1020	五峰土家族自治县	20	2072
应城市	65	1103	**随州市**	**249**	**9636**
安陆市	61	1355	曾都区 随县	158	6989
汉川市	107	1663	广水市	91	2647
孝昌县	67	1217	**省直辖县级行政单位**	**423**	**10417**
大悟县	62	1979	仙桃市	153	2538
云梦县	57	604	天门市	161	2622
黄冈市	**738**	**17453**	潜江市	101	2004
黄州区	35	353	神农架林区	8	3253
麻城市	115	3599	**恩施土家族苗族自治州**	**402**	**24111**
武穴市	82	1246	恩施市	81	3972
红安县	65	1796	利川市	92	4603
罗田县	59	2129	建始县	51	2666
英山县	40	1449	巴东县	49	3354
浠水县	100	1949	宣恩县	36	2730
蕲春县	101	2398	咸丰县	39	2550
黄梅县	103	1701	来凤县	33	1344
团风县	37	833	鹤峰县	22	2892

总计：地级市 12　自治州 1　市辖区 39　县级市 26　县 35　自治县 2　林区 1

人口 6178万　　面积 约19万平方千米

湖北地势

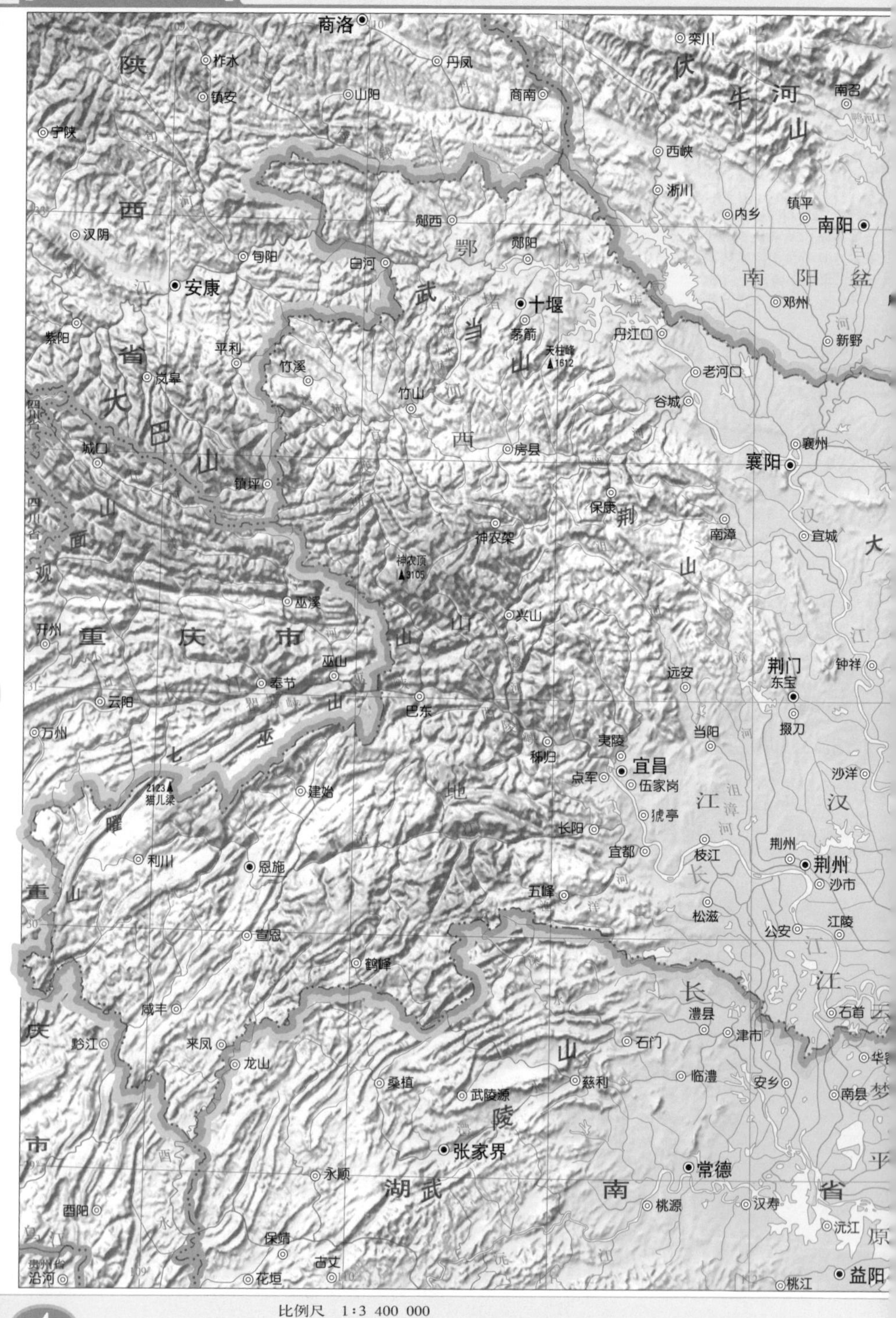

比例尺　1∶3 400 000

34.0千米　0　34.0　68.0　102.0千米

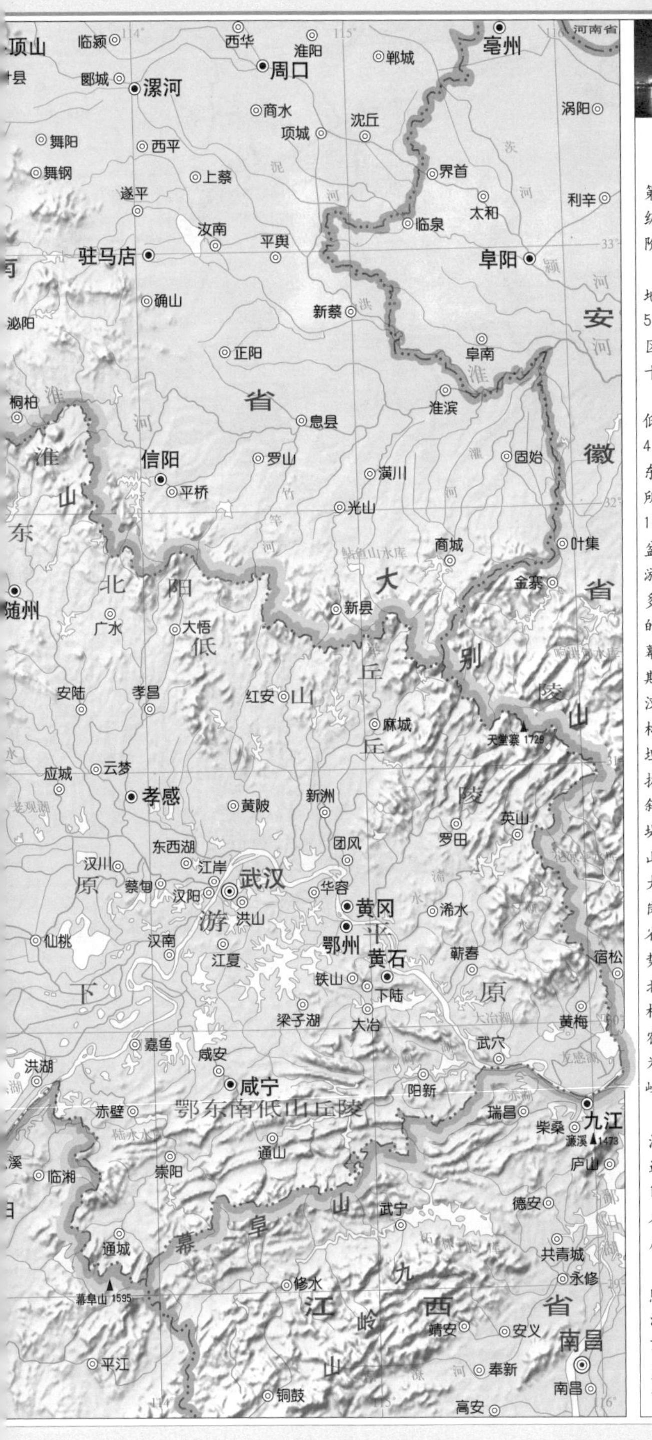

湖北地势

湖北省处于我国地势第二级阶梯向第三级阶梯过渡地带。鄂西山地为第二级阶梯的东部边缘，其余部分属第三级阶梯。

全省地貌类型多样，山地、丘陵岗地和平原兼备。山地约占全省总面积的55.5%，丘陵和岗地占24.5%，平原湖区占20%。水面面积约占全省总面积的十分之一，素有“千湖之省”之称。

全省地形可分为鄂西山地、鄂东北低山丘陵、鄂东南低山丘陵和江汉平原4区。鄂西北山地，属秦岭山脉大巴山东段，为武当山、荆山、大神农架诸山所踞；地貌以中山为主，海拔在1000～1500米之间。山地内有断裂河谷及陷落盆地，较大者有长江三峡谷地、汉江上游谷地等；鄂东北低山丘陵地形破碎，多岗地和丘陵；鄂东南低山丘陵是幕阜山脉的一部分，地势南高北低，岭谷相间。幕阜山地向江汉平原过渡的丘陵地带喀斯特地貌发育。江汉平原主要由长江、汉江及其大小支流和湖泊的近代沉积物构成，中心部分厚200米以上，地势平坦，土壤肥沃，除平原边缘岗地外，海拔多在35米以下，略呈由西北向东南倾斜的趋势。平原河网交织，湖泊众多，堤垸纵横。全省西、北、东三面被武陵山、巫山、大巴山、武当山、桐柏山、大别山、幕阜山等山地环绕，山前丘陵岗地广布，中南部为江汉平原，与湖南省洞庭湖平原连成一片。因此，全省地势呈三面高起、中间低平、向南敞开、北有缺口的不完整盆地。地势高低相差相当悬殊，西部号称“华中屋脊”的神农架，最高峰神农顶，海拔达3105米，为本省最高山峰，也是华中一带最高山峰；最低点为龙感湖湖底，海拔10米。

湖北省境内主要河流有长江、汉江、沮漳江、清江、官渡河等。河流总长度达3.5万多千米，其中长江省内流径长达1061千米，汉江省内流径长达928千米。省境内淡水湖泊众多，多分布在江汉平原上。

湖北省属于北亚热带季风气候，光照充足，热量丰富，无霜期长，降水充沛，雨热同季。全省年均气温15～17℃，7月均气温27～29℃，1月均气温3～4℃；无霜期210～280天不等，年降水量800～1600毫米，自东南向西北逐步减少。

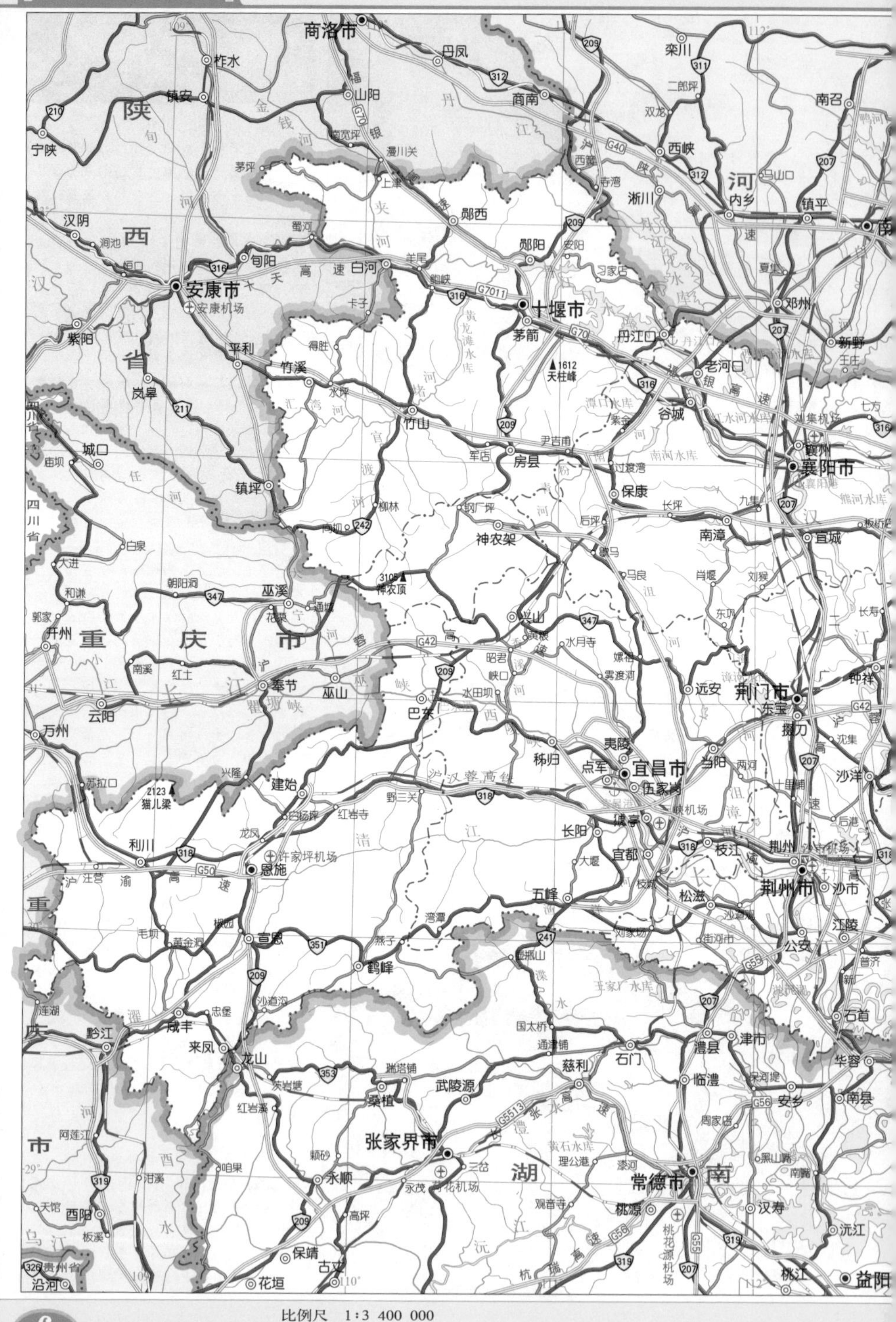

比例尺 1:3 400 000

34.0千米 0 34.0 68.0 102.0千米

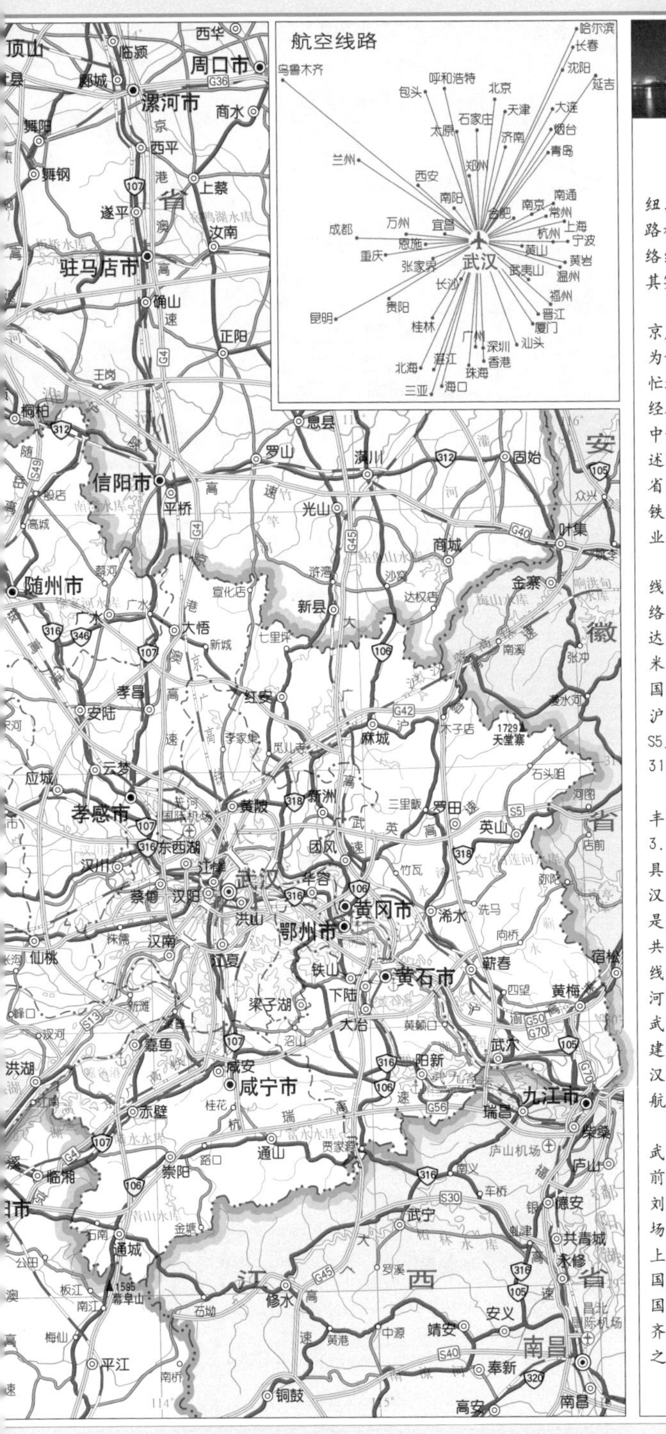

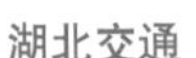

湖北交通

湖北历来为中国水陆交通运输枢纽，交通发达。长江、汉江和京广铁路相交于武汉市，京九铁路有一条联络线与武汉相连，使武汉市成为名符其实的“九省通衢”。

湖北铁路以武汉和襄阳为枢纽，以京广、焦柳、襄渝和京广、沪汉蓉高铁为干线。京广铁路是中国铁路运输最繁忙运输线之一，纵贯省境东部。焦柳线经省境西部，汉丹和襄渝铁路横贯省境中部和西北部，在武汉、襄樊分别与上述两条南北向铁路干线相交，共同构成省内外铁路交通运输的主干线。京广高铁与沪汉蓉高铁相会武汉。全省铁路营业里程达0.52万千米。

公路以武汉为中心，以100多条干线为骨架，形成了贯通省内外城乡网络。截止到2019年底，全省公路里程达28.9万千米，等级公路28.14万千米，其中高速公路0.69万千米。境内国家高速公路有京港澳、福银、二广沪渝、沪蓉、杭瑞高速。省级高速有：S5、S13、S49等。105、106、107、207、209、312、316以及318等国道通过境内。

湖北省地处我国中部，水资源十分丰富，境内有大小河流1193条，总长3.5万千米，内河航道里程0.85万千米。具有发展水运的资源优势。水运以武汉为中转站，以长江、汉江为骨干，是中国内河航运最发达的省区之一，共有港口51个，泊位2280个，码头岸线总长131174米，长江为最重要的内河航道，终年畅通无阻，宜昌、荆州、武汉、黄石港为主要港口。武汉港已建成为长江中下游最大内河港口之一。汉江是沟通鄂西北和江汉平原的重要航道，襄阳和老河口为汉江重要河港。

湖北省民用航空事业发展迅速。武汉市是我国航空运输中心之一。目前，拥有武汉天河、宜昌三峡、襄阳刘集、恩施许家坪、荆州、沙市等机场，开辟省内外航线107条。通往北京、上海、广州、成都、香港等50多个城市，国际航线可通日本福冈等地。武汉天河国际机场是华中地区规模最大、功能最齐全的现代化航空港，是全国十大机场之一。

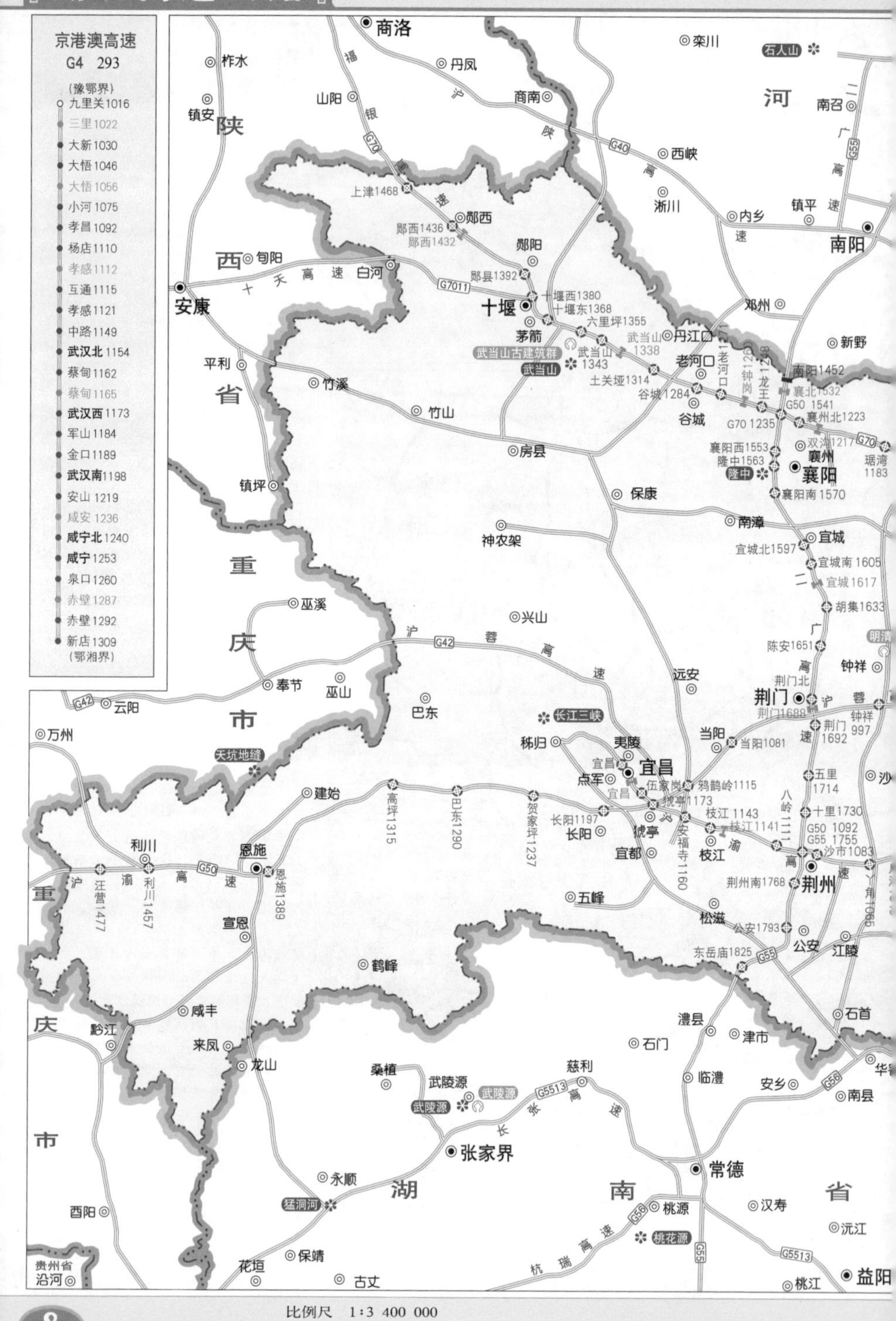

比例尺 1:3 400 000

34.0千米 0 34.0 68.0 102.0千米

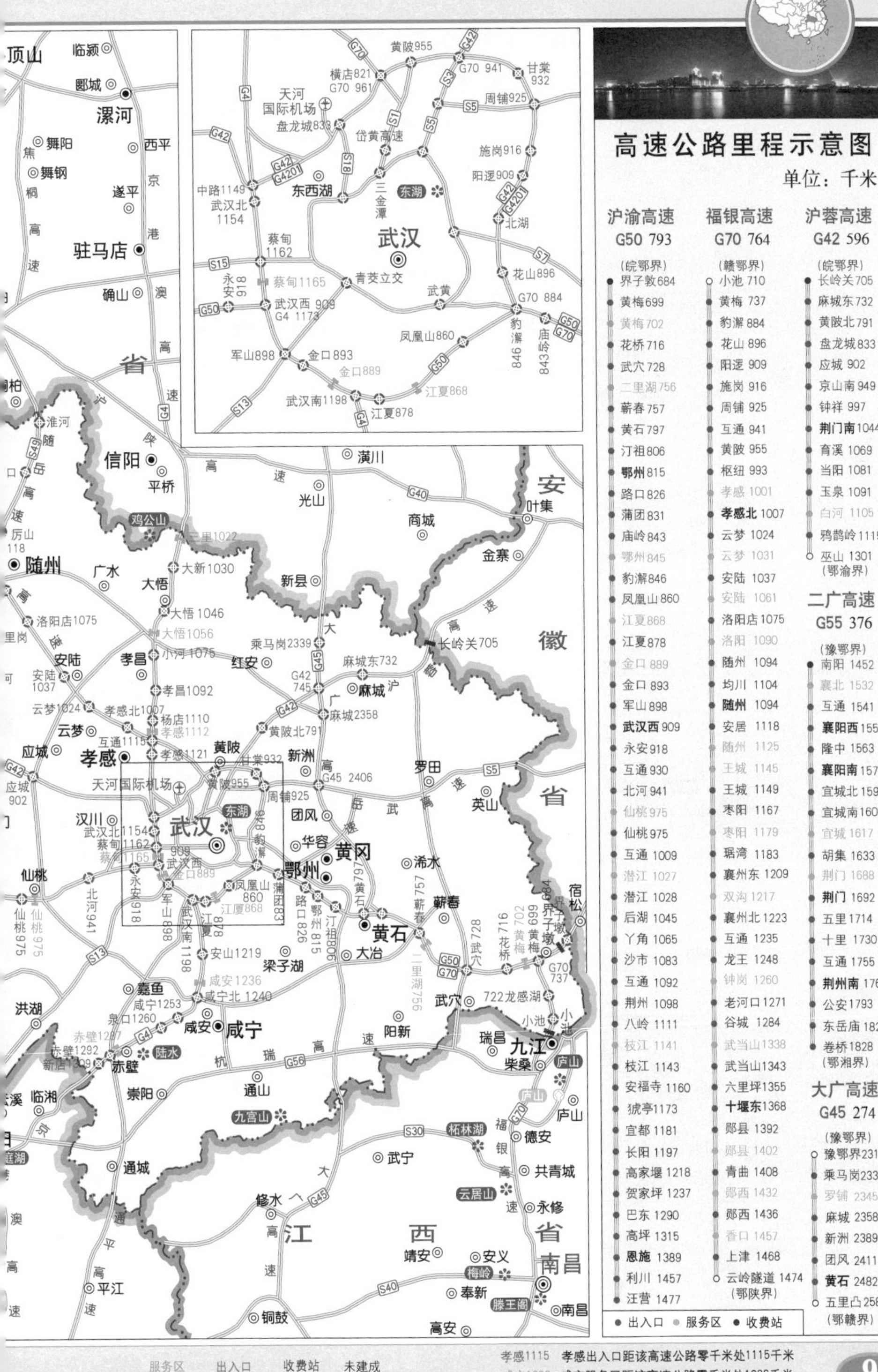

服务区 出入口 收费站 未建成 高速公路

孝感1115 孝感出入口距该高速公路零千米处1115千米
咸宁1236 咸宁服务区距该高速公路零千米处1236千米
界子墩684 界子墩收费站距该高速公路零千米处684千米

比例尺 1:3 400 000

34.0千米 0 34.0 68.0 102.0千米

随州 国家历史文化名城　　武当山 国家级风景名

明显陵 世界遗产　　黄鹤楼 其他风景名胜

湖北旅游

湖北省历史悠久，旅游资源丰富，山水名胜与文物古迹兼备。雄伟的长江三峡驰名世界。人誉“第一山”的武当山，为道教圣地。号称“华中屋脊”和“绿色宝库”的神农架是重要自然保护区，不仅珍稀动物众多，“野人之迷”更令人关注。湖北人文旅游景观具有时代跨度大、历史价值高的特点，这里有古人类长阳人遗址、屈家岭文化遗址、古三国胜迹、楚都遗址“纪南城”、辛亥革命遗址起义门、阅马场、中央农民运动讲习所旧址及“八七会议”会址等。文物古迹与革命胜迹遍布全省，从随州炎帝庙、纪南故城、昭君故里、秭归屈原故里、武汉古琴台、黄鹤楼、三国赤壁直到武汉起义军政府旧址、京汉铁路工人运动“二七”纪念馆，可以了解中国历史上的许多重大历史事件。

世界自然文化遗产有：武当山古建筑群、明清皇家陵寝（明显陵）、中国土司遗址（恩施唐崖）。

国家级风景名胜区有：东湖、长江三峡、隆中、大洪山、武当山、九宫山、陆水。

国家历史文化名城有：武汉、荆州、襄阳、随州、钟祥。

国家地质公园有：郧县恐龙蛋化石群、武当山、神农架、长江三峡、木兰山等。

国家森林公园有：钟祥大口、当阳玉泉寺、宜昌大老岭、武汉九峰山、襄阳鹿门寺、神农架、兴山龙门河、谷城薤山、长阳清江、罗田大别山、五峰柴埠溪、荆州八岭山、京山太子山、咸宁潜山、松滋洈水、浠水三角山、红安天台山、广水中华山、咸丰坪坝营、荆门千佛洞、随州大洪山、孝昌双峰山、英山吴家山、京山虎爪山、麻城五脑山、郧阳沧浪山等。

国家级自然保护区有：神农架、星斗山(利川、咸丰、恩施)、洪湖长江新螺段白鳖豚、石首长江天鹅洲白鳖豚和石首麋鹿、青龙山、五峰后河、九宫山、七姊妹山、龙感湖、堵河源等。

国家重点文物保护单位有：玉泉寺及铁塔、雕龙碑遗址、楚纪南故城、曾侯乙墓、古隆中、李时珍墓等。

青龙山 国家级自然保护区　神农架 国家森林、地质公园　文峰塔 旅游景点
木林子 其他自然保护区　三角山 其他森林公园

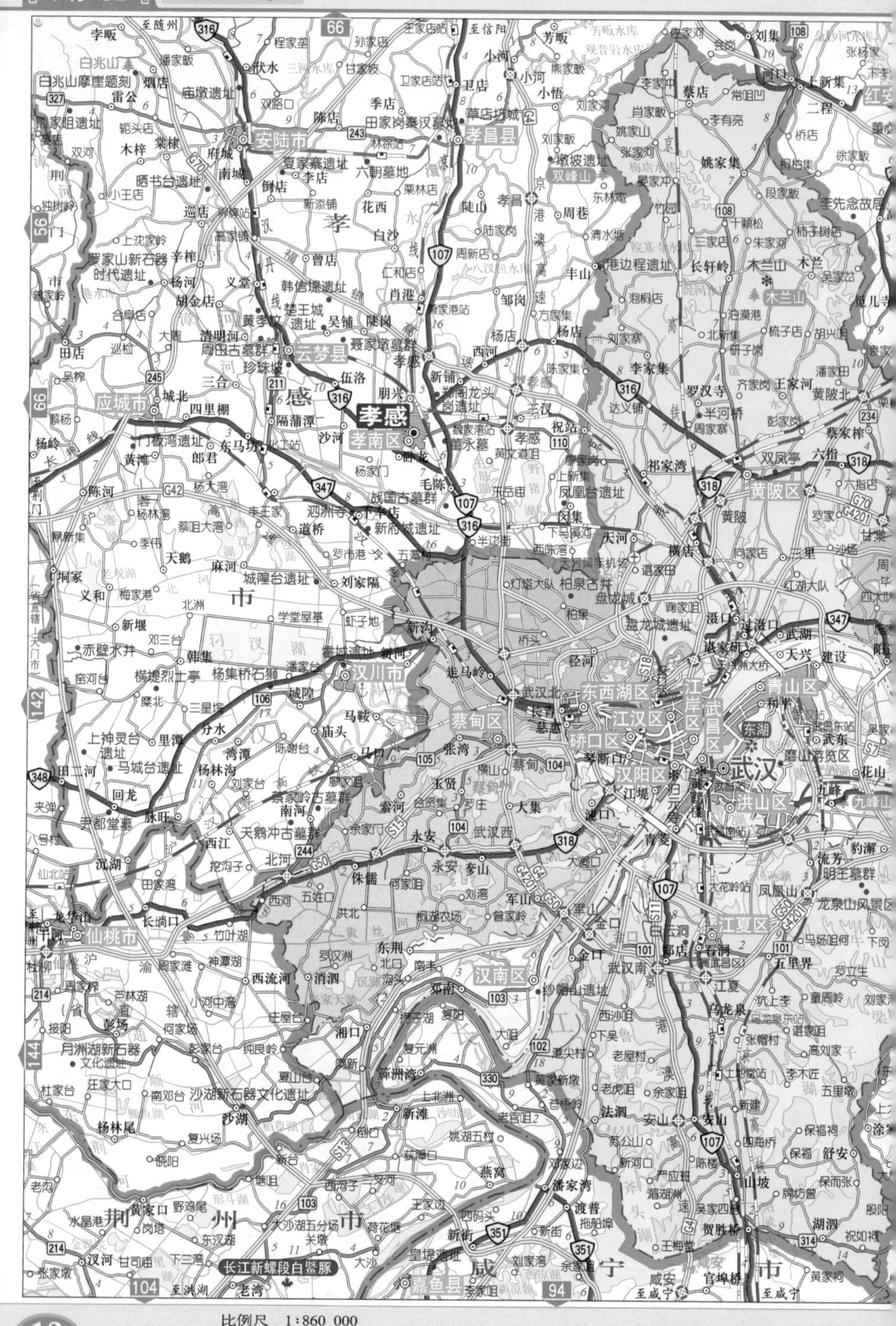

比例尺 1:860 000

8.6千米 0 8.6 17.2 25.8千米

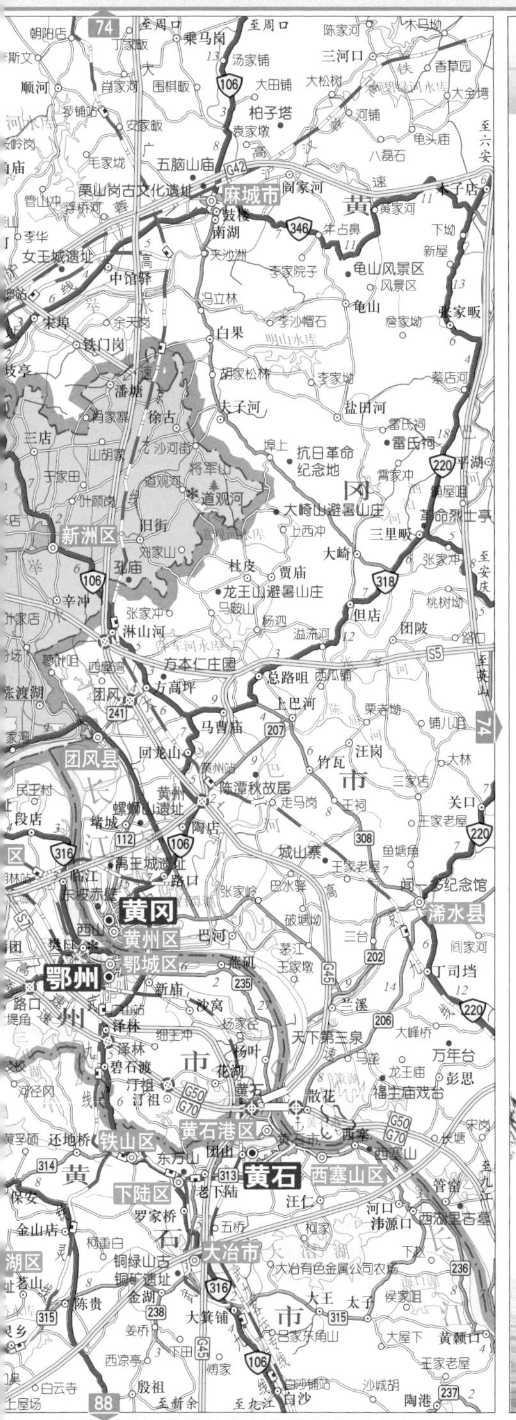

【地理位置】 位于湖北省东部、长江中游，江汉平原东缘。东邻黄冈、鄂州市，西接孝感市，南接咸宁市。

【行政区划】 现辖江岸、江汉、硚口、汉阳、武昌、青山、洪山、东西湖、汉南、蔡甸、江夏、黄陂、新洲13个区。

【人口面积】 人口906万，面积8483平方千米。

【地　　形】 属鄂东南丘陵，经江汉平原东缘向大别山南麓低山丘陵过渡地区，北部低山丘陵，中部多为平原，南部有岗地。长江、汉江汇合于市区中部，境内地势平坦、低洼、水网密布、湖泊众多。

【气　　候】 属亚热带大陆性湿润季风气候，常年雨量丰沛、热量充足、四季分明。年平均气温为15.8～17.5℃，年降水量为1150～1450毫米。

【交　　通】 武汉市交通四通八达，素有“九省通衢”之称。武汉是全国铁路主要枢纽之一，京广、京九、武九、汉丹4条铁路干线与京广高铁、合武和沪汉蓉高铁在此交会。106、107、316、318国道以及京港澳、沪渝、沪蓉、大广高速公路亦在此交会。武汉港是我国内河最大的港口之一，拥有码头泊位615个，年吞吐能力高达4400万吨。天河国际机场有通往国内各大城市航班和通往日本福冈等地的国际航线。

【风景名胜】 国家级风景名胜区东湖、九峰山国家森林公园、木兰山国家地质公园、黄鹤楼、归元寺、木兰山、明王墓群、道观河、双凤亭、徐源泉公馆、盘龙城遗址、龙泉山风景区等。

【土特产品】 洪山菜苔、绿松石雕、蒋在谱剪纸、青山麻烘糕系列、冠生园食品系列等。

【景点介绍】 **东湖** 位于武汉市武昌区东部，是首批国家级风景名胜区之一，国家4A级景区。东湖风景区由听涛景区、磨山景区、珞洪景区、落雁景区、吹笛景区和白马景区等六个特色景区组成，景区总面积73平方千米。东湖建设了一批以楚文化和三国文化为内涵的旅游景点，如行吟阁、屈原塑像、屈原纪念馆、楚城、楚市、楚天台和离骚碑、武圣等。还建有全国第一座寓言雕塑园、中国最大的樱花园、全国四大梅园之首的东湖梅园以及杜鹃园、蔷薇园、水生花卉园等13个植物观赏园。

东湖霞水榭

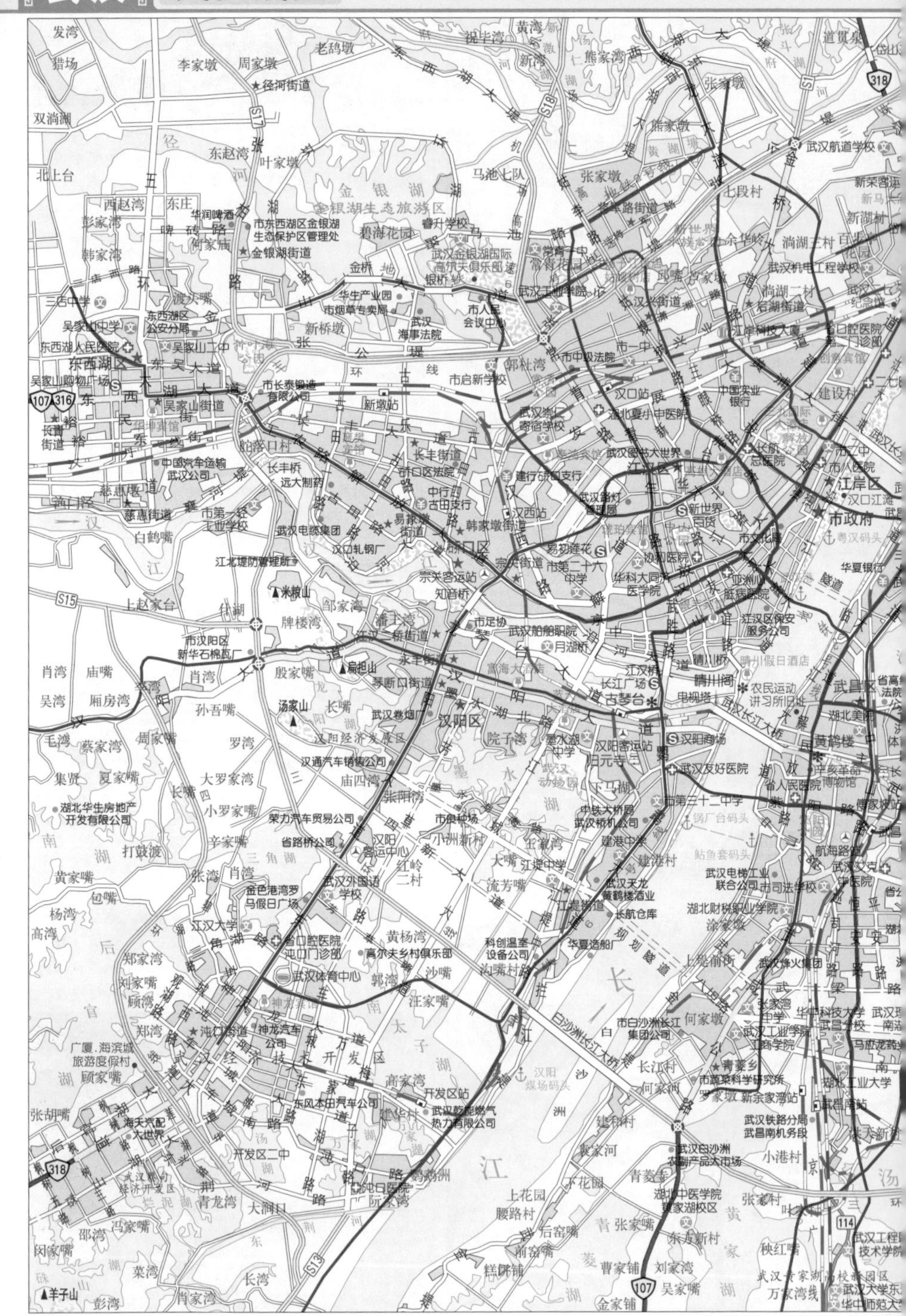

发湾
猎场
李家墩
周家墩
老鸹墩
径河街道
双墩湖
北上台
东赵湾
叶家墩
金银湖
金银湖生态旅游区
马池七队
西赵湾
东庄
彭家湾
华润啤酒
市东西湖区金银湖生态保护区管理处
碧海花园
韩家湾
金银湖街道
武汉金银湖国际高尔夫俱乐部
三店中学
金桥
华生产业园
市烟草专卖局
吴家山中学
东西湖区公安分局
新桥墩
武汉海事法院
市人民会议中心
东西湖人民医院
吴家山二中
东西湖区
吴家山购物广场
吴家山街道
市长泰钢造有限公司
新墩站
市启新学校
郭杜湾
市中级法院
汉口站
湖北夏小中医院
中国实业银行
长航总医院
江岸区
市政府
长丰街道
中国汽车运输武汉公司
长丰桥
远大制药
硚口区法院
中行古田支行
建行硚口支行
武汉路灯管理局
新世界百货
市文化局
慈惠街道
慈惠墩
市第一轻工业学校
白鹤嘴
武汉电缆集团
易家墩街道
韩家墩街道
汉西站
汉口轧钢厂
硚口区
宗关街道
宗关客运站
知音桥
江北堤防管理所
易初莲花
市第二十六中学
协和医院
华科大同济医学院
米粮山
上赵家台
市汉阳区新华石棉瓦厂
牌楼湾
琴台
武汉船舶院
月湖桥
晴川桥
晴川阁
农民运动讲习所旧址
武昌区
肖湾
庙嘴
肖湾
殷家嘴
扁担山
永丰街道
琴断口街道
汉阳区
江汉路
长江广场
古琴台
电视塔
武汉长江大桥
吴湾
厢房湾
孙吾嘴
汤家山
武汉卷烟厂
大湖北路
黄鹤楼
毛湾
蔡家湾
周家嘴
罗湾
汉阳经济发展区
院子湾
墨水湖中学
汉阳客运站
归元寺
汉阳商场
武汉友好医院
集贤
夏家嘴
汉通汽车销售公司
大罗家湾
庙四湾
墨水湖
下马湖
武汉动物园
省人民医院
湖北华生房地产开发有限公司
长嘴
小罗家嘴
张湾
荣力汽车贸易公司
市良种场
中铁大桥局
武汉桥机公司
市第三十二中学
钢厂台码头
辛家嘴
打鼓渡
三角湖
省路桥公司
汉阳客运中心
小洲新村
毛家湾
建港中学
鲇鱼套码头
黄家嘴
张湾
肖湾
红岭二村
大嘴
江堤中学
建港村
武汉电梯工业联合公司
市司法学校
航海路
包嘴
金色港湾罗马假日广场
武汉外国语学校
流芳嘴
武汉天龙黄鹤楼酒业
杨湾
湖北财税职业学院
高湾
江汉大学
口腔医院沌口门诊部
黄杨湾
科创温室设备公司
长航仓库
华夏造船厂
涂家嘴
郑家湾
高尔夫乡村俱乐部
沙嘴
汉嘴村
鹦鹉洲
上堤前街
武汉烽火集团
刘家嘴
武汉体育中心
郭湾
顾湾
汪家嘴
白沙洲长江大桥
市白沙洲长江集团公司
何家墩
张家湾中学
华中科技大学武昌分校
武汉工业学院工商学院
郑湾
沌口街道
神龙汽车公司
太子湖
广厦.海滨城旅游度假村
顾家嘴
高家湾
汉阳煤场码头
沙洲
长江村
青菱乡
市蔬菜科学研究所
湖北工业大学
开发区站
武汉新余家湾站
武昌南站
东风本田汽车公司
武汉经济技术开发区
武汉凯能燃气热力有限公司
张胡嘴
海天汽配大世界
何家洲
武汉铁路分局武昌南机务段
开发区二中
建和村
小港村
黄家河
武汉白沙洲农副产品大市场
沌口医院
阮家湾
上花园
下花园
青菱寺
湖北中医学院黄家湖校区
张家村
邵湾
冯家嘴
青龙湾
大涧口
腰路村
后窑嘴
张家嘴
东方新村
秧红嘴
闵家嘴
菜湾
南窑嘴
糕饼铺
曹家铺
刘家湾
吴家嘴
武汉工程技术学院
羊子山
彭湾
肖家湾
长湾
金家铺
万家湾线
武汉大学东
华中师范大学
318
107
316
114
S17
S18
S15
S13
S1

【地理位置】武汉是湖北省的省会，位于武汉市中部、汉江与长江的交汇处。

【城市特色】湖北省政治、经济、文化、交通中心。历史文化悠久，是我国古代繁华的商埠，近代民主革命的中心，是国家历史文化名城。

【城市交通】中国第一“都市外环”—武汉绕城公路，属双向四车道封闭式高速公路。武汉是京广、京九、武大、汉丹四条铁路干线与京广、沪汉蓉高铁的交会处；武汉港是我国内河最大的港口之一。天河机场距市区20千米。中心城区现有道路2000多条，总长1400多千米。城区内共有桥梁110多座，其中，跨长江、汉江桥梁9座，立交桥（高架桥）10多座，跨河及其他桥梁有60多座。

【风味小吃】洪山菜苔、烤虾球、冠生园食品系列、热干面、排骨藕汤、葵花豆腐、清蒸武昌鱼、小桃园煨鸡汤、三鲜豆皮、四季美汤包等。

【风景名胜】国家级风景名胜区东湖，汉口江滩、武汉二七纪念馆、广厦海滨城旅游度假村、黄鹤楼、农民运动讲习所旧址、归元寺、湖北省博物馆、马鞍山森林公园、洪山宝塔、长春观、古琴台楚天台、梅园等。

【景点介绍】**黄鹤楼** 坐落在长江之滨，是蜚名中外的名胜，与岳阳楼、滕王阁并称江南三大名楼。黄鹤楼始建于三国吴黄武二年（公元223年）。到唐永泰元年（公元765年），黄鹤楼已初具规模，变军事设施为风景名胜。黄鹤楼屡毁屡建，现在的黄鹤楼建成于1985年。主楼以清同治楼为蓝本，飞檐五层，攒尖楼顶，楼高51.4米，底层边宽30米，顶层边宽18米。景区内有南楼、白云阁、千年吉祥钟等景点。

黄鹤楼

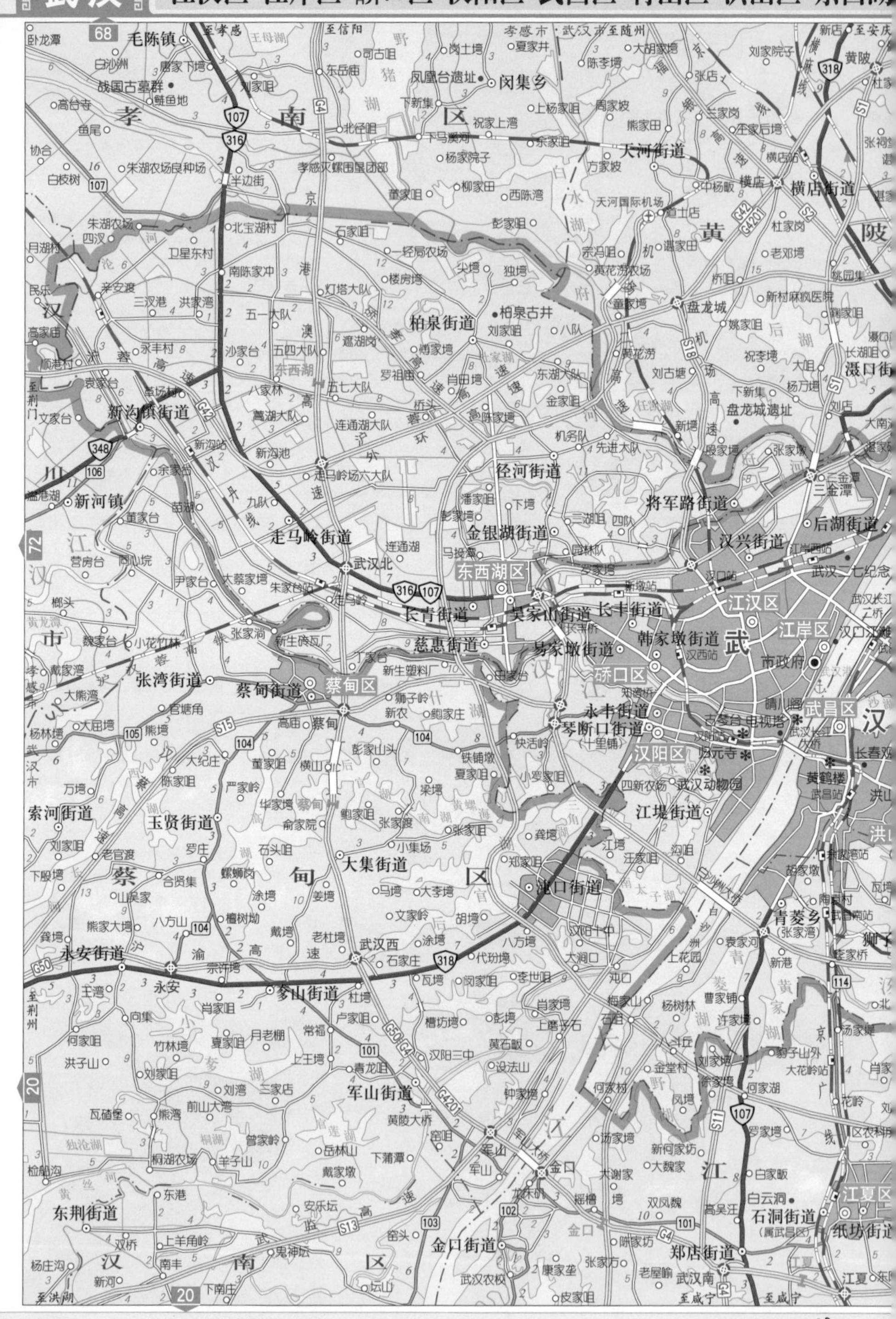

比例尺 1:340 000

3.4千米 0 3.4 6.8 10.2千米

高度表

0 50 100 200 300 400 500 600 800 1000 1200 1500 2000 2500 3000米

江汉区 江岸区 硚口区 汉阳区 武昌区 青山区 洪山区

【地理位置】 位于市境中部，构成武汉城区，地处长江与汉江交汇处，北接黄陂区、孝南区，东临新洲区、鄂州市，南与江夏区相接，西与蔡甸区、汉川市接壤。

【人口面积】 人口534万，面积886平方千米。

【地　　形】 位于长江两岸，地势平坦，河湖交错。

【河流湖泊】 长江、汉江、东湖、汤逊湖等。

【交　　通】 京广、武九、汉丹三条铁路干线与沪汉蓉、京广高速铁路在市内交会；高速公路发达；107、316、318国道穿过市内。武汉港是我国内河最大的港口之一；天河国际机场是我国重要航空指挥中心和航空港之一。

【经　　济】 工业已形成了以冶金、机械、纺织为主的体系，微电子、光纤通信、生物工程等高新技术产业初具规模，为此，武汉享有“中国光谷”之美誉；建有年产30万辆富康轿车的汽车城。农业主产蔬菜，兼产鱼、奶、肉、蛋。

【风景名胜】 国家级风景名胜区东湖，汉口江滩、武汉二七纪念塔、黄鹤楼、归元寺、九峰山国家森林公园、洪山宝塔、长春观、古琴台、晴川阁、楚天台、朱碑亭、梅园、武汉动物园等。

【土特产品】 武昌鱼、绿松石雕、蒋在谱剪纸等。

东湖风光

东西湖区

【地理位置】 位于武汉市区西北部，东北与黄陂区相接，南与蔡甸区接壤，西邻孝感市。

【人口面积】 人口35万，面积439平方千米。

【地　　形】 境内地势低洼，以平原为主，多湖泊，间有少数岗丘。

【交　　通】 汉丹铁路、京港澳高速公路、107和316国道过境。水运以汉江为主。

【经　　济】 工业以机械、电器、纺织、医药、食品等为主。是武汉市重要副食品生产基地。

【风景名胜】 柏泉古井。

【土特产品】 莲藕、桂鱼、丰鲤。

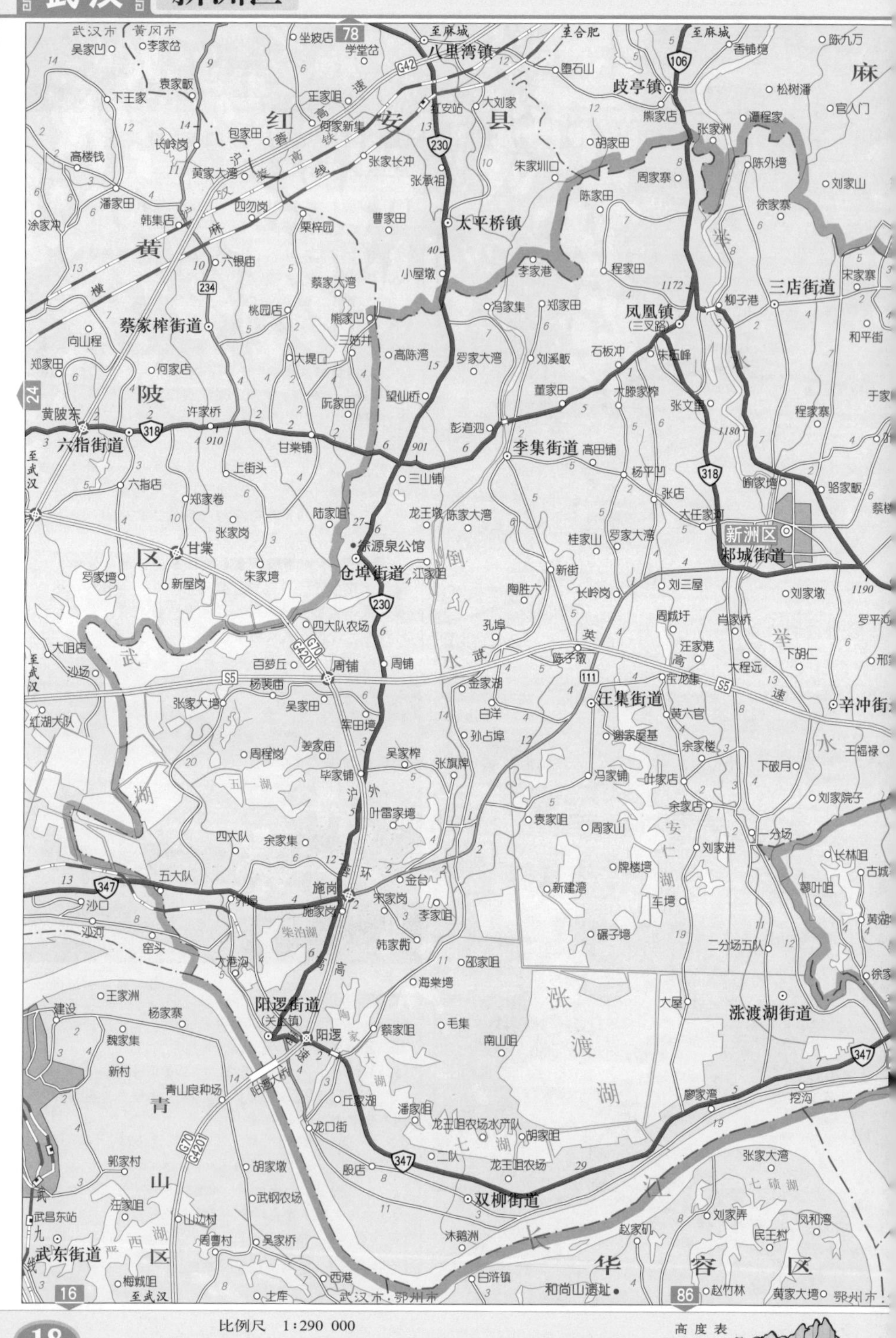

比例尺 1:290 000

2.9千米 0 2.9 5.8 8.7千米

高度表

0 50 100 200 300 400 500 600 800 1000 1200 1500 2000 2500 3000米

【地理位置】 位于武汉市东北部，东与团风县相接，南邻青山区与鄂州市华容区，西与黄陂区接壤。

【人口面积】 人口97万，面积1500平方千米。

【历史沿革】 新洲，史称邾。秦置邾邑，汉设邾县，先后易名西陵县、南安县、齐安郡、衡州。隋开皇初，改衡州为黄州，于此首建黄冈县。公元885年，因黄州易址，新洲又俗称旧州，隶黄州（府）近千年。新中国成立后，黄冈县分为两县，将其西半部建立新洲县，隶属黄冈地区。1983年8月，新洲县划归武汉市管辖，为市属郊县。1998年9月撤县设区，为武汉市辖区。

【地　　形】 地貌以岗地、平原为主，南邻长江，举水自北向南过境。南部滨江一带有武湖、柴泊湖、陶家大湖、涨渡湖等湖群。

【河流湖泊】 举水、倒水、涨渡湖、安仁湖、武湖、七湖、五一湖、柴泊湖、陶家大湖、道观河水库等。

【交　　通】 京九铁路、大广高速公路和106、318国道过境，武英高速横贯全境，武汉市外环高速在西部过境。长江黄金水道过境南部。阳逻建有长江深水港。

【经　　济】 湖北省经济技术开发区。工业以机械、纺织、化工等为主。农业以小麦、水稻、棉花为主，是国家商品粮、优质棉基地，盛产鳜鱼、蟹、鳝等水产品。

【风景名胜】 道观河、孔庙、徐源泉公馆等。

【森林公园】 将军山森林公园。

【土特产品】 汪集鸡汤、李集香葱、徐古蘑菇、张店鱼面、龙王白莲等。

【景点介绍】 **道观河** 位于武汉市新洲区东部，大别山南麓，距武汉市区68千米，距京九铁路新洲火车站5千米，海拔高度在42～675米之间，是武汉市四大风景区之一。它由72座山峰和库容1亿立方米的道观河水库组成。景区内山青水秀，景色迷人。旅游景点有报恩禅寺、世界珠宝玉石博览馆、唐代紫霞寺、保安寨森林公园、乾隆皇帝题咏过的奇石牛、露天大佛等20多处。景区与将军山国家森林公园、涨渡湖生态奇观立体林业一起成为旅游、度假胜地。

道观河风光

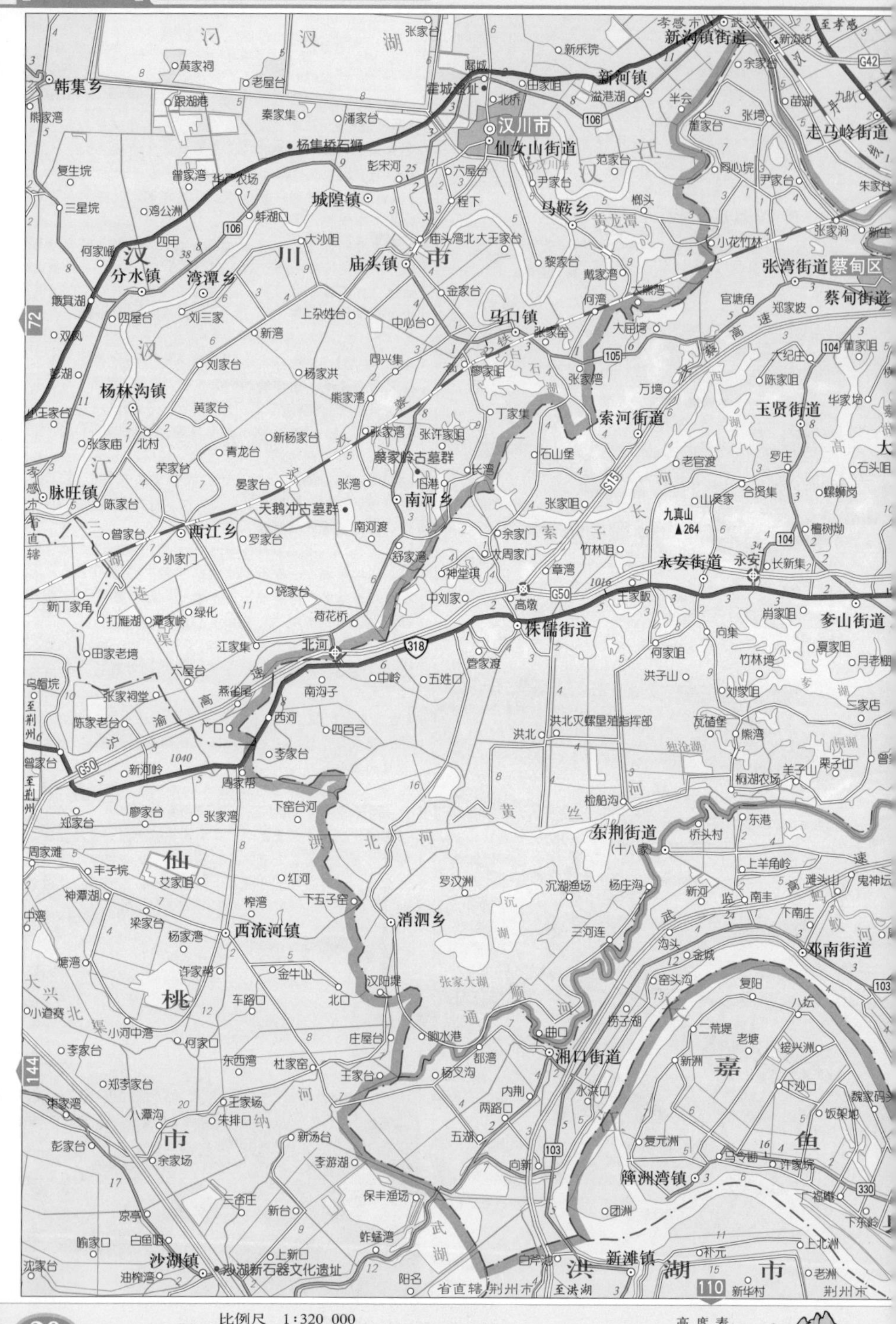

比例尺 1:320 000

3.2千米 0 3.2 6.4 9.6千米

高度表

0 50 100 200 300 400 500 600 800 1000 1200 1500 2000 2500 3000米

蔡甸区

【地理位置】 位于武汉市西南，北接东西湖区，东连武汉市辖区，南临洪湖市，西与仙桃市、汉川市接壤。

【人口面积】 人口47万，面积1094平方千米。

【历史沿革】 蔡甸区，在商末周初时，先隶属南国，后属鄢国。春秋战国时期，隶属楚国。秦统一中原时，属南郡。隋开皇十七年（公元597年），沌阳改称汉津县；大业二年（公元606年），改汉津为汉阳县。1992年9月撤销汉阳县，设立武汉市蔡甸区。

【地　　形】 地势由中部向南北逐减降低。中部均为丘陵岗地，坡度较缓。地貌是以垄岗为主体的丘陵性湖沼平原。

【河流湖泊】 长江、汉江、索子长河、后官湖、高湖、西湖等。

【交　　通】 京港澳高速和沪渝、武监、汉蔡高速在此相会。318国道横贯东西。长江和汉江水运畅通。

【经　　济】 工业有机械、化工、纺织、建材等，有武汉经济技术开发区，中法合资神龙汽车公司轿车基地，年产30万辆富康轿车。农业主产水稻、棉花和油料。盛产鲜鱼和莲藕。

【土特产品】 天鹅、野鸭、雁、白鹳、黑鹳。

汉南区

【地理位置】 位于武汉市西南部，东南面临长江，与江夏区、咸宁嘉鱼县隔江相望，西南与仙桃、洪湖市接壤，北与蔡甸区毗邻。

【人口面积】 人口12万，面积288平方千米。

【历史沿革】 1949年5月前，汉南地区为国民政府汉阳县所辖新滩乡和合成乡，新中国成立后将两乡合并，成立汉阳县新滩区。1956年12月新滩区改称邓南区。其后多次调整，1984年1月，设立武汉市汉南区。

【地　　形】 属江汉平原东部，地势平坦河流交错、港汊密布，仅东北部有少量岗丘。

【河流湖泊】 长江、通顺河、蚂蚁河、武湖。

【交　　通】 武监高速贯穿境内，连接京港澳高速，103省道连通县乡公路，水运有长江航道。

【经　　济】 工业有化工、造纸、纺织等。农业主产水稻、小麦、棉花、油料等，是武汉市副食品生产基地。

【风景名胜】 纱帽山遗址。

长江风光

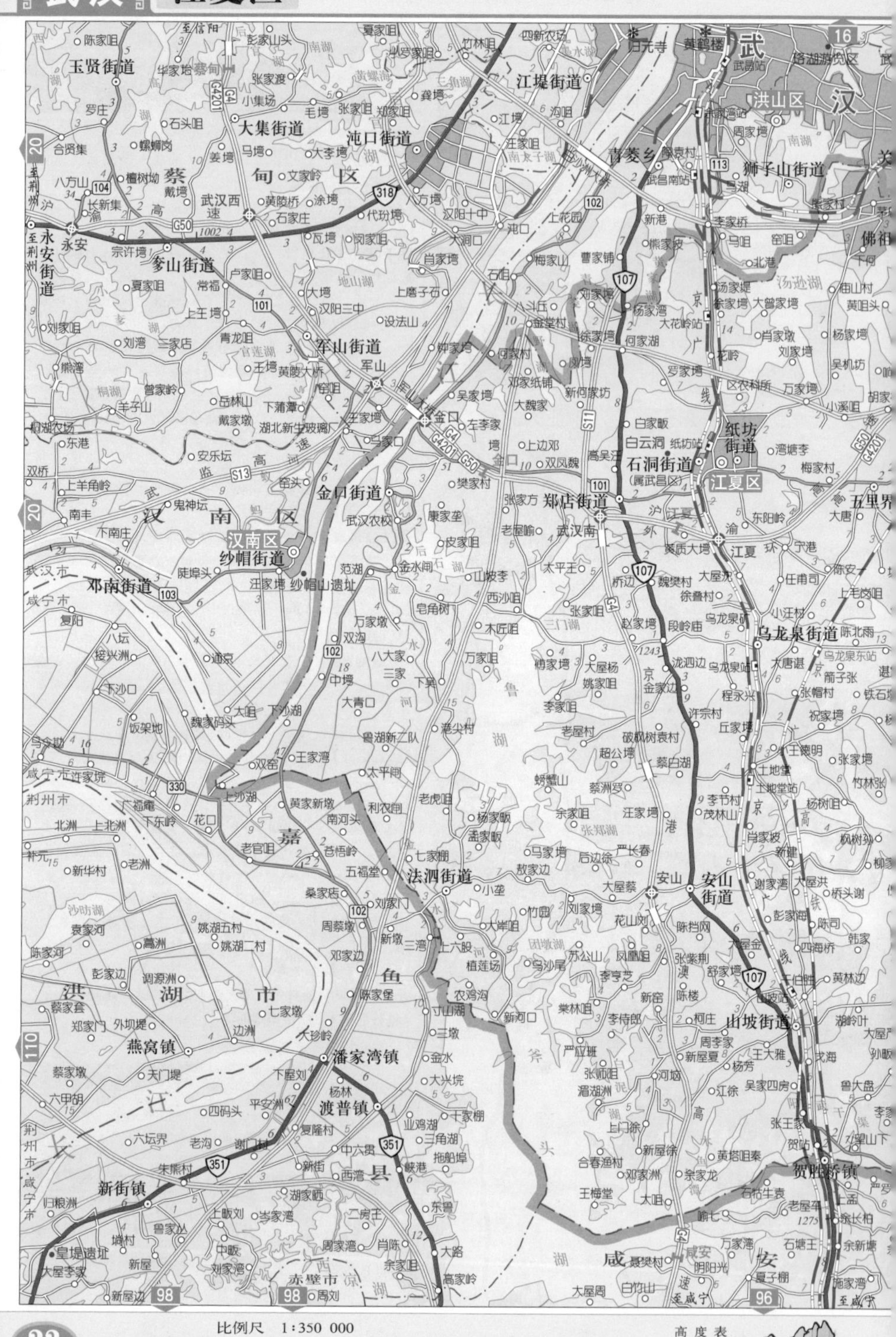

比例尺 1:350 000

3.5千米 0 3.5 7.0 10.5千米

高度表

0 50 100 200 300 400 500 600 800 1000 1200 1500 2000 2500 3000米

【地理位置】　位于武汉市南部、长江中游南岸，东接鄂州市，南通咸宁市，西临长江，北连武汉市辖区。

【人口面积】　人口65万，面积2015平方千米。

【历史沿革】　汉高祖6年（公元前201年），始设沙羡县。公元581年设江夏县，1912年更名为武昌县；1995年3月，撤销武昌县，设立武汉市江夏区。

【地　　形】属江汉平原向鄂南丘陵过渡地段，北部为丘陵，东部和西部为滨湖平原，中部和北部为岗丘。河湖众多、水面约占总面积39%。

【河流湖泊】　长江、梁子湖、斧头湖、牛山湖、鲁湖、汤逊湖、后石湖等。

【交　　通】　京广铁路和京广高速铁路、京港澳高速公路及外环线、107国道平行纵贯本区全境。

【资　　源】　境内矿藏资源有铁、煤、石灰石、白云石、耐火材料等，尤其是白云石、石英石、石膏、膨润土等矿体分布广，储量大，品位高。

【经　　济】　工业以机械、棉纺、造船、轻工、建材、化工等为主。农业以水稻、小麦、棉花为主。渔业占有重要地位，梁子湖以产武昌鱼著称。是全国粮、油、果、瓜、茶和畜禽产品生产基地，优质"界豆"、"梁湖"牌绿茶和三白远销东南亚。

【风景名胜】　龙泉山风景区、明王墓群、白云洞等。

【土特产品】　武昌鱼、大红袍桃、芋头等。

【景点介绍】**龙泉山风景区**　位于武汉市江夏区。据史记载，汉高祖刘邦以武昌为樊哙封地，樊哙死后，就葬于天马峰下。从汉代起，就有许多隐逸之士迁到灵泉山来隐居，遂成灵泉古市，"形胜甲于一邑"。在环山2.5平方千米的幽谷盆地上，建有灵泉寺、听松阁、远眺亭、大观桥、春露亭、晴雨井、百卉园、含山楼、万卷书楼、龙龟戏鱼池等12个景观。明代这里为王陵区。公元1381年，朱桢17岁就藩武昌为楚王。朱桢每年都到灵泉山避暑。朱桢死后为昭王。此后，这里成为昭、庄、宪、康、靖、端、愍、恭、贺八代九王的陵寝与陵园。现在灵泉十二景已逐步恢复，樊哙的陵园已树碑立像，九王陵园修葺一新，山色湖光十分优美，已成为武汉地区一大旅游胜地。

龙泉山

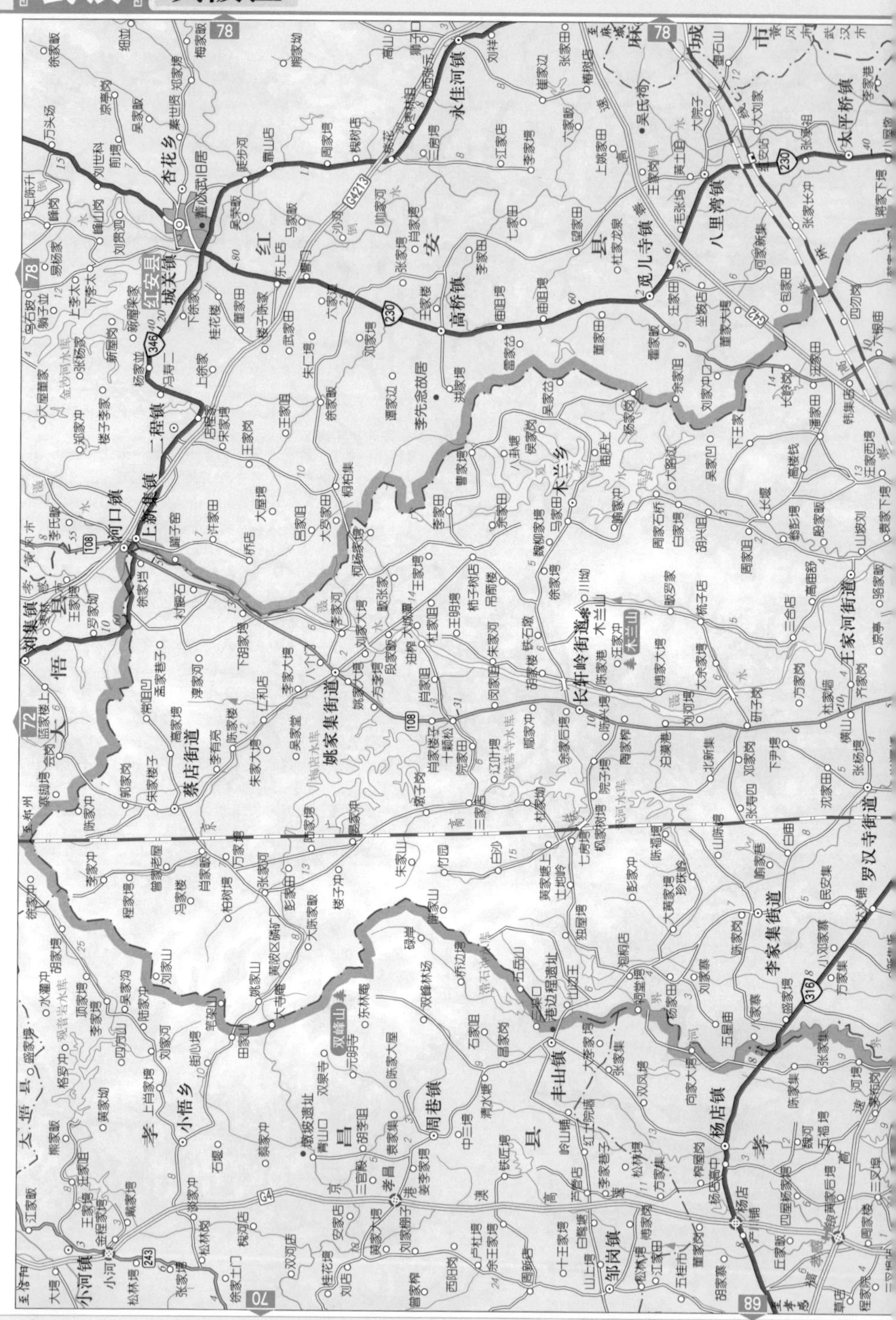

比例尺 1:360 000

3.6千米 0 3.6 7.2 10.8千米

高度表

0 50 100 200 300 400 500 600 800 1000 1200 1500 2000 2500 3000米

【地理位置】 位于武汉市北部，东与新洲区、黄冈市红安县接壤，西与孝感市孝南区、孝昌县毗连，南与武汉市辖区相连，北与孝感市大悟县交界。

【人口面积】 人口116万，面积2261平方千米。

【历史沿革】 古为荆州之域。汉末刘表为荆州刺史，以此地当江、汉之口，拒吴侵袭，使黄祖于此筑城镇遏，名为黄城镇。北周大象元年（公元579年）改镇为南司州，并置黄陂县。此后数次变更。1949年，新中国成立后，黄陂县属孝感专员公署。1959年随专区并入武汉市。1998年9月，撤销黄陂县，设立武汉市黄陂区。

【地　　形】 处大别山低山丘陵与江汉平原过渡带。地势北高南低，自北向南逐渐倾斜。形成西北低山区、东北丘陵区、中部岗状平原区和南部滨湖平原区。

【河流湖泊】 长江、滠水、府河、界河、北河、后湖、武湖、梅店水库、夏家寺水库、院基寺水库等。

【交　　通】 京广、横麻铁路，京广、沪汉蓉高铁在境内相会，福银、外环线、沪蓉、武英、机场等高速公路相会，318国道过境。水运以长江为主。

【资　　源】 境内矿藏资源有铁、磷、白云岩、花岗岩、莹石、石棉、滑石等。

【经　　济】 工业以汽配、酿酒、纺织、化工等为主。农业主产水稻、小麦，兼产棉花、豆类、油菜等。“黄陂黄牛”为优良役用牛种，野生药材以矿山桔梗为著。

【风景名胜】 木兰山国家地质公园，木兰山风景区、盘龙城遗址、半河桥、双凤亭等。

【土特产品】 茶、板栗、真丝挂毯等。

【景点介绍】 **木兰天池** 是木兰山风景区主要景点之一，位于武汉市黄陂区长轩岭镇境内，距武汉市区中心63千米，面积10平方千米。景区由天池峡谷、木兰马场、高山草甸、枫叶林、珍稀兰草园、飞瀑、溪潭、怪石、奇木等构成自然景观200多处。峡谷全长约10千米，上下落差达200米，有大、小天池各一处，小天池水域面积0.1平方千米，大天池水域面积达0.2平方千米，海拔350米，池水荡漾，清澈透底。景区自然景观如珠妙串，森林覆盖绿荫掩映，沟壑纵横、林木茂盛、四季流水不断，恰似“九寨”风情，旅游项目有滑草、滑索、滑道、攀岩、搭绳过涧等，是外出度假休闲、郊游猎奇、探险之胜地。

木兰天池

明显陵 世界遗产　青龙山 国家级自然保护区　服务区　里程起讫点
武当山 国家级风景名胜区　神农架 国家级森林、地质公园　出入口　收费站

比例尺 1:1 100 000

11.0千米 0 11.0 22.0 33.0千米

【地理位置】 地处湖北西北部，东与襄阳市接壤，北、西、西南部分别与河南、陕西、重庆3省市交界，南与神农架相邻。

【行政区划】 辖张湾、茅箭、郧阳3区，丹江口市，郧阳区、竹山、房县、郧西、竹溪4县。

【人口面积】 人口366万，面积23698平方千米。

【地　　形】 地处鄂西北山地，境内秦岭余脉屏障其北，大巴山东段逶迤于南，山峦河谷相间，海拔在1000～2000米之间。整个地势是西南高，东北低。汉江自西向东穿越全境。

【河流湖泊】 汉江、堵河、丹江口水库等。

【气　　候】 属亚热带季风气候，具有明显的垂直气候特征，年平均气温为15℃，年平均降水量770～1000毫米。

【交　　通】 十堰交通便利。襄渝铁路横贯中部；209和316国道、福银高速公路以及305、337、259等省道贯穿境内；内河航运经汉江入长江。

【资　　源】 矿产资源有煤、金、石棉、绿松石、铌稀土等，其中绿松石驰名中外，铌稀土储量居全省首位；林产以松、杉、柏、栎为主，有油桐、漆树、乌桕、油茶、核桃、板栗等经济林，生漆、黄连、五倍子产量居我国前列。野生动物有华南虎、金丝猴、梅花鹿、白鹤、大鲵等国家保护动物；水力资源丰富，建有丹江口水利枢纽和黄龙滩水电站。

【经　　济】 工业以汽车及汽车配件为主，还有水电、机械、橡胶、电子等，农业有小麦、玉米、水稻等。

【风景名胜】 世界文化遗产武当山古建筑群、国家级风景名胜区道教圣地武当山、郧县恐龙蛋化石群国家地质公园、青龙山、堵河源、赛武当、南河、十八里长峡国家级自然保护区、沧浪山国家森林公园、罗汉寨石窟、显圣殿、回龙寺等。

【景点介绍】 **武当山** 位于十堰市东南部，是世界文化遗产和国家级风景名胜区，亦是我国著名的道教圣地，历来为道家修身养性之所。景区内的人文景观-武当山古建筑群始于唐，盛于明，有8宫、2观、36庵堂、72岩庙，总面积达160万平方米，主要有金殿、玄岳门玉虚宫遗址、复真观、紫霄宫、南岩宫等。武当山自然景观以雄为主，兼有奇、秀等特色，有72峰，36崖，24涧，其景色绮丽，胜似五岳，素有“天下名山”之称。

武当山雪景

明显陵 世界遗产　　青龙山 国家级自然保护区　　服务区　　里程起迄点

武当山 国家级风景名胜区　　神农架 国家级森林、地质公园　　出入口　　收费站

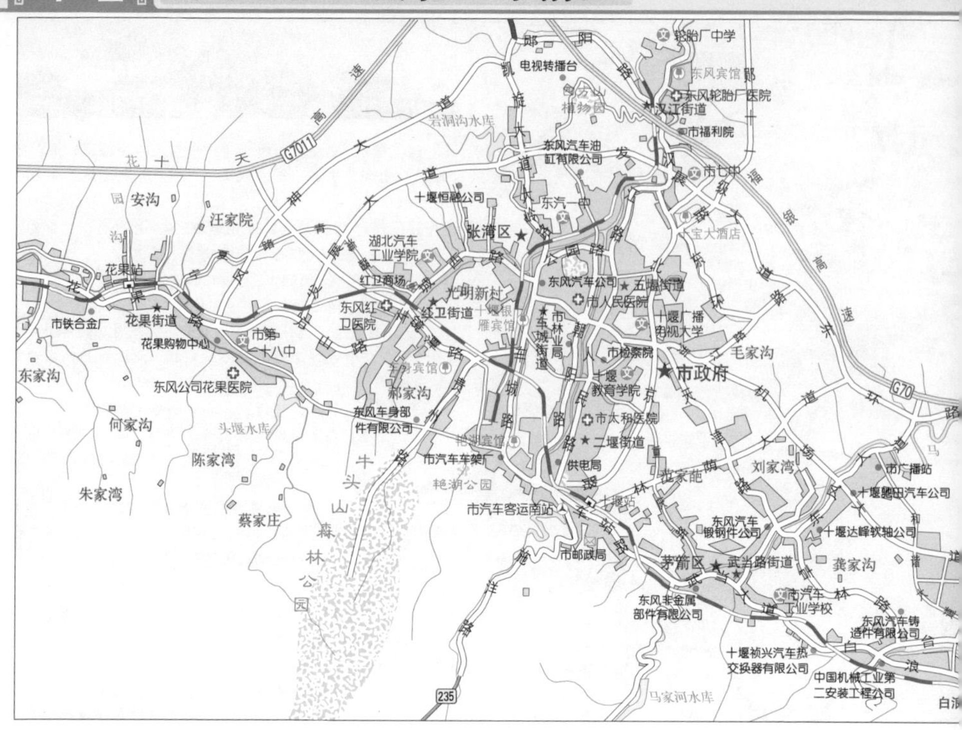

十堰城区

【地理位置】 位于十堰市境中东部。

【城市特色】 历史悠久，风光秀丽，旅游资源丰富，已形成以汽车、电力、机械、冶金、纺织、建材等产品为主的工业体系，尤其汽车工业发展迅速，规模庞大，有“汽车城”之称。

【土特产品】 山茱萸、野生猕猴桃、葛粉、干野菜、武当宝剑、灵芝等。

【风景名胜】 牛头山森林公园、艳湖公园、四方山植物园等。

【景点介绍】 **牛头山森林公园** 位于十堰城区内，总面积16平方千米。景区内山青水秀，植被繁茂，峰峦叠嶂，气候宜人，开发有盆景园、岩石园、岩屋沟、老虎寨、神农采药、犀头拜将、梅园、镜子潭、高峰寺、思古亭、虎延池、车城一览等一批景点。

牛头山森林公园

张湾区 茅箭区

【地理位置】 位于十堰市中部，西部和北部与郧阳区接壤，南临房县，东连丹江口市。

【人口面积】 人口82万，面积1230平方千米。

【地　　形】 地处武当山西北，以山地丘陵为主。

【最高山峰】 菩陀山，海拔1722米。

【主要河流】 堵河、茅塔河。

【交　　通】 209、316国道在本市城区交会，福银高速公路本市东北边区过境，襄渝铁路经过城区中心，并横穿市区全…

【经　　济】 工业有汽车制造及零部件加工、轻纺、化…电子等产业。农业以水稻、小麦为主。

【风景名胜】 回龙寺、伏龙山等。

【土特产品】 黑木耳、竹笋、有机茶、小板栗、天麻、香…绞股蓝、野葡萄酒。

【风味小吃】 龟鹤延年汤、腊肉、土豆、懒豆腐、火烧馍…菜米饭、土鸡汤。

【景点介绍】 **伏龙山** 位于十堰市茅箭区小川境内，距…堰市中心32千米，东与武当山翘首相望，南同神农架遥相…应。伏龙山，主峰海拔为1722米，因山高赛过武当山主峰…得名。由于受地质、气候的影响，它气势磅礴，峰峦叠嶂…松、石、云、雾、霞，蔚为奇观。这里有约9.6平方千米…辽阔森林，覆盖率高达90%以上。长满了称为“活化石”…铁坚杉及珙桐、银杏、白皮松等稀有树种，还有熊、獐、…羊、娃娃鱼等珍禽异兽。

明显陵 世界遗产　青龙山 国家级自然保护区　服务区　里程起讫点
武当山 国家级风景名胜区　神农架 国家级森林、地质公园　出入口　收费站

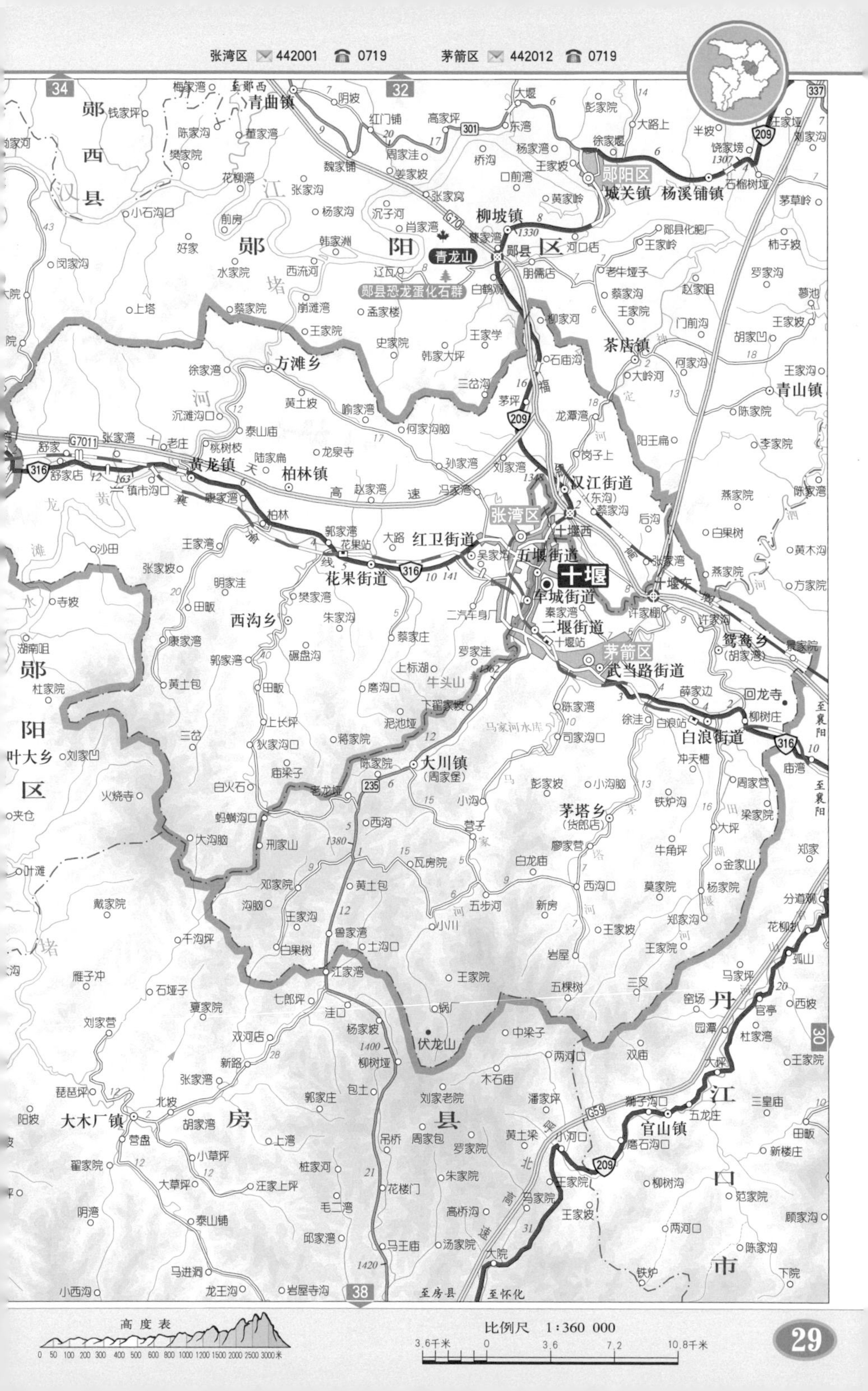

高度表

0 50 100 200 300 400 500 600 800 1000 1200 1500 2000 2500 3000米

比例尺 1:360 000

3.6千米 0 3.6 7.2 10.8千米

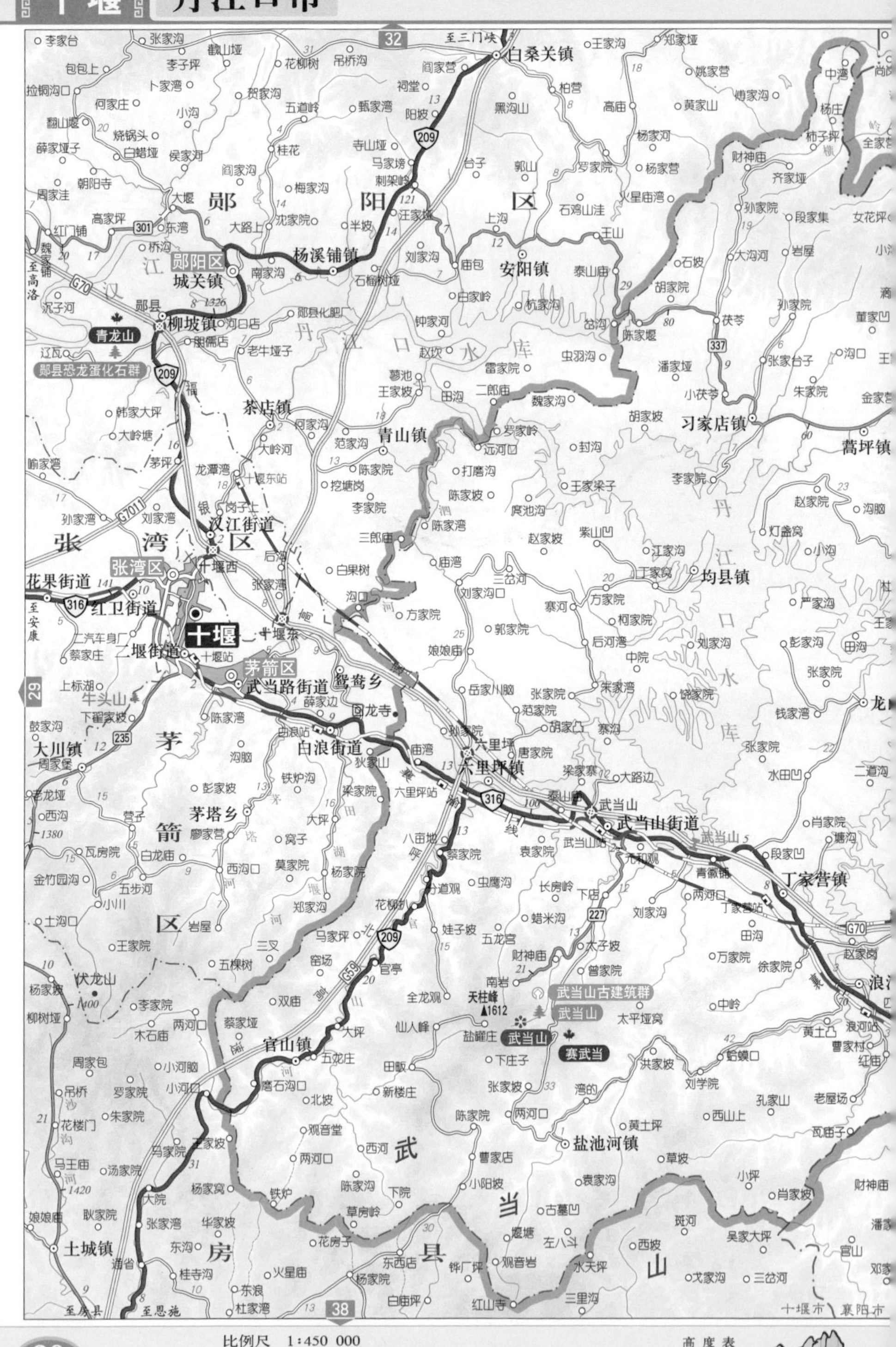

比例尺 1:450 000

4.5千米 0 4.5 9.0 13.5千米

高度表

0 50 100 200 300 400 500 600 800 1000 1200 1500 2000 2500 3000米

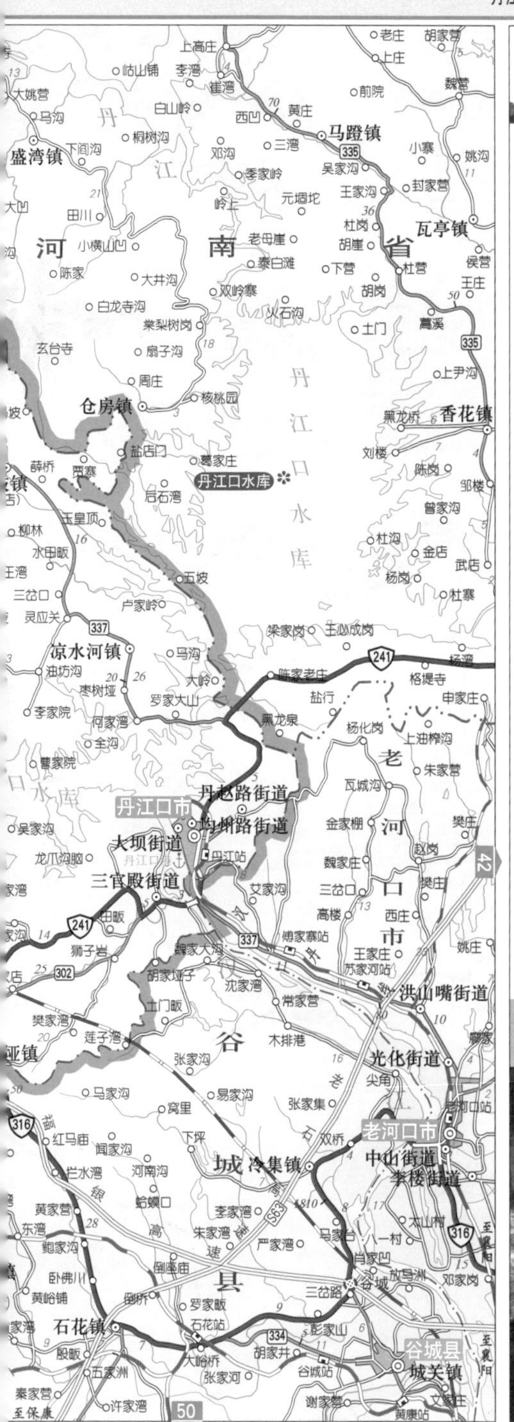

【地理位置】 位于十堰市东，汉江中上游，南与房县接壤，东南与老河口市、谷城县相连，西与十堰市辖区为界，西北与郧阳区相接，东北与河南省为邻。

【人口面积】 人口46万，面积3121平方千米。

【历史沿革】 春秋时为麇国，战国时属楚。汉高祖五年(公元前202年)置县，取名“武当”，隶属南阳郡。隋开皇五年(公元585年)为均州，因境内均水而得名，辖武当、均阳两县。宋、元、明、清历代皆为重镇；民国初年改州为县；1983年，改为丹江口市。

【地　　形】 处鄂西北山地，地势西南高，呈扇形向北、东北、东逐渐低下。地貌以低山丘陵为主，南部属武当山系，北部为秦岭山系。水域约占总面积15%。

【河流湖泊】 官山河、横岭河、丹江口水库。

【交　　通】 交通发达，水陆并进。襄渝铁路、福银高速公路及316国道横贯全境；汉江航道直通武汉及沿长江口岸。

【资　　源】 境内矿藏资源丰富，有金、钒、镍、铁、铜、锰、褐铁、钒钛铁等金属矿，有石膏、白云岩、石棉等非金属矿；野生动物主要有獐子、羚羊、豹子、野猪、猴子等；野生植物种类繁多，药材丰富，名贵的有金钗、天麻、田七等。

【风景名胜】 世界文化遗产武当山古建筑群、国家级自然保护区赛武当、国家级风景名胜区武当山、丹江口水库等。

【土特产品】 龙须草、烟叶、田七、天麻、灵芝等。

【景点介绍】 **丹江口水库** 位于丹江口市汉江和其支流丹江的交汇处，拦截了丹江和汉水两大河流。库区面积800余平方千米，蓄水达174亿立方米，目前为亚洲水面面积最大的水库。库区碧波荡漾，群山耸立，湖光山色，浑然一体。自然风光优美迷人。水库两岸古文化相对集中，楚文化遗址尤为丰厚。这里是楚文化的发源地和楚文化与中原文化的交融地。目前，水库已经成为集旅游观光、疗养度假、水上娱乐于一体的旅游景区。

丹江口水库

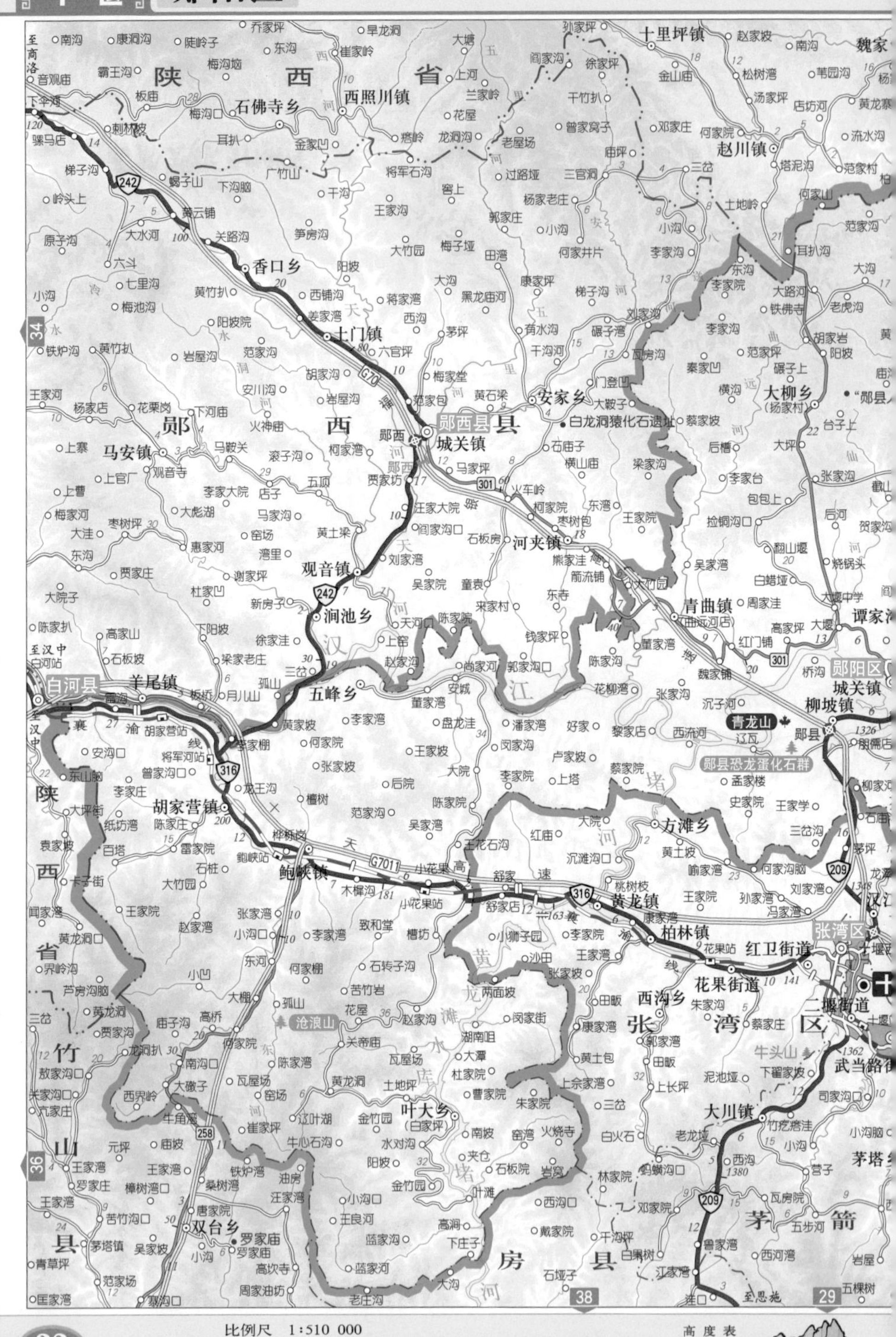

比例尺 1:510 000

5.1千米 0 5.1 10.2 15.3千米

高度表

0 50 100 200 300 400 500 600 800 1000 1200 1500 2000 2500 3000米

【地理位置】 位于省境西北部，汉江上游。北部与陕西省相接，东北部与河南省相依，西南部与竹山县毗连，西部与陕西省交界，西北部与郧西县相交，南部与十堰市辖区相依。

【人口面积】 人口57万，面积3863平方千米。

【历史沿革】 郧县（现郧阳区）以汉水“长利”有“郧关”而得名。夏时，为豫州之西域。晋太康四年（283年）析锡县复汉长利县。太康五年（284年），改长利县为郧乡县。至元十四年（1277年），郧乡县改郧县。1950年3月，划归湖北省建制，隶属湖北省郧阳专员公署。1994年9月，郧县(现郧阳区)隶属十堰市所辖。

【地　　形】 地处鄂西北汉江上游，系秦岭、大巴山余脉之间，中部为汉江谷地。

【河流湖泊】 汉江、堵河、滔河、丹江口水库、黄龙滩水库。

【交　　通】 福银高速公路过境，209国道斜贯南北，襄渝铁路、316国道横穿南部，以汉江、堵河两条流域为主的水路交通直达长江沿岸各埠。

【资　　源】 境内矿藏资源不仅有黑色金属矿，而且还有金、银等贵金属和兰石棉、绿松石等特种矿。森林覆盖率约45%，多分布于南、北山区，是湖北省连翘、黄姜、柏子仁、全虫、天麻等药材重要产地。

【经　　济】 工业有建材、机械、采矿等行业，是东风汽车部件重要生产基地之一。农作物有水稻、小麦、玉米、芝麻。

【风景名胜】 青龙山国家级自然保护区，郧县恐龙蛋化石群国家地质公园，“郧县人”遗址。

【土特产品】 桐油、全虫、连翘、乌桕等。

【民间艺术】 花鼓戏、凤凰灯舞、待尸歌、曲剧、二盆子戏、打锣鼓等。

【景点介绍】 **“郧县人”遗址** 位于郧阳区汉江河畔。1989年5月，发掘出两颗完整的远古人类头骨化石，被专家确认为距今已100多万前的远古人类化石。这一发现，改变了人类起源非洲的学说。现在在“郧县人”出土处建有“郧县人”雕刻头像，“郧县人”展馆。

青龙山恐龙蛋化石

明显陵 世界遗产　青龙山 国家级自然保护区　服务区　里程起迄点
武当山 国家级风景名胜区　神农架 国家级森林、地质公园　出入口　收费站

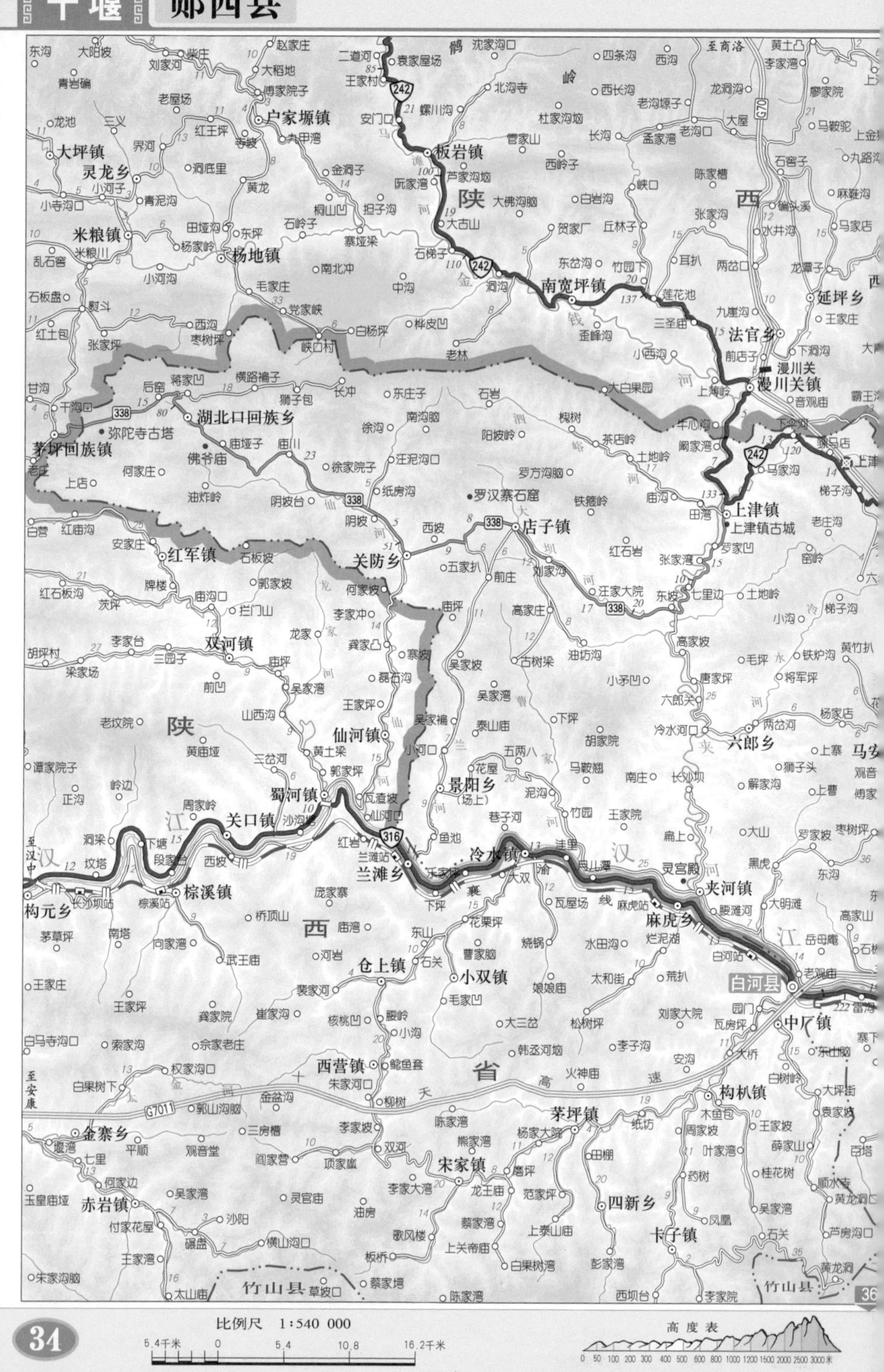

比例尺 1:540 000

5.4千米 0 5.4 10.8 16.2千米

高度表

0 50 100 200 300 400 500 600 800 1000 1200 1500 2000 2500 3000米

【地理位置】 位于十堰市西北边陲，汉江北岸。东南与郧阳区毗邻，北、西、西南部均与陕西省相连。

【人口面积】 人口52万，面积3509平方千米。

【历史沿革】 三国时于境西甲河上游要津(即今上津地)置平阳县，明初复上津县，成化十二年(公元1476年)分郧县的武阳五里、上津的津阳四里置县，名郧西县。民国初年郧西属襄阳道。1949年属陕西省两郧专区，1950年属湖北省郧阳专区，1994年属十堰市。

【地　　形】 地势为西北高东南低。西部为北羊山；中部为小鹏岭山脉，由山阳的马鞍驼入境；东部大鹏岭分三支入境，分布于天河流域以东地区。

【主要河流】 汉江、夹河和天河等。

【交　　通】 襄渝铁路、316国道沿汉江南岸穿行，福银高速过境，228、301、338省道与县乡公路连接成网。汉江可通航。

【资　　源】 矿藏资源铁、铜、磷矿、硫铁矿、钒矿、绿松石等；珍贵的野生动物有大鲵、獐、水獭、锦鸡等；有“七月一枝花”、“头顶一颗珠”、“千年老鼠屎”等野生稀有植物。产杜仲、黄姜、油桐、香料烟等，是我国四大杜仲基地之一。

【经　　济】 工业以化工、机械、医药、电力、食品等为主；农业主产水稻、小麦、玉米、桐油等。

【风景名胜】 白龙洞猿化石遗址、灵宫殿、佛爷庙、上津镇古城、弥陀寺古塔、罗汉寨石窟等。

【土特产品】 蝎子、八足二蝥、锦鸡等。

【景点介绍】 **白龙洞猿化石遗址** 位于郧西县城东10余千米处的神雾岭东坡上。郧西猿人遗址距今约50万至100万年，为我国8处猿人遗址之一。1976年，我国考古专家在洞内发现8枚猿人牙齿化石和狸、犀、熊、獾、鹿、牛、豪猪、鬣狗、大熊猫、剑齿象、剑齿虎等20多种动物的牙齿、头角、骨骼、粪便化石。后来，又发现了一批人工凿痕的打制器和用火的迹象。白龙洞周围有许多优美景点，如祖师殿、玉皇顶、九龙寺、泰山庙、黑龙庙、太阳山、天池映月、雷门激石、绝龙岭、黄石晚照、韭崖新雨、北隅耕烟和柳桥渡春等景观。

郧西风景

明显陵 世界遗产　青龙山 国家级自然保护区　服务区　里程起迄点
武当山 国家级风景名胜区　神农架 国家级森林、地质公园　出入口　收费站

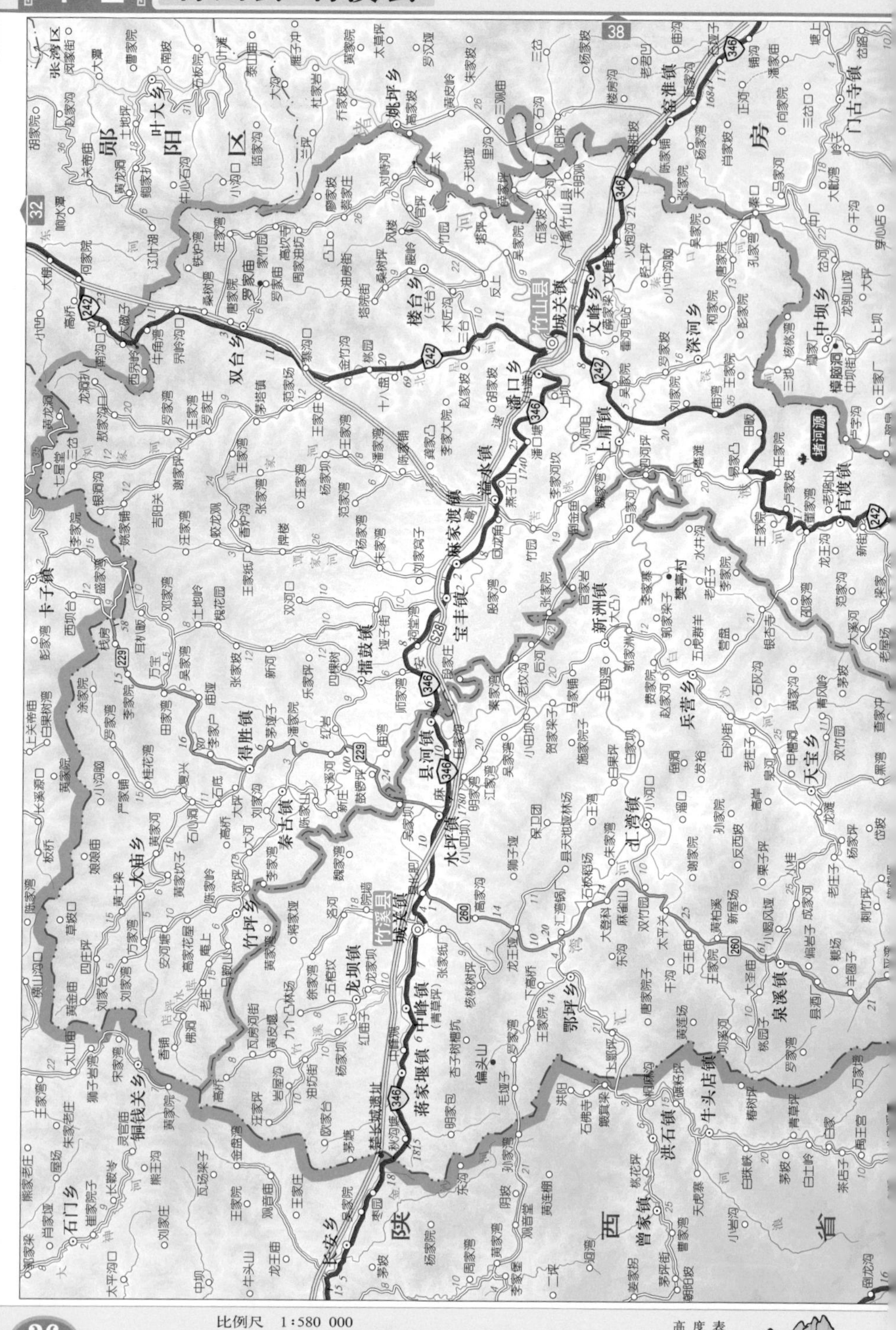

比例尺 1:580 000

5.8千米 0 5.8 11.6 17.4千米

高度表

0 50 100 200 300 400 500 600 800 1000 1200 1500 2000 2500 3000米

竹山县

【地理位置】 位于十堰市西南部，东连房县，西邻竹溪县，南接神农架林区、重庆市，北邻郧阳区、陕西省。

【人口面积】 人口46万，面积3586平方千米。

【历史沿革】 竹山，古时属庸国。春秋时，楚灭庸置县。秦为上庸县，属汉中郡。东汉至南齐为上庸郡。西魏改称竹山县，以县境黄竹山得名。1949年属陕西省两郧专区，1950年属湖北省郧阳专区，1994年属十堰市。

【地　　形】 地势由南、西向东北倾斜。南部为高山区，东南部为低山区，中南部为低山区，北部为高山、低山区，西北为二高山区，中西部为低山、平丘、盆地区。

【主要河流】 堵河、官渡河、北星河、苦桃河等。

【交　　通】 258、259、305省道在此交会。堵河官渡镇以下可通航。

【资　　源】 矿藏资源丰富，有石煤、铁矿、金银矿、稀土矿等，绿松石储量居全省首位。野生动物有驴头狼、野牛、野马、花鹿、长颈鹿、白熊等；野生植物主要有金银花、腊梅花、湖北海棠、猕猴桃、黄山药等。中药材产量居全国前列。

【风景名胜】 国家级自然保护区堵河源，其他景点有驴头峡、文峰塔、罗家庙等。

【土特产品】 肚倍、绿松石、郧巴牛等。

竹溪县

【地理位置】 位于十堰市西南部，北、东部与竹山县毗邻，南与重庆市交界，西与陕西省相连。

【人口面积】 人口36万，面积3279平方千米。

【历史沿革】 竹溪，古时属庸国。春秋时属楚。明成化十一年(1476年)，竹山分尹店社置竹溪县，竹溪之名始于此，属郧阳府，隶湖广下荆南道。1949年属陕西省两郧专区。1950年属湖北省郧阳专区，1994年属十堰市。

【地　　形】 地势由西南向东北倾斜，南高而北低。以县城为中心为山间平坝区，东部为低山丘陵区，中部和南部为高山林区。

【主要河流】 竹溪河、汇湾河等。

【交　　通】 260、305省道境内交会，259省道过境。

【资　　源】 境内石煤资源丰富，野生动物有巴山虎、金钱豹、果子狸、黄彪等。盛产中药材。

【风景名胜】 楚长城遗址、十八里长峡自然保护区、偏头山。

【土特产品】 生漆、龙峰茶、秦冠苹果、薇菜（紫萁）、黄连、黄姜、魔芋、绞股蓝和茶叶。

比例尺 1:580 000

5.8千米 0 5.8 11.6 17.4千米

高度表

0 50 100 200 300 400 500 600 800 1000 1200 1500 2000 2500 3000米

【地理位置】位于十堰市南部，介于大巴山和武当山之间。北与郧阳区、张湾区、茅箭区、丹江口市接壤，南邻神农架林区，东接保康、谷城两县，西连竹山县。

【人口面积】人口47万，面积5110平方千米。

【历史沿革】秦置房陵县，属汉中郡，以“纵横千里、山林四塞、其固高陵、如有房屋”得名。隋大业二年(606年)为房陵郡。宋雍熙三年(986年)升房州为保康郡，隶京西南路。明洪武十年(1277年)降房州为县，属湖广布政使司襄阳府。民国初年属襄阳道。1994年属十堰市。

【地　　形】地势南北高，中部低，四周高山环绕，由两侧分向中部倾斜，略成盆地形势。北部为变质岩区，西南为秦岭地槽；南部是汉南凹陷带，为沉积岩区；东南部是秦岭地槽与扬子淮地台的过渡地带，称为“荆山沉降带”。丘陵主要分布在中部城关镇周围和马栏河谷地带。

【最高山峰】关家垭，海拔2485米。

【主要河流】堵河、马栏河、刘家河、南河等。

【交　　通】209国道纵贯南北，305省道横穿东西。235省道在北部与209国道相接。

【资　　源】矿藏资源有金、铜、铁、铅、硫磺、石膏和煤等，林木茂盛，种类繁多，以松、杉、栎为主要品种；名贵树种有珙桐、银杏、楠木、樟木、香椿等。野生动物有虎、豹、黑熊、白熊、娃娃鱼、野猪、鹿、猴、蟒蛇、野鸡、锦鸡等。

【经　　济】工业有机械、电力、化工、轻纺、制药等产业。农业以种植水稻、小麦、油菜为主。盛产香菇、木耳、生漆、黄连等。黑木耳驰名，誉称“房耳”。

【风景名胜】有龙潭坎瀑布、樟脑洞、显圣殿等。

【景点介绍】**显圣殿**　位于房县城西15千米军店镇房山脚下，依山傍水，景色秀丽。正殿是宫殿式建筑，两侧是砖木结构的两层楼房。清咸丰十一年(1861年)在房山山顶修建金顶1座。现顶殿依旧保存完好。

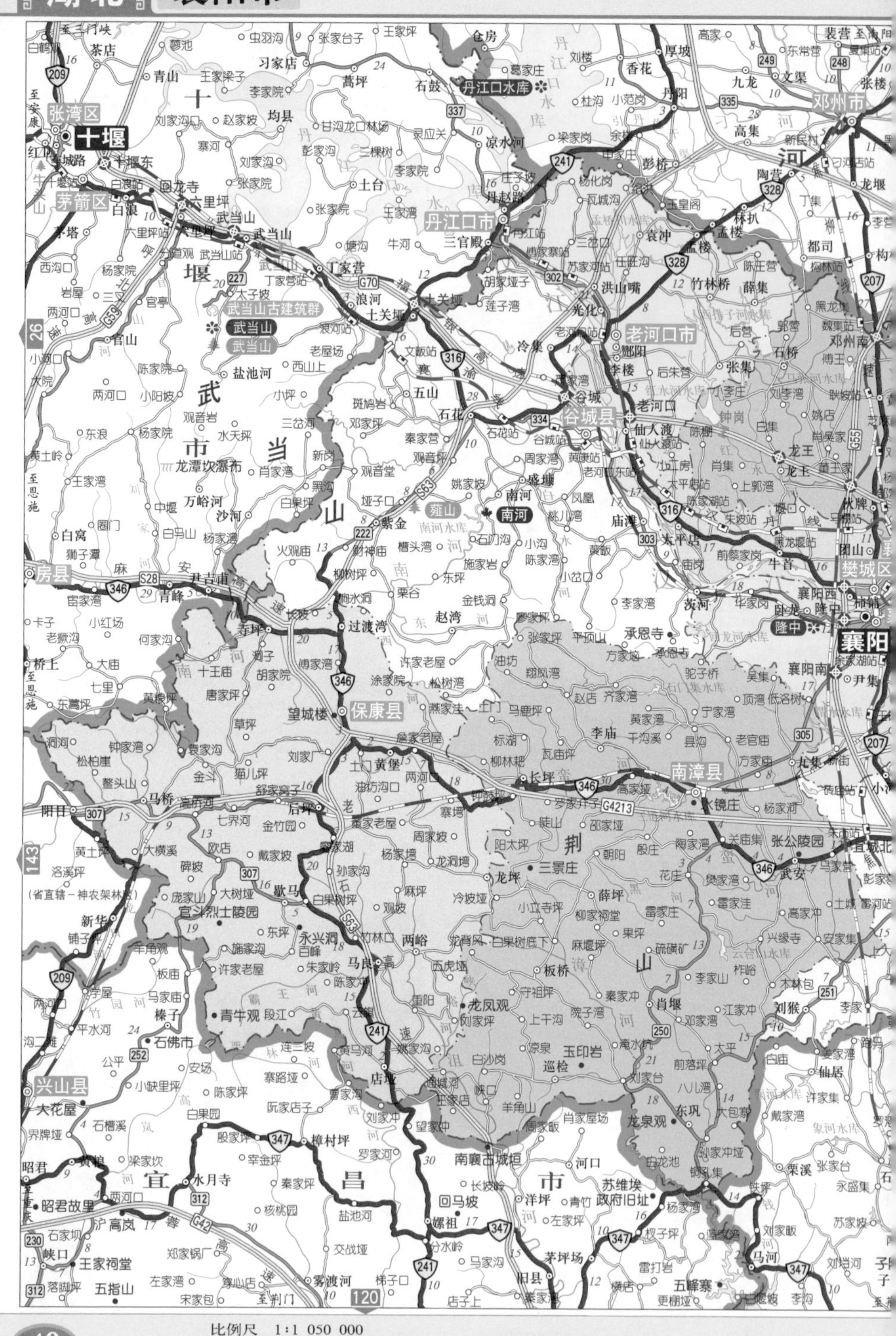

比例尺 1∶1 050 000

10.5千米 0 10.5 21.0 31.5千米

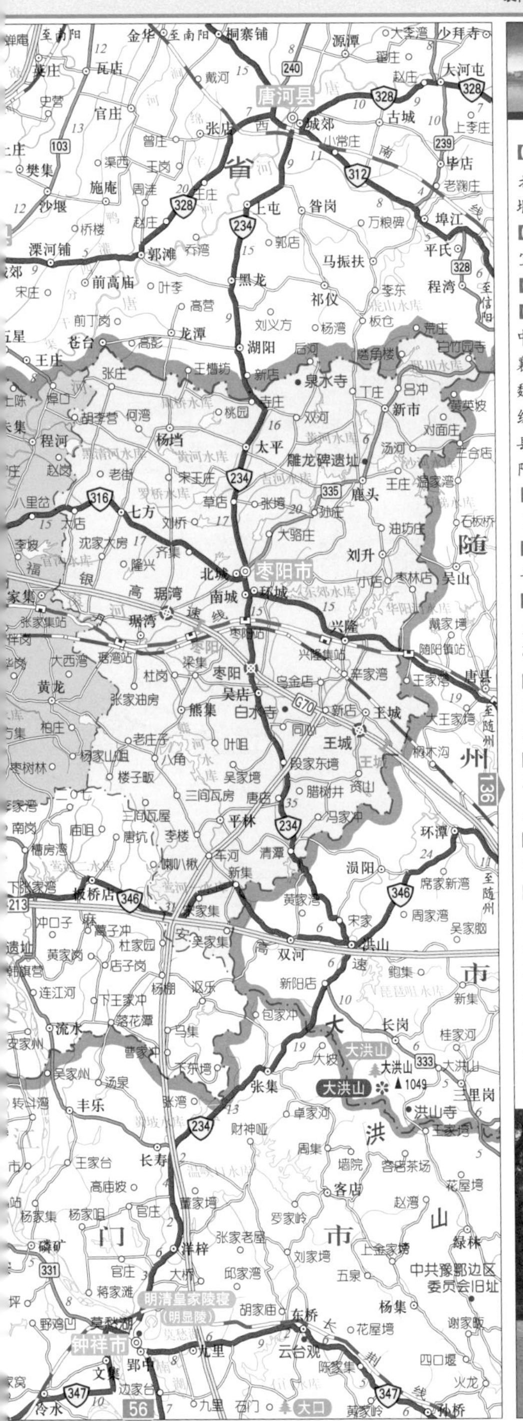

【地理位置】

位于湖北省北部，居汉江中游，秦岭余脉，北邻河南省，东接随州市，南望荆门和宜昌市，西连十堰市和神农架林区。

【行政区划】 辖襄城、樊城、襄州3区，老河口、枣阳、宜城3市和南漳、谷城、保康3县，市政府驻襄城区。

【人口面积】 人口590万，面积19626平方千米。

【历史沿革】 襄阳历史悠久。夏禹铸九州，襄阳即在其中。樊城传为周宣王仲山甫的封地—樊侯国，自此至今襄阳已有2800多年的历史。襄阳汉初建县，三国时，曹魏设襄阳郡。1949年设襄阳专区；1951年析襄阳县设地级襄樊市；1952年8月襄樊市改县级镇；1953年恢复为县级市；1979年6月升为地级市；2010年11月更名为襄阳市。

【地　　形】 境内西部为山区，东部为低山丘陵，北部为鄂北平原，汉江流域和南部地区为开阔的冲积平原。

【气　　候】 属亚热带季风气候，年平均气温15.5℃，年降水量1000毫米。

【交　　通】 汉丹、焦柳、襄渝3条铁路在襄阳交会。二广、福银高速公路相交于市内，207、316国道与217、305、306省道构成主干公路网。

【资　　源】 矿产资源丰富，红金石储量居全国前列，还有磷、重晶石、粘石、石灰石等。林产以松、杉、栎为主。有金钱豹、梅花鹿等珍稀动物。

【经　　济】 工业已形成以汽车为主体的机械工业为主导产业，化工、建材、纺织为优势行业的格局。是省重要农业基地，为省芝麻、小麦、棉花主产区。

【风景名胜】 国家级风景名胜区隆中，薤山、鹿门寺国家森林公园，承恩寺、楚皇城遗址、望城楼等。

【景点介绍】 **隆中** 位于襄阳市区和南漳、谷城县交界处，是国家级风景名胜区，总面积209平方千米，包括古隆中、水镜庄、承恩寺等景区。主景区古隆中位于襄阳城西13千米处，是三国时期杰出的政治家、军事家和思想家诸葛亮青年时代（17～27岁）躬耕隐居地，历史上著名的“三顾茅庐”和“隆中对”的史实就发生于此。现在有草庐亭、躬耕田、三顾堂、武侯祠、诸葛草庐、铜鼓台、吟啸山庄、长廊、观星台等景点。

隆中

襄阳城区

【地理位置】　位于市境中部，被汉江分为南北两城，南为襄城，北为樊城。

【城市特色】　是湖北省第二大城市。国家历史文化名城。有“东瞰吴越、南遮湖广、西带秦蜀、北通宛洛”地理区位优势。自古为交通要道、兵家必争之地。

【交　　通】　汉丹铁路与焦柳铁路、207与316国道在本市区交会。汉江水运可上通下达。

【历史人物】　吴国大夫伍子胥、楚国大文学家宋玉、汉光武帝刘秀、“建安七子”之首的王粲、被誉为“卧龙”的诸葛亮和“凤雏”庞统等。

【经　　济】　工业有汽车、纺织、轻工、电子、机械、医药、化学、建材等。

【土特产品】　灵溪酒、灵芝、天麻等。

【风味小吃】　黄酒、凉面、牛油面、油茶、夹沙肉、红烧槎头鳊、襄阳糊辣汤。

【风景名胜】　米公祠、杜甫公寓、翠竹湖农家乐园、汉港水上游乐园、王寨相思园、邓城神农园、锦绣园、夫人城、仲宣楼、连山风景区、昭明台、襄樊中安达分时度假村等。

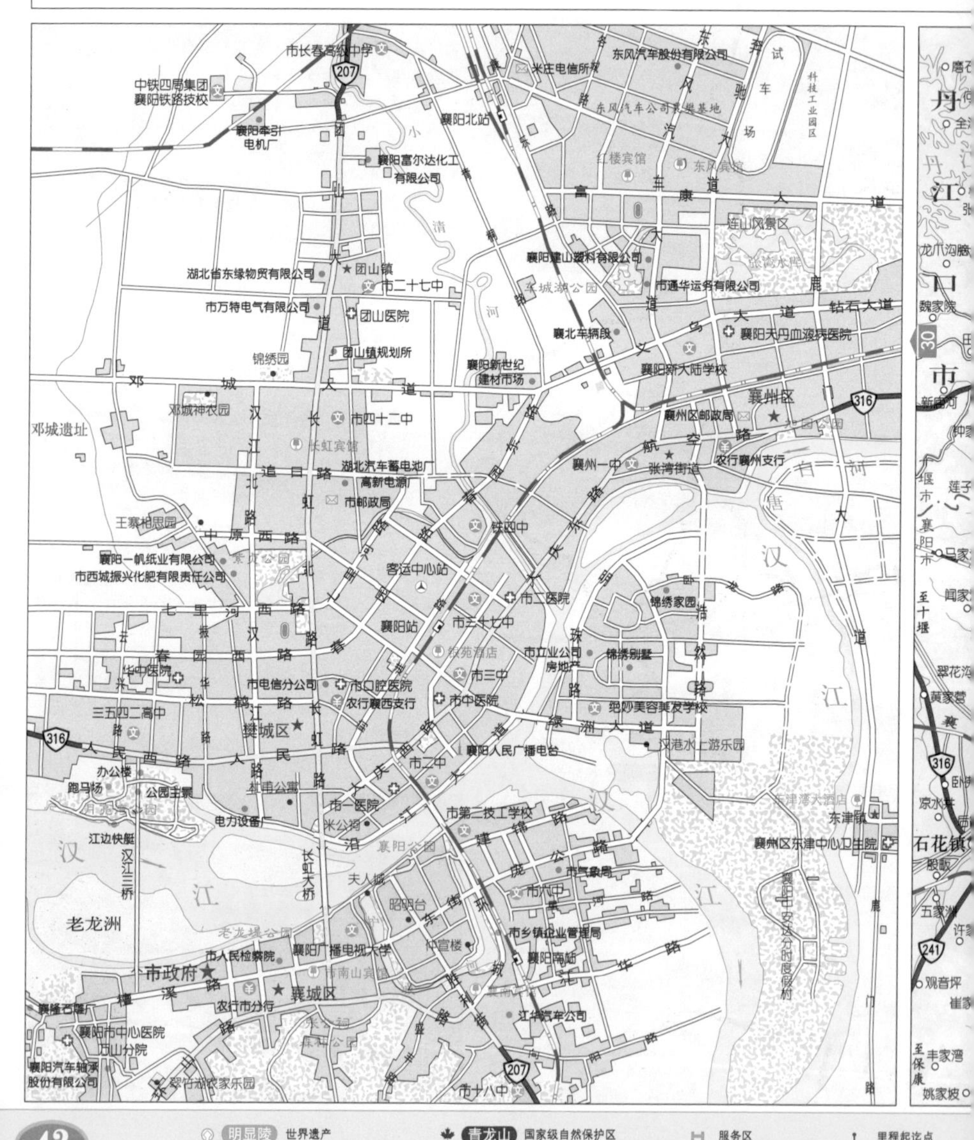

明显陵　世界遗产　　青龙山　国家级自然保护区　　服务区　　里程起讫点

武当山　国家级风景名胜区　　神农架　国家级森林、地质公园　　出入口　　收费站

阳市西北部，居汉江中游东岸。北抵河南省，
或区，西与谷城县相邻，西北与丹江口市接壤。
万，面积1032平方千米。
岗地，北部和东部多丘陵岗地，西部和南部为带
为排子河水库、孟桥川水库、红水河水库。
渝铁路和福银高速公路及316国道过境；302和
汉江水运可上至陕西，下抵长江。
然资源丰富。有天然巨型“六股泉”矿泉水；还

有储量丰富、品质高的石灰石、露天圆型砂、大理石等矿藏。

【经　　济】工业有化工、机械、汽车、纺织、服装、建材、包装装潢、冶金、电子等产业。农作物以小麦、水稻、棉花、油料为主，其小麦单产居湖北省之首，为全国优质小麦生产基地和小麦商品粮基地。

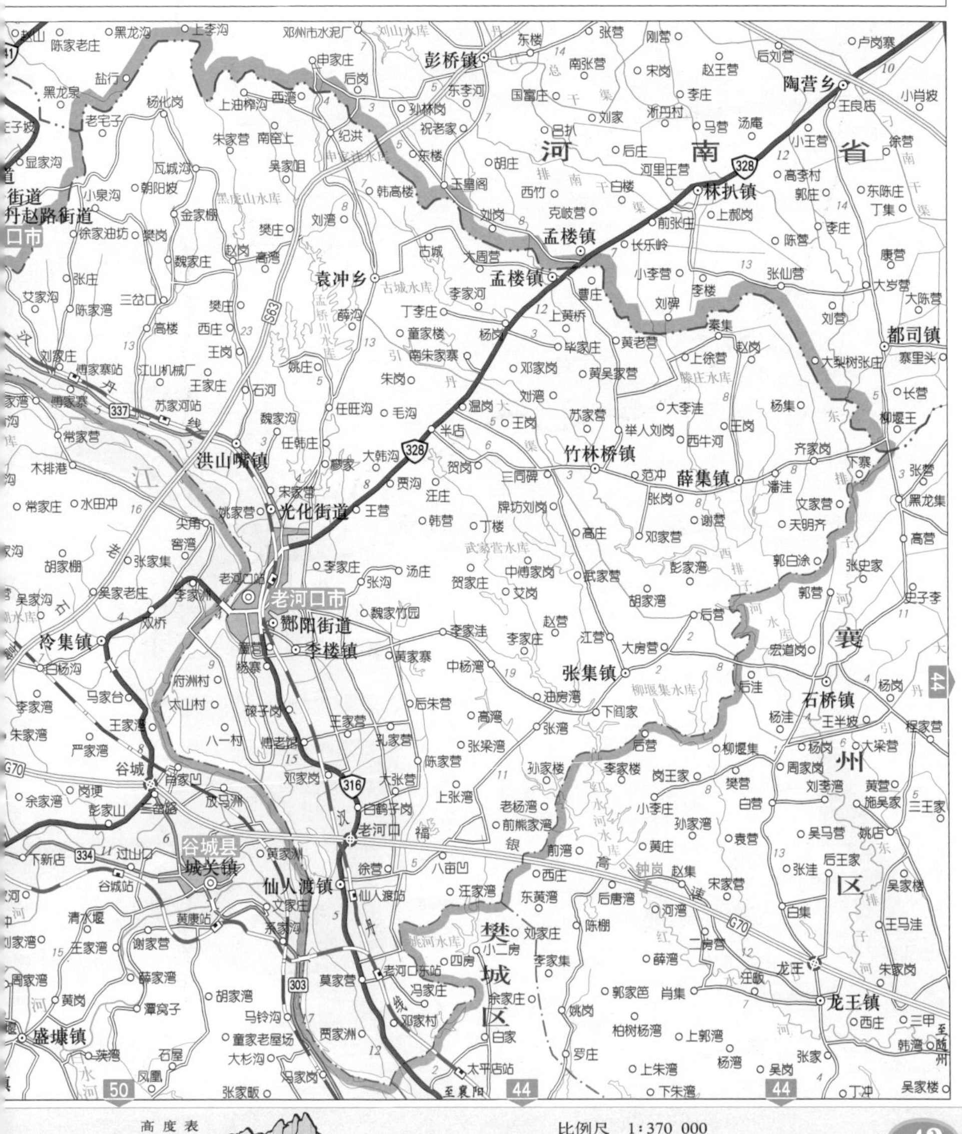

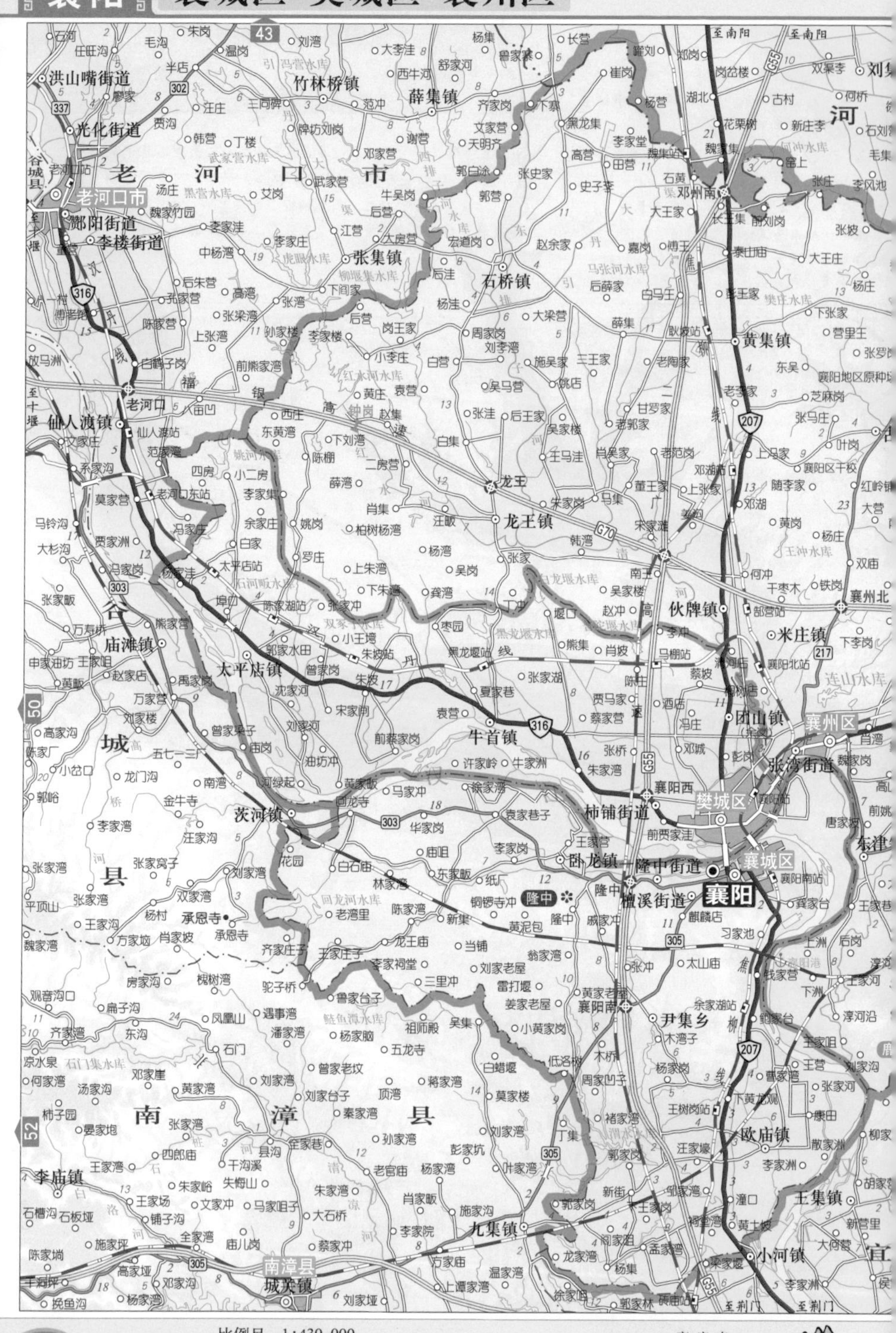

比例尺 1:430 000

4.3千米 0 4.3 8.6 12.9千米

高度表

0 50 100 200 300 400 500 600 800 1000 1200 1500 2000 2500 3000米

襄城区

【地理位置】 位于汉江中游南岸，东、北临汉江，东与襄州区、北与樊城区隔江相望，西与南漳县、谷城县为邻，南与宜城市毗临。

【人口面积】 人口47万，面积645平方千米。

【地　　形】 地处我国地势第二级阶梯向第三级阶梯过渡地带，境内地势西高东低。

【交　　通】 焦柳铁路、二广高速公路贯穿南北，207国道纵贯区境。汉江黄金水道贯穿全境。

【风景名胜】 国家级风景名胜区隆中。

樊城区

【地理位置】 位于市境北部，汉江中游，东、北与襄州区接壤，南以汉江为界与襄城区相望，西与谷城县、老河口市接壤。

【人口面积】 人口81万，面积614平方千米。

【地　　形】 属典型的丘岗和平原之地。

【交　　通】 素有“南船北马，七省通衢”之称。汉丹、焦柳铁路和二广高速公路及207、316国道过境。

【历史人物】 孟浩然、张继、米芾。

襄州区

【地理位置】 位于市境北部，东临枣阳市，西接老河口市，南连樊城、襄城两区和宜城市，北与河南省接壤。

【人口面积】 人口100万，面积2306平方千米。

【地　　形】 地处汉水中游，属南阳盆地边缘，地势由四周向中部缓缓变低。北部为波状土岗地，南部为低山丘陵区，中部为汉江和唐、白、滚、清河冲积平原。

【河流湖泊】 汉江、清河、唐河、白河、滚河等。

【交　　通】 汉丹、焦柳铁路，福银、二广高速公路在此交会，316国道横贯东西，207国道纵越南北。襄阳刘集机场有飞往全国10多个城市的航班。

【风景名胜】 鹿门寺国家森林公园。

鹿门寺

明显陵 世界遗产　　武当山 国家级风景名胜区

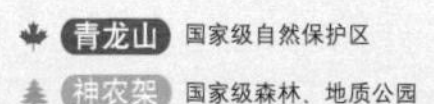
青龙山 国家级自然保护区　　神农架 国家级森林、地质公园

服务区　　出入口　　里程起迄点　　收费站

比例尺 1:410 000

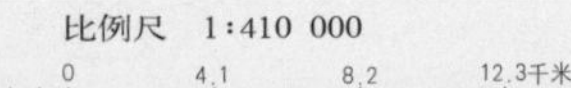
4.1千米
0
4.1
8.2
12.3千米

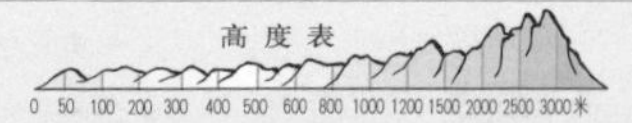
高度表
0 50 100 200 300 400 500 600 800 1000 1200 1500 2000 2500 3000米

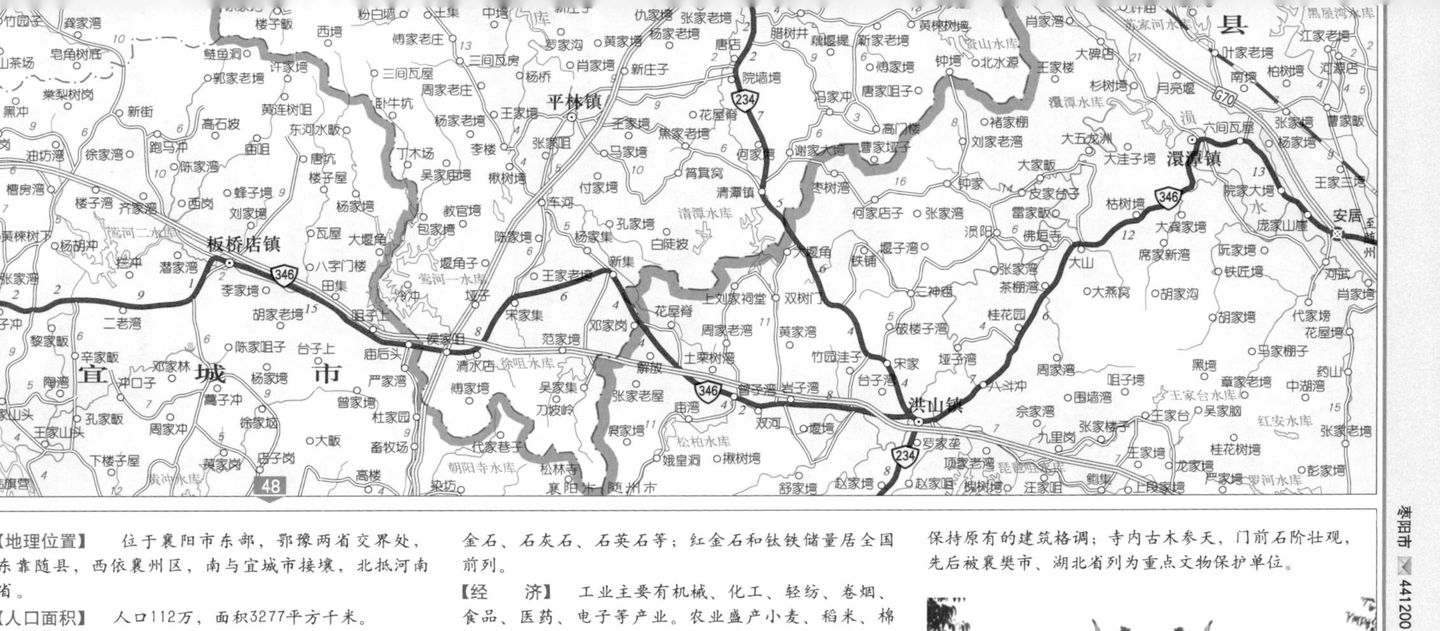

【地理位置】 位于襄阳市东部，鄂豫两省交界处，东靠随县，西依襄州区，南与宜城市接壤，北抵河南省。

【人口面积】 人口112万，面积3277平方千米。

【历史沿革】 秦为蔡阳县，汉置章陵县，隋始设枣阳县。此后各朝因之。1988年撤销枣阳县，建立枣阳市。

【地　　形】 地势由东北向西南倾斜。地貌以丘陵平原为主，北部为岗地和丘陵，中部为滚河河谷平原，南部属大洪丘陵。

【河流湖泊】 沙河、滚河、溠河、沙河水库、熊河水库、华阳河水库、吉河水库、罗桥水库、东郊水库、西郊水库等。

【交　　通】 汉丹铁路横贯东西，316国道从市区通过，福银高速公路横穿本市，216、335省道过境。

【资　　源】 境内资源丰富。矿产资源得天独厚，有金红石、钙芒硝、钛铁、大理石、膨润土、磷矿石、重金石、石灰石、石英石等；红金石和钛铁储量居全国前列。

【经　　济】 工业主要有机械、化工、轻纺、卷烟、食品、医药、电子等产业。农业盛产小麦、稻米、棉花等，盛产桃、苹果、梨、葡萄等水果。是湖北省烟叶生产基地和省水果重要产区。

【地方特色】 是东汉开国皇帝刘秀的故里，被汉代科学家张衡誉称“龙飞白水、松子神陂”的宝地，素有“古帝乡”之称。

【风景名胜】 白水寺、泉水寺、雕龙碑遗址等。

【景点介绍】 **白水寺** 位于枣阳市南部20千米处，座落于狮子山上，是为纪念汉光武帝刘秀而新建的祠宇。寺院东西长约140米，南北宽约95米，建筑面积13300平方米。分东、西、中三个院落。寺内主要景点有大雄宝殿、刘秀殿、娘娘殿、兵器殿、关公殿、青龙殿、龙井亭等。整座寺庙殿堂古朴典雅，雕塑精美，保持原有的建筑格调；寺内古木参天，门前石阶壮观，先后被襄樊市、湖北省列为重点文物保护单位。

白水寺

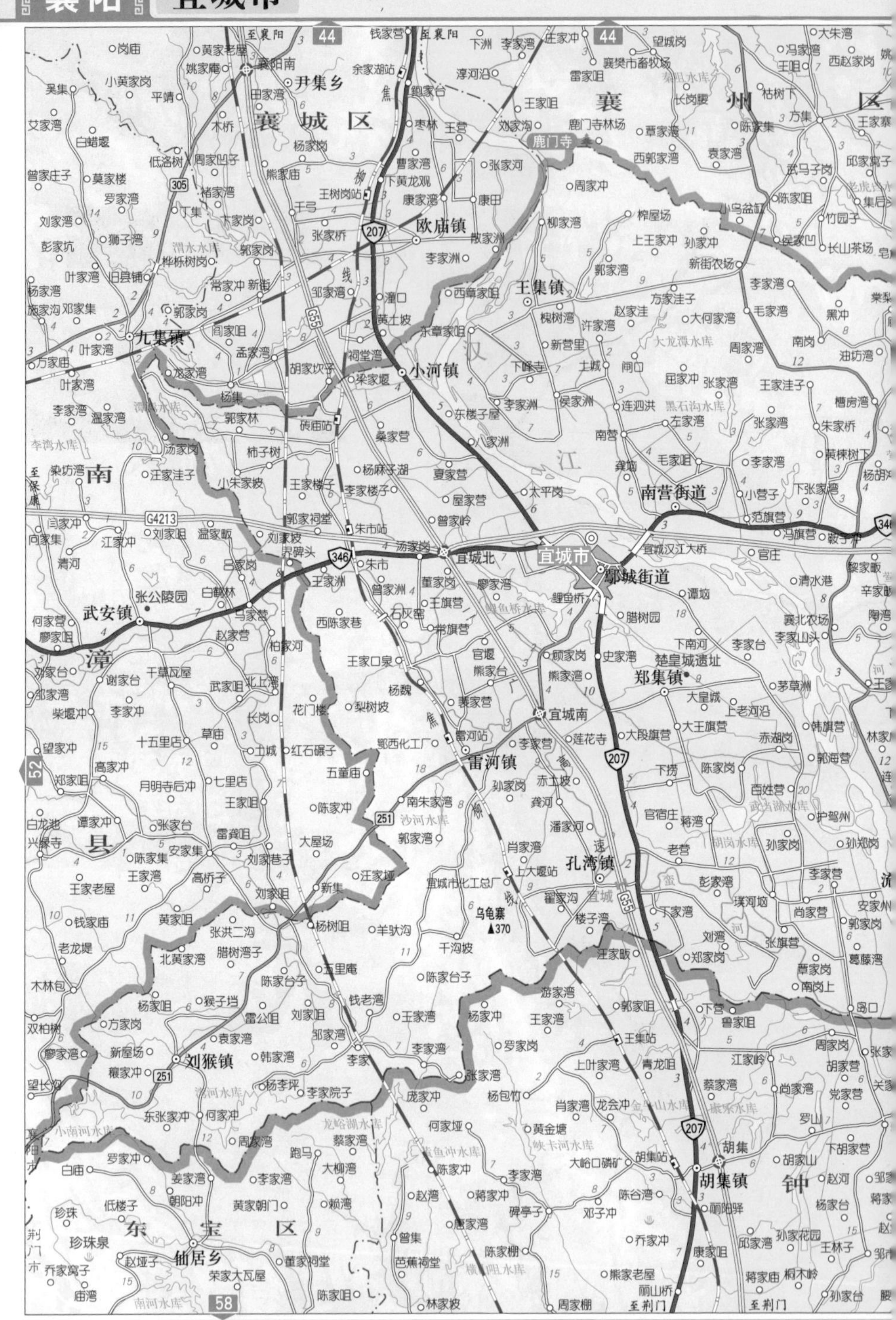

比例尺 1:360 000

3.6千米 0 3.6 7.2 10.8千米

高度表

0 50 100 200 300 400 500 600 800 1000 1200 1500 2000 2500 3000米

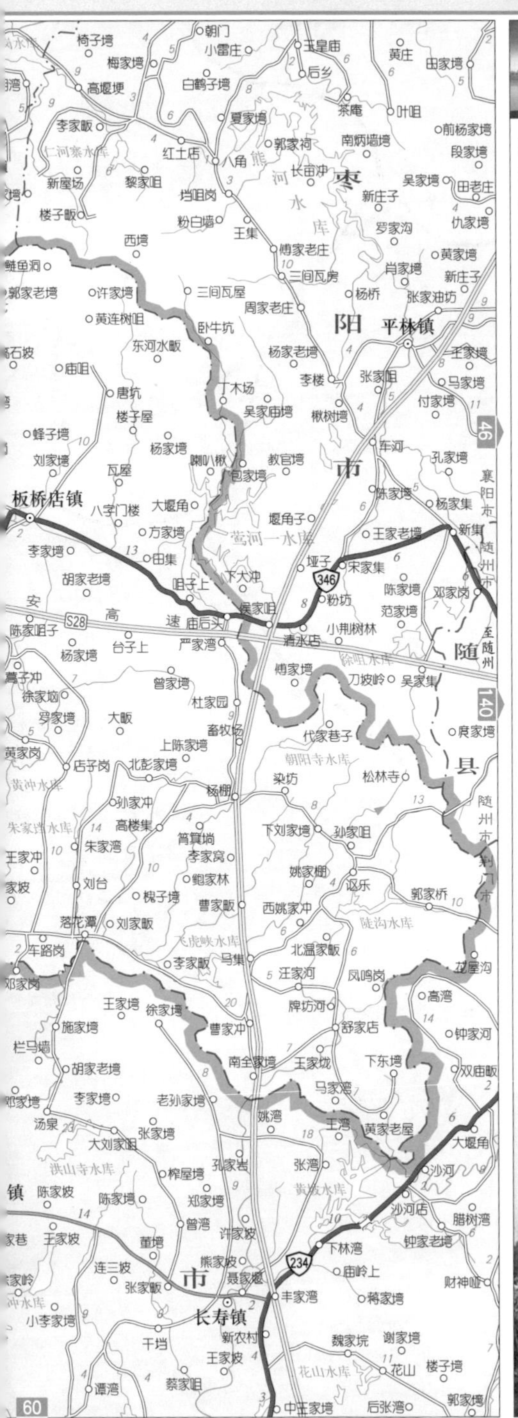

【地理位置】 位于襄阳市东南部，汉江中游。东接枣阳市、随县，南接钟祥市、荆门市东宝区，西邻南漳县，北抵襄阳市辖区。

【人口面积】 人口56万，面积2115平方千米。

【历史沿革】 汉惠帝三年（公元192年）改鄀县为宜城县。后变更分合，至唐天宝七年（748年）又改名宜城县，宋、元、明、清因之。1944年改名自忠县，1949年恢复宜城县，属襄阳专区，1983年属襄樊市。1994年设立宜城市，市政府驻鄢城街道。

【地　　形】 地势自西北向东南微倾斜。东部属大洪丘陵，西部属荆山边缘丘陵，中部为汉江沿岸冲积平原，汉江自北向南流经中部，东有莺河，西有蛮河流入，构成树枝状水系。

【河流湖泊】 汉江、蛮河、莺河一水库、莺河二水库、鲤鱼桥水库等。

【交　　通】 宜城有“八省通衢，五邑要道”之誉。焦柳铁路、二广高速公路和207国道纵贯南北，251、306省道过境；汉江河段常年可通行500吨级以下船舶，可抵达沿江各埠。

【资　　源】 矿藏资源有铜、铅、锌、磷、大理石等。

【经　　济】 工业有机械、建材、化工、电子、服装、纺织、食品等产业。农业以种植水稻、小麦、棉花、花生为主。

【历史人物】 宋玉、向朗、马良、马谡、王文锦、杨世建、杨有鸿、杨有鹏、范家义、胡东之等。

【风景名胜】 楚皇城遗址等。

【土特产品】 贡酒、板鸭、糖心皮蛋等。

【景点介绍】 **楚皇城遗址** 位于宜城市区南约8千米处的皇城村境内，是春秋时期楚昭王避难迁都之所，城址面积约2.2平方千米，四周现存高大的土筑城墙。城墙四周都有城门，东南转角的烽火台明显突起。城址内的地下遗物十分丰富。现已出土的遗物有铜方壶、大型铜车、金丝嵌玉片鳖形带钩、带流铜、蚁鼻钱、金币“郢爰”、“中左偏将军”印章等。

宜城风光

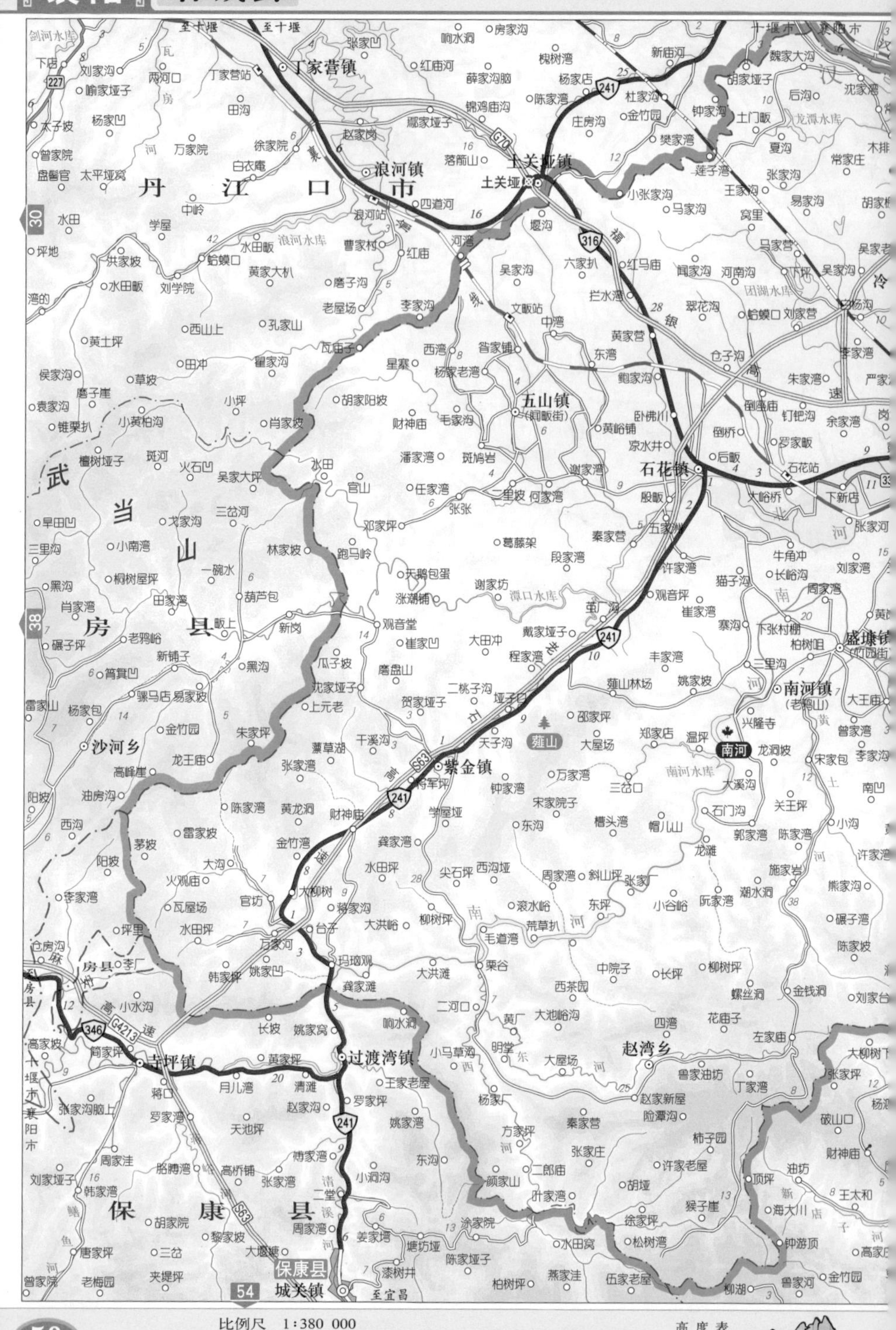

比例尺 1:380 000

3.8千米 0 3.8 7.6 11.4千米

高度表

0 50 100 200 300 400 500 600 800 1000 1200 1500 2000 2500 3000米

【地理位置】 位于襄阳市西北部，秦巴山系荆山山脉以东，汉江中游西岸，东邻襄阳市辖区与老河口市，西接丹江口市和房县，南连保康、南漳县。

【人口面积】 人口60万，面积2553平方千米。

【地　　形】 地处巍巍武当山脉和富饶江汉平原的过渡地带。地貌以山地、丘陵为主，海拔1000米以上的山峰达30多座。西部属武当山，南部属荆山。

【河流湖泊】 汉江、南河、北河、潭口水库、南河水库等、团湖水库、八仙洞水库。

【交　　通】 襄渝铁路、福银高速公路和316国道过境。222、323省道与县乡公路连接成网。汉江通航。

【资　　源】 境内矿藏有重晶石、铁、磷、石棉等，白云石、硅石、钛铁矿埋藏浅、品位高。森林覆盖率约57%，以松、杉、栎为主，有虎、豹、鹿、鹤、穿山甲、水獭、大鲵等野生动物。盛产激素类药物原料黄姜，品质为国内产区之最。

【经　　济】 工业有机械、建材、化工、轻纺、电力等产业。农业以种植水稻、小麦、棉花、玉米为主。有全国最大的汽车前轴生产基地与合金铅冶炼基地、全国第二大汽车转向节和蓄电池生产基地和位居全省纺织行业经济效益前列的纺织工业基地，以及鄂西北最大的激素原料生产基地。

【风景名胜】 国家级自然保护区南河、薤山国家森林公园、承恩寺。

【土特产品】 木耳、香菇、茶叶、山药等。

【景点介绍】 **薤山国家森林公园**　位于谷城县城西南。据谷城县志记载，明朝医圣李时珍去武当山采药，路过此山，发现满山薤露雪白，因而赐名。现在，薤山自然景观丰富，除山峰、树林外，有薤山叠翠、大小梳妆台、观景台、天台、玉笔架、卧龙缸、温泉、犀牛望月、风动石、狮子岩、猴儿洼、枫香古树等景点。是集旅游观光、避暑度假、休疗健身为一体的综合性森林公园。

薤山国家森林公园

明显陵 世界遗产　青龙山 国家级自然保护区　服务区　里程起讫点
武当山 国家级风景名胜区　神农架 国家级森林、地质公园　出入口　收费站

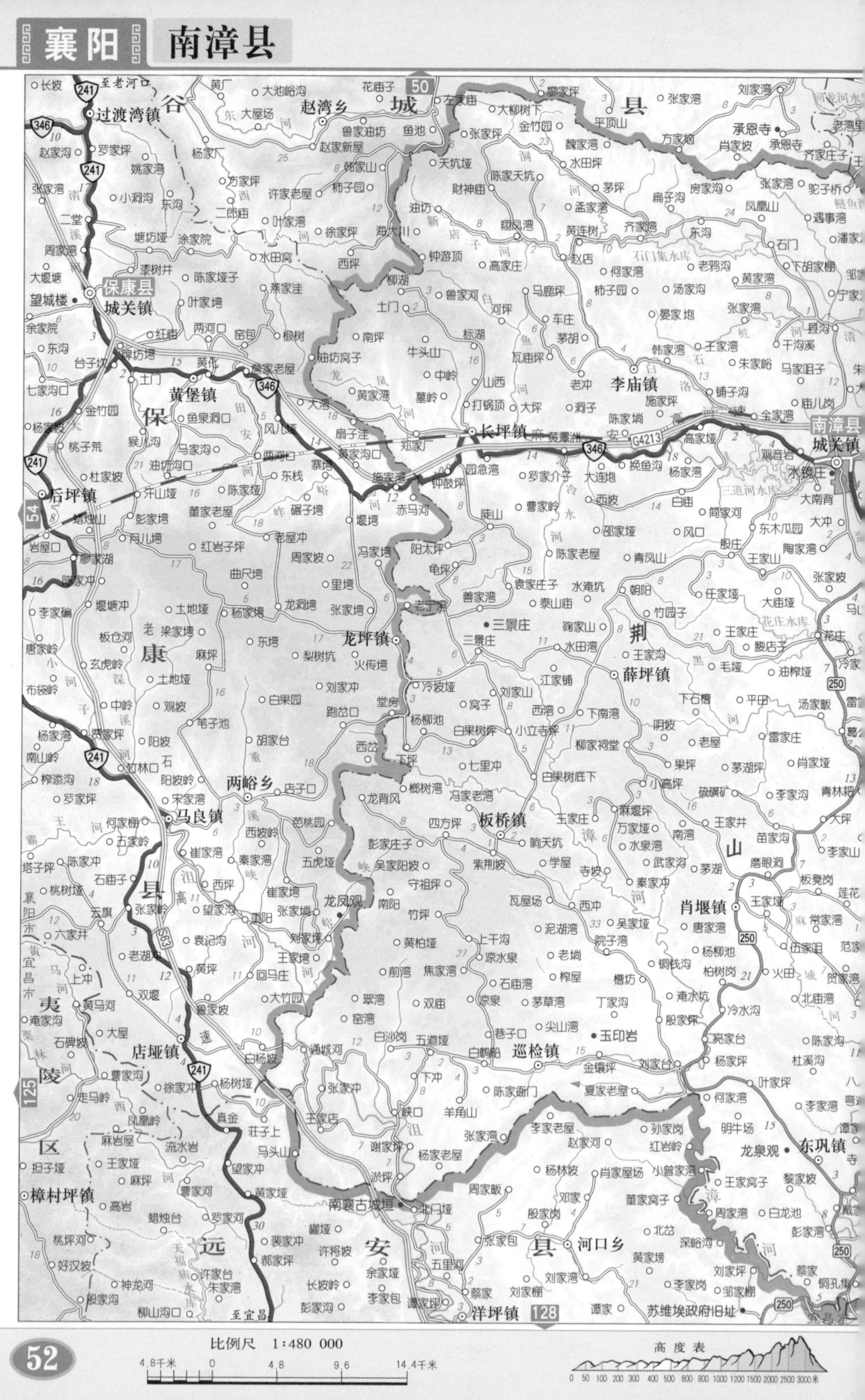

比例尺 1:480 000

4.8千米 0 4.8 9.6 14.4千米

高度表

0 50 100 200 300 400 500 600 800 1000 1200 1500 2000 2500 3000米

【地理位置】 位于襄阳市南部，汉江以南，荆山山脉以东。东临宜城市，西连保康县，南接宜昌市远安县和荆门市东宝区，北依襄阳市辖区与谷城县。

【人口面积】 人口57万，面积3859平方千米。

【地方特色】 这里是和氏璧的故乡，楚人卞和奉献的宝玉和氏璧就出自南漳。是三国故事的源头，水镜先生就在此向刘备推荐了诸葛亮，演绎出“三顾茅庐”、“匡复汉室”的千古佳话。

【历史沿革】 春秋战国时属罗国和庐戎国。南北朝时设义清、思安2县。隋开皇十八年(公元598年)，因境内有漳河(古称南漳河)，故改思安县为南漳县。

【地　　形】 地处江南平原的北缘，南阳盆地的南缘，秦巴山系的东缘，是荆山山脉与江汉平原过渡地带。南漳县城以东为丘陵、平畈；县城以西为山区。

【河流湖泊】 蛮河、漳河、沮河、三道河水库。

【交　　通】 250、305、306等省道纵横境内。

【资　　源】 境内矿产资源有煤炭、磷矿石、累托石、瓷土、重晶石等；有四大水系、四十八大泉、七十二口堰。产天麻、牛黄、麝香等名贵药材。

【经　　济】 工业有机械、建材、化工、轻纺、食品等产业。农业以种植水稻、小麦、棉花为主，所产的“葫芦滩稻”为优质贡米；湖北省粮食基地县和知名的蚕乡、木耳之乡。

【风景名胜】 水镜庄、张公陵园、三景庄、龙泉观等。

【土特产品】 蚕丝、木耳、银杏、猕猴桃、花菇、薄壳核桃等。

【景点介绍】 **水镜庄** 位于南漳县城南部。水镜庄是东汉末年名士司马徽隐居地。当年刘备马跃檀溪、襄阳脱难后逃到水镜庄，司马徽向刘备慧荐“卧龙、凤雏，二人得一，可安天下”。由此引出了“三顾茅庐”、“隆中对”等故事传说，成就鼎足三分的历史大业。水镜庄是三国故事源头和三国旅游热线开端。现在，主要景观有草庐、水镜遗址、司马徽故事碑廊、水镜祠、幽居斋、善福洞、将军亭、禹王洞、老虎洞、藏龙洞、神迷谷、桃花流水等。

明显陵 世界遗产　青龙山 国家级自然保护区　服务区　里程起迄点
武当山 国家级风景名胜区　神农架 国家级森林、地质公园　出入口　收费站

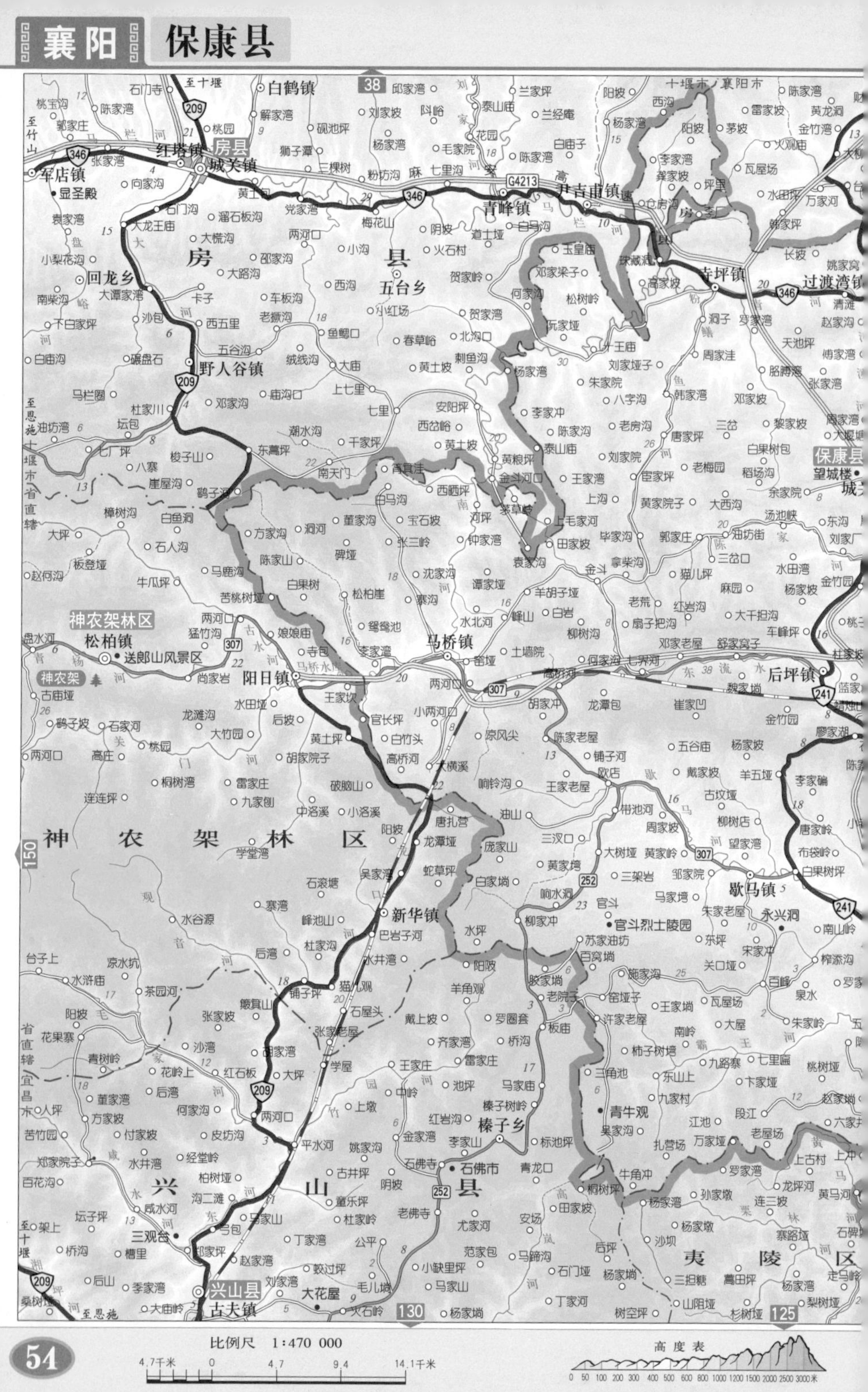

比例尺 1:470 000

4.7千米 0 4.7 9.4 14.1千米

高度表

0 50 100 200 300 400 500 600 800 1000 1200 1500 2000 2500 3000米

【地理位置】 位于襄阳市西南部。北与谷城县接壤、东与南漳县相邻，南与宜昌市夷陵区、远安县、兴山县交界，西与房县、神农架林区毗邻。

【人口面积】 人口27万，面积3225平方千米。

【历史沿革】 春秋战国时期属楚。明弘治十一年(1498年)，鉴于房县辖境辽阔，难以施治，始析房县东境宜阳、修文二里置保康县。保康，暗寓"保康人民安居康乐"之意。1949年，保康县隶属襄阳地区专署。1983年8月，襄阳地区与襄樊市合并，保康县属襄樊市辖。

【地　　形】 境内层峦叠嶂，地形复杂多样。南部山形峭拔，北部地形较缓。荆山山脉，呈东西走向横贯保康中部。河流两岸有狭窄河谷平原。

【河流湖泊】 南河、歇马河、陈家河、沮河等。

【交　　通】 223、252、307等省道纵横境内。

【资　　源】 有磷、煤、硫铁、石灰石等矿藏。其中磷矿储量居全国前列。境内森林覆盖率60%，以松、杉、栎为主，有油桐、漆、核桃等经济林。盛产黑白林耳，有"耳乡"之称。是湖北省重要木材产地之一。以野生蜡梅、野生牡丹、古桩紫薇、云锦杜鹃为代表的野花资源极为丰富。野生动物繁多，较珍贵的有锦鸡、雉鸡、山雕、熊、猴、獐、草鹿、羚羊等。

【经　　济】 工业有采矿、电力、磷化工等产业。农业以种植水稻、小麦、玉米为主。

【风景名胜】 望城楼、永兴洞、青牛观、龙凤观、官斗烈士陵园等。

【土特产品】 白蒿豆腐、白蒿懒豆腐、金瓜臭渣煲、蒜香钱鱼漆等。

【风味小吃】 木耳、香菇、茶叶、桐油、天麻、核桃、生漆等。

【民间艺术】 唢呐巫音、薅草锣鼓等。

保康风景

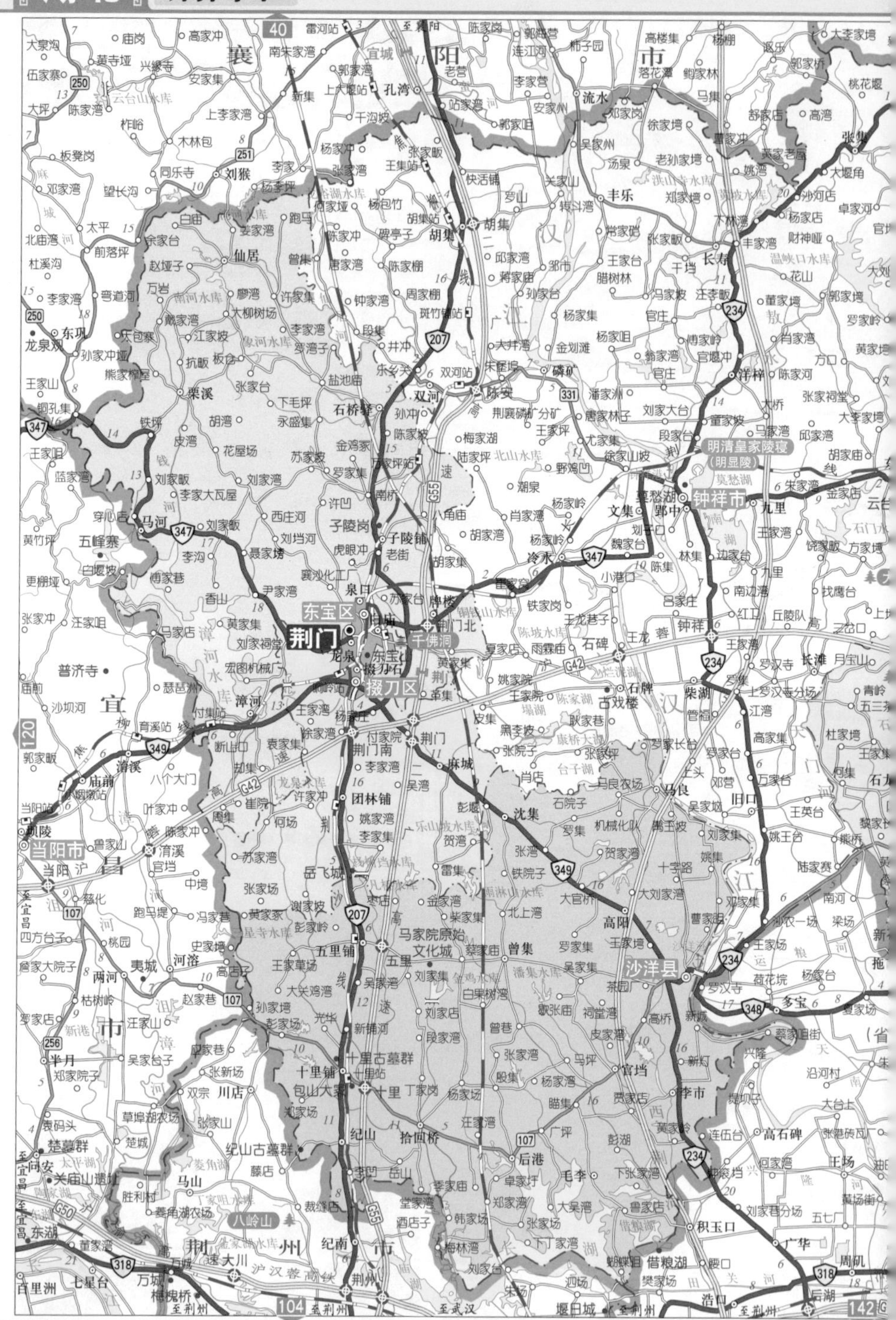

比例尺 1:760 000

7.6千米 0 7.6 15.2 22.8千米

【地理位置】 位于湖北省中部，地处长江以北，东连孝感市，南邻天门市、潜江市和荆州市，西接宜昌市，北依襄阳市、随州市。

【行政区划】 辖东宝、掇刀2区和钟祥、京山2市，以及沙洋县。市政府驻东宝区。

【人口面积】 人口291万，面积12100平方千米。

【历史沿革】 唐贞观元年，置荆门县，以荆门山得名，属江陵府。荆门县名从此始。1979年，设荆门市，属荆州行署，1983年，撤县并市，升为省辖地级市，1996年底，又将钟祥市、京山县划归荆门市所辖。

【地　　形】 属江汉平原与鄂西山地的过渡地带。西北和东北部多为低山丘陵；中部和南部为平原湖区。

【气　　候】 属亚热带湿润气候，年平均气温15.9℃，年降水量1000毫米，无霜期250天以上。

【资　　源】 有磷矿石、煤、石膏、大理石、累托石、重晶石等，水资源丰富，有全国第八大人工湖—漳河水库。

【经　　济】 已初步形成了以化工、食品、建材、机电工业为支柱，产业齐全的工业体系；荆门作为国家重要的商品农业基地，以京山的生态农业、钟祥的效益农业及东宝、沙洋的工程农业为特色。

【交　　通】 焦柳、长荆、荆沙铁路境内相会，二广、随岳高速公路与207国道纵贯南北，沪蓉高速公路横穿东西。汉江水运可通达长江。216、219、311等省道在境内相连；汉江水域贯穿全境。

【风景名胜】 世界文化遗产明显陵，国家森林公园有大口、太子山、虎爪山和千佛洞，空山洞、东宝山、十里古墓群、岳飞城、马家院原始文化城、云台观、莫愁湖、苏家垅文化遗址、新石器遗址、中共豫鄂边区委员会旧址屈家岭文化遗址、三王城等。

【土特产品】 桥米、蛋皮包鱼肉、石陶瓷、马良石鱼头。

【景点介绍】 **明显陵**　位于钟祥市东北郊5千米处的松林山。它是明世宗嘉靖皇帝生父和生母合葬墓。明正德十四年（公元1519年）按藩王墓规格始建，嘉靖三十八年（公元1559年）竣工。面积约50万平方米，陵区由新红门、大红门、碑亭、华表、神道、石象生、神龙道、内明塘、棱恩门、棱恩殿、二柱门、十五供、方城、宝城等30多处建筑群组成。

明显陵

荆门城区

【地理位置】　位于荆门市境中东部。

【城市特色】　生态旅游资源丰富，自然人文景观秀美独特，被评为“中国优秀旅游城市”。

【风景名胜】　东宝山公园、温泉度假村、东山宝塔、龙泉公园、文峰塔、岚光阁、魁星阁。

【景点介绍】　**东山宝塔**　位于荆门市区东宝山公园内。宝塔因雄踞于东山主峰太平顶上而得名。据考证，宝塔为隋开皇十三年（公元592年）所建，距今已经有1400年，塔为砖石结构，塔基雕着8尊托塔金刚石像，塔底周长30.6米，通高33.3米。经多次重修，至今保存完好。

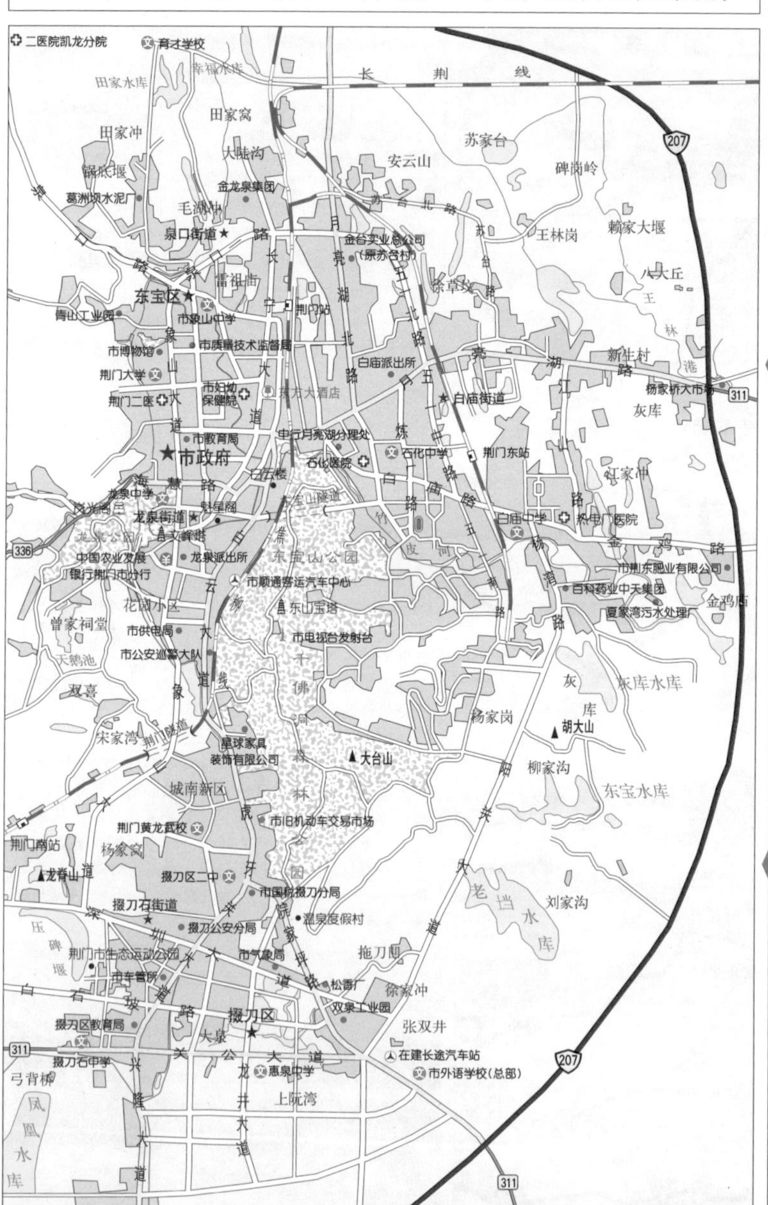

明显陵 世界遗产　青龙山 国家级自然保护区　服务区　里程起迄点

武当山 国家级风景名胜区　神农架 国家级森林、地质公园　出入口　收费站

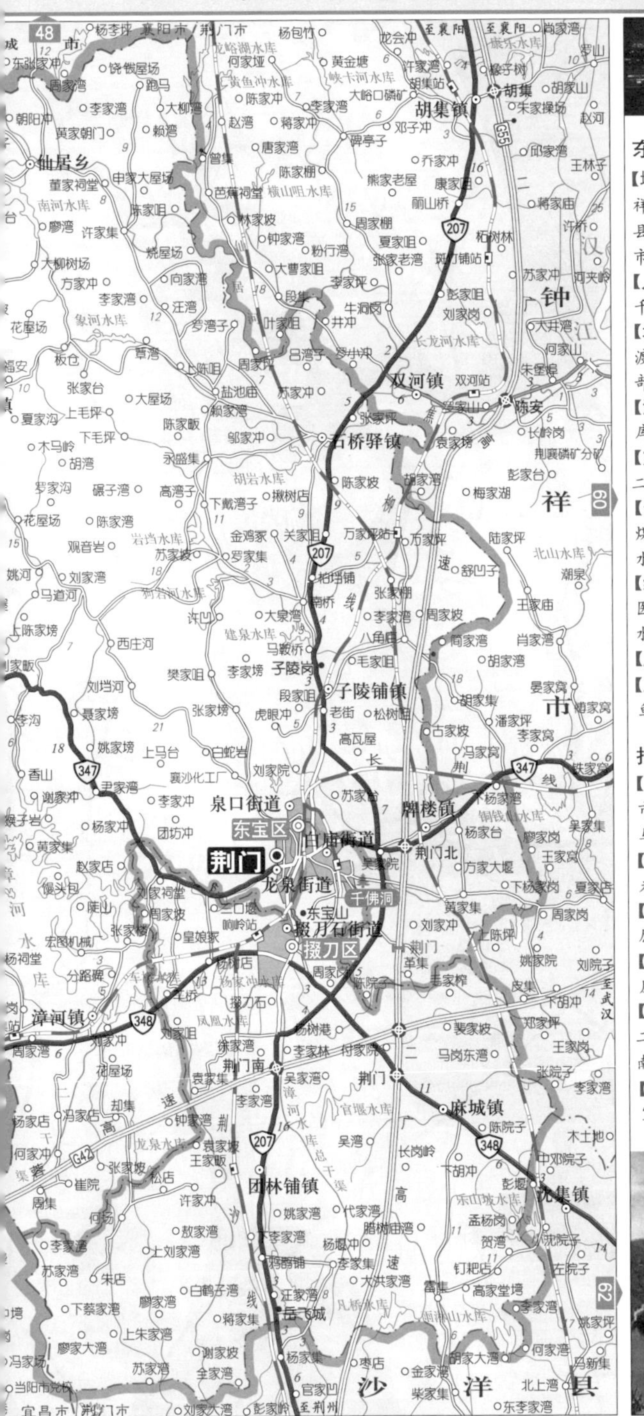

东宝区

【地理位置】 位于市境西北部，东临钟祥市，南接掇刀区，西与南漳县、远安县、当阳市毗邻，北枕荆山余脉与宜城市相连。

【人口面积】 人口35万，面积1645平方千米。

【地　　形】 地处荆山向江汉平原的过渡地带。西北部为低山丘陵，东部和南部为平原岗地。

【河流湖泊】 钱河，漳河水库、南河水库、象河水库、胡岩水库。

【交　　通】 焦柳、长荆铁路在此交会，二广、沪蓉高速公路和207国道过境。

【资　　源】 境内自然资源丰富。有煤、石膏、大理石、石灰石等矿藏；水资源、森林资源较为丰富。

【经　　济】 工业有化工、轻纺、食品、医药、机械、电子等产业。农业以小麦、水稻、棉花、油料、蔬菜为主。

【风景名胜】 子陵岗、珍珠泉等。

【土特产品】 香菇、木耳、柑橘、淡水鱼等。

掇刀区

【地理位置】 位于市境西部，东临钟祥市，南接沙洋县，西与当阳市毗邻，北与东宝区相连。

【人口面积】 人口30万，面积639平方千米。

【地　　形】 地处江汉平原，大部为平原岗地。

【河流湖泊】 凡桥水库、官堰水库、凤凰水库、雨淋山水库。

【交　　通】 焦柳、荆沙铁路在此交会，二广、沪蓉高速公路相连， 207国道纵贯南北。

【风景名胜】 千佛洞国家森林公园、东宝山、岳飞城等。

漳河水库

高度表

0 50 100 200 300 400 500 600 800 1000 1200 1500 2000 2500 3000米

比例尺 1:440 000

4.4千米 0 4.4 8.8 13.2千米

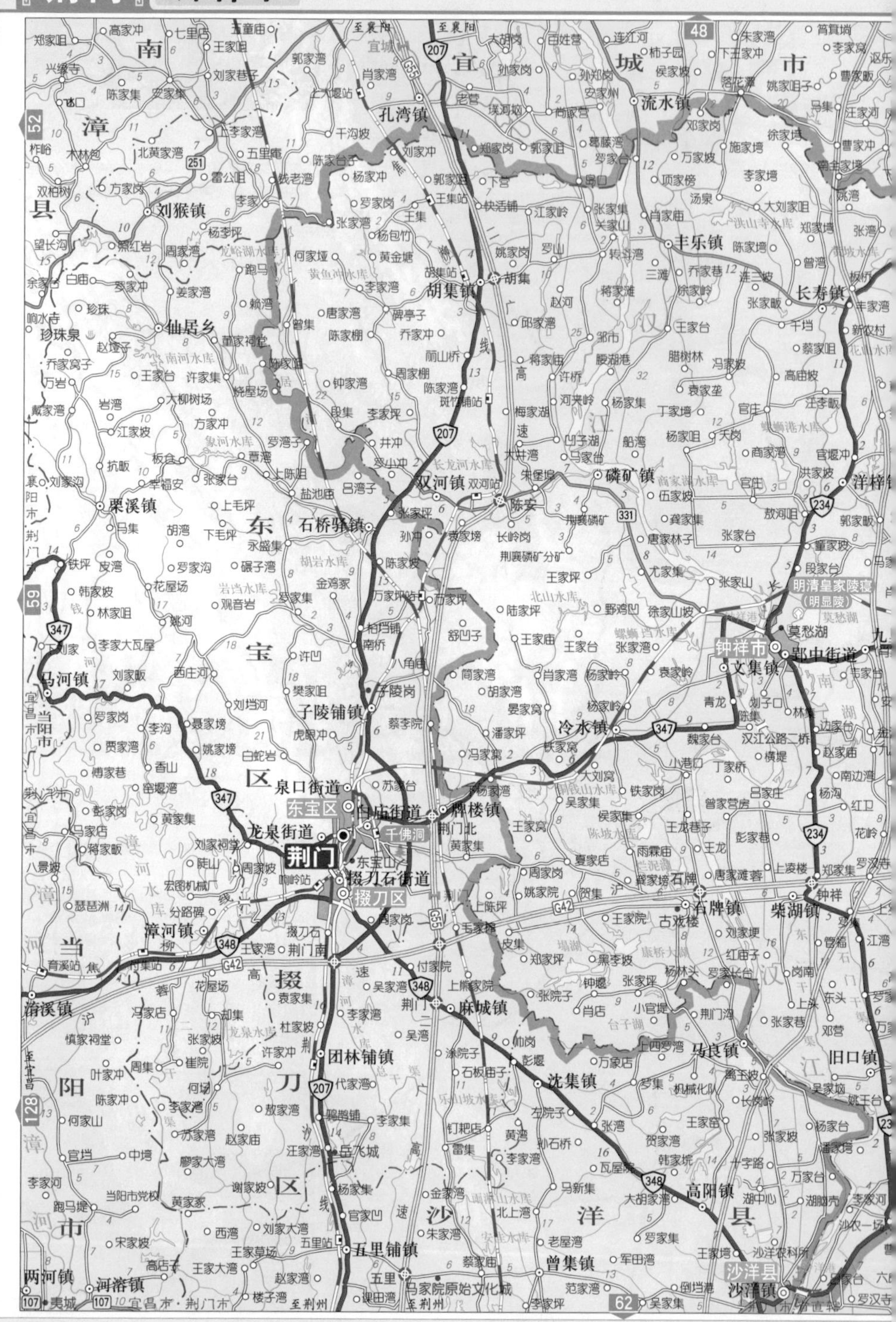

比例尺 1:560 000

5.6千米 0 5.6 11.2 16.8千米

高度表

0 50 100 200 300 400 500 600 800 1000 1200 1500 2000 2500 3000米

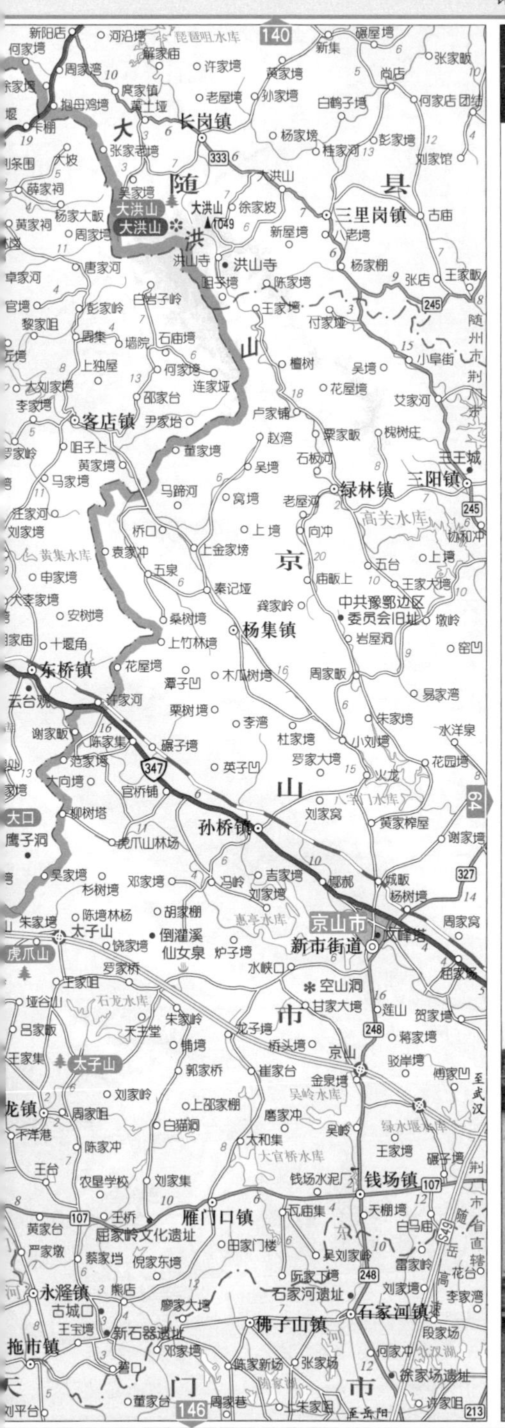

【地理位置】 位于荆门市中部，汉江中游。北与宜城市接壤，南邻沙洋县、天门市，东接京山市，西连掇刀区、东宝区，东北与随县相依。

【人口面积】 人口104万，面积4488平方千米。

【历史沿革】 春秋战国时期，系楚国陪都。西汉初置县。三国时属吴，称石城。自西晋至明末清初，钟祥一直为历代郡、州、府治所。因嘉靖皇帝生养发迹于此，御赐县名为“钟祥”，取“祥瑞钟聚”之意。新中国成立后，县名仍钟祥，隶属荆州地区，1992年5月撤县设市，1996年10月以后，隶属荆门市。

【地区特色】 钟祥市是中国历史文化名城，中国优秀旅游城市，国家社会发展综合实验区，全国科技、教育、文化先进县市，全国双拥模范城。

【地　　形】 东部为大洪山余脉，西部为荆山余脉，汉江在两山之间穿过，两山一河呈“川”字形，形成了汉江沿岸从北到南平缓降低，东西两侧逐级升高的地势；境内地貌多样，中部和南部为汉江冲积平原，汉江两侧依次为丘陵和低山。

【河流湖泊】 汉江、南湖、康桥大湖、温峡口水库、洪山寺水库、石门水库。

【交　　通】 焦柳、长荆铁路和二广、沪蓉高速公路相会境内，207国道过境，216、311、331省道在境内纵横贯通。汉江长年通航。

【资　　源】 矿藏资源丰富。矿产资源已探明的有磷矿石、累托石、硫铁矿、铝、硅、重晶石等，磷矿石储量居全国第二，开采量居全国第一，有“中原磷都”之称。

【经　　济】 工业形成了电力、轻工、纺织、食品、饲料、机械、汽车、建材、化工等支柱产业，农业主种水稻、棉花、油料、林果、蔬菜、食用菌等，是全国商品粮、优质棉花基地。

【风景名胜】 世界自然文化遗产明显陵、大口国家森林公园、莫愁湖、古戏楼、云台观等。

【土特产品】 石牌瓦滩陶器、鳜鱼。

明显陵神道

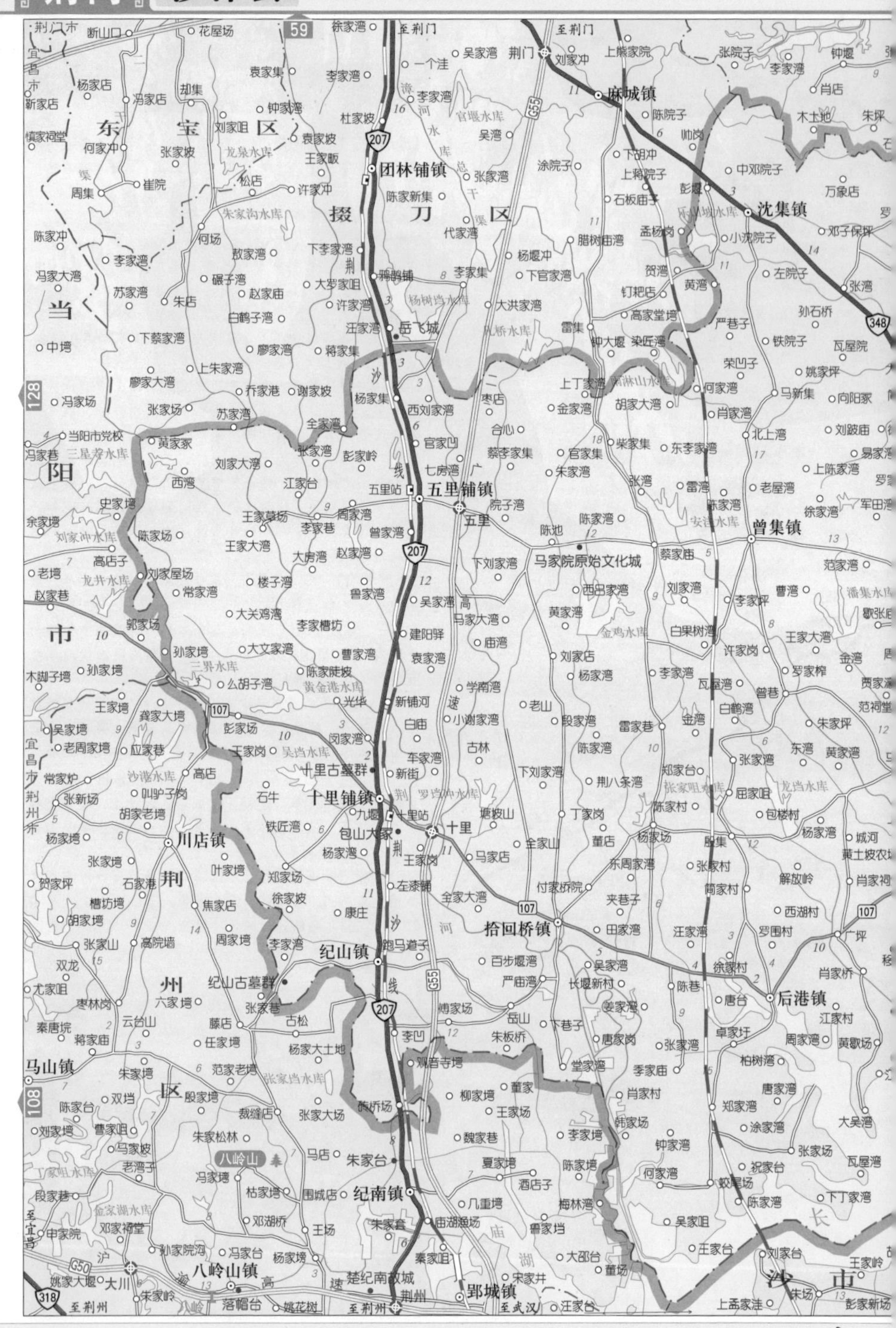

比例尺 1:330 000

3.3千米 0 3.3 6.6 9.9千米

高度表

0 50 100 200 300 400 500 600 800 1000 1200 1500 2000 2500 3000米

【地理位置】 位于市境南部，北与荆门市辖区、钟祥市接壤，南与西南邻荆州市辖区，东接天门、潜江市，西连当阳市。

【人口面积】 人口59万，面积2044平方千米。

【历史沿革】 因处河滩地得名。历史上因沙洋的商埠兴旺、港运发达而与汉口、襄樊、宜昌等并称湖北“八大重镇”。1959年设沙洋市，1985年设沙洋区。1998年12月撤区建县。

【地 形】 地处江汉平原中部，汉江中下游，地势北高南低，汉江流经东南边境。

【河流湖泊】 汉江、荆河、长湖、借粮湖、虾子湖、安洼水库、潘集水库。

【交 通】 二广高速公路、207国道和荆沙铁路纵贯县境西部，107、219省道相交过境。

【资 源】 矿藏资源丰富。境内有丰富的石膏矿、青石料、石油和盐水矿物资源。

【经 济】 工业以建材、轻纺、化工、食品加工4大产业为支柱，初步形成了多产业、多品种立体开发新格局；农业盛产水稻、棉花、油料、鲜鱼，建成了蔬菜、早蜜桃、沙梨、板栗、甜柿、茶叶、畜禽、渔业等8大农业生产基地，是全国重要的商品粮、棉基地之一。

【风景名胜】 有纪山古墓群、十里古墓群、包山大冢、马家院原始文化城等。

【土特产品】 纪山龙米、马良石鱼头、毛李荸荠、十里风干鸡。

【景点介绍】 **纪山古墓群**位于沙洋县纪山镇，南距楚国故都纪山城约6千米。纪山古墓群以纪山寺为中心，面积达53平方千米。据统计，有封土堆(俗称“冢子”)的古墓273座，经考古专家鉴定，这些古墓葬大部分属东周楚国墓葬。古墓群由大薛家洼、小薛家洼、尖山、纪山、苏冢等墓地组成，具有宗族墓地和陵园建筑的特征。古墓群规模宏大，保存完好，且与楚国故都邻近，受到国内外史学界、考古界普遍关注。出土的漆画和大批珍贵文物，为研究楚文化提供了重要史料。

纪山古墓群

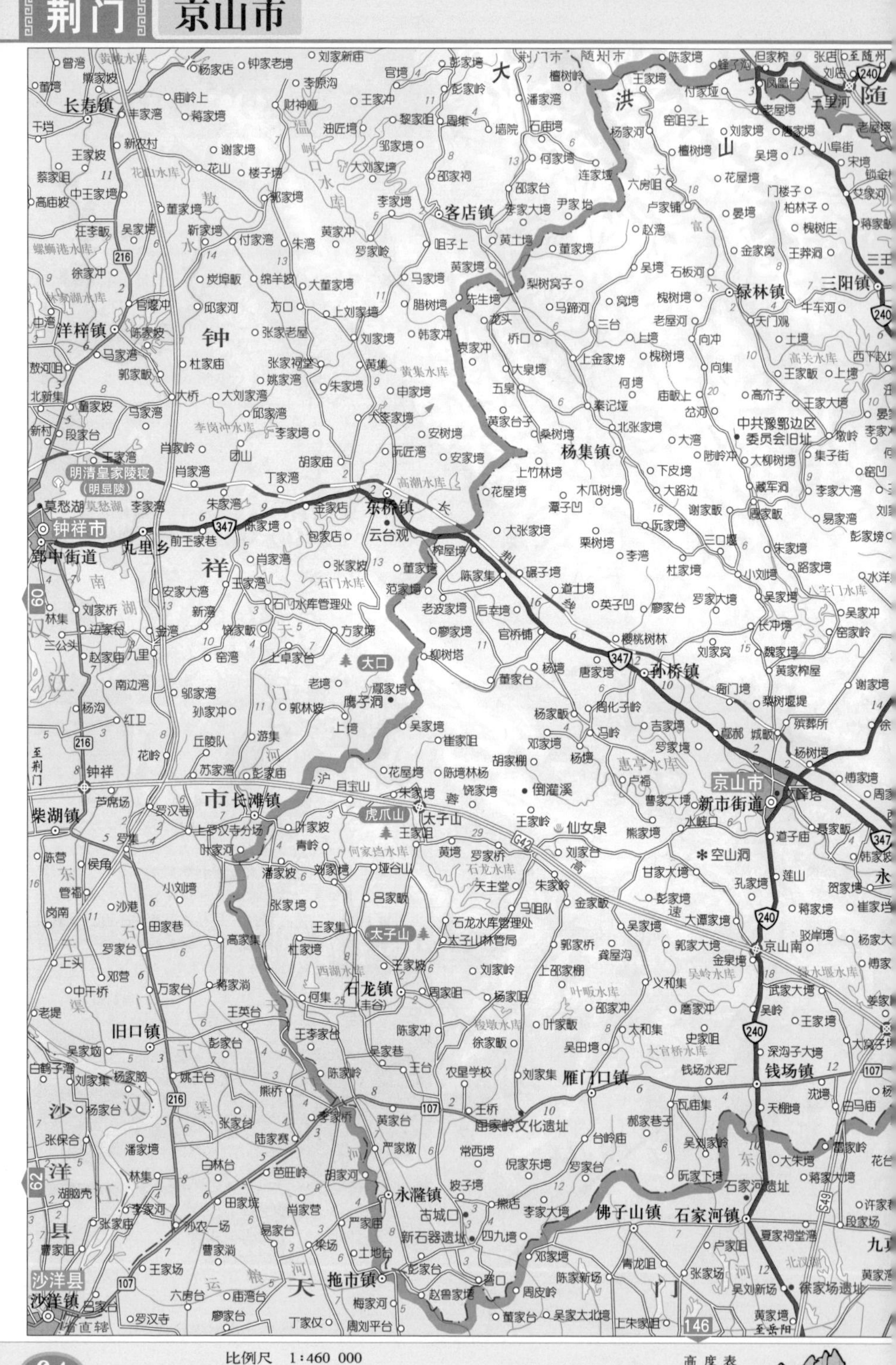

比例尺 1:460 000

4.6千米 0 4.6 9.2 13.8千米

高度表

0 50 100 200 300 400 500 600 800 1000 1200 1500 2000 2500 3000米

【地理位置】 位于荆门市东部，地处大洪山南麓，江汉平原北端。东接安陆、应城市，南临天门市，西连钟祥市，北抵随州市曾都区与随县。

【人口面积】 人口63万，面积3284平方千米。

【历史沿革】 京山，因县城东有京源山而得名。县境内最早见诸文字记载的地名是新市。秦属南郡。隋大业三年（公元607），并角陵、盘陂二县设京山县。宋乾德二年（964），裁富水县入京山县，自此，京山县统领今域。1949年6月，撤销各临时县政权，恢复京山县建制。1994年10月荆沙市成立，转属荆沙市。1996年12月划归荆门市。

【地　　形】 处于鄂中丘陵至江汉平原的过渡地带，地势由西北向东南倾斜。北部和西部为低山，中部、中南部、西部和东北部为丘陵，岗地分布于除北部、西部分山地及永漋镇以外的全县各地。

【河流湖泊】 漳河、大富水，高关水库、惠亭水库、大官桥水库、八字门水库等。

【资　　源】 矿产资源较为丰富，主要有石灰石、白云石、大理石、重晶石、地下水、地热等。

【经　　济】 工业主要有机械、冶金、化工、纺织服装、建材、粮食加工六大支柱产业。农作物有水稻、大麦、蚕豆、大豆、玉米等，是国家商品粮基地和全国生态农业建设试点县。

【交　　通】 长荆铁路与沪蓉高速公路横贯境内，随岳高速公路及107、248、311、327、245省道纵横全境。

【风景名胜】 太子山国家森林公园，虎爪山国家森林公园。空山洞、中共豫鄂边区委员会旧址、倒灌溪、屈家岭文化遗址、古城口、新石器遗址、三王城、苏家垅文化遗址。

【土特产品】 木耳、桥米、板栗、茶叶、无籽西瓜。

【景点介绍】 **太子山国家森林公园**　位于京山市西南部，总面积79.3平方千米，森林覆盖率达80.4%，是江汉平原上一颗璀璨的绿色明珠。公园有与西汉末年王莽相关的王莽藏金洞、綦峰寺遗址，有三国时期曹操兵败赤壁留下的“丢石点兵堆”，有江汉平原独一无二的喀斯特地貌——石苍雨林。是一处集观光、探险、访古、休闲健身、科普考察于一体的森林生态旅游胜地。

太子山国家森林公园

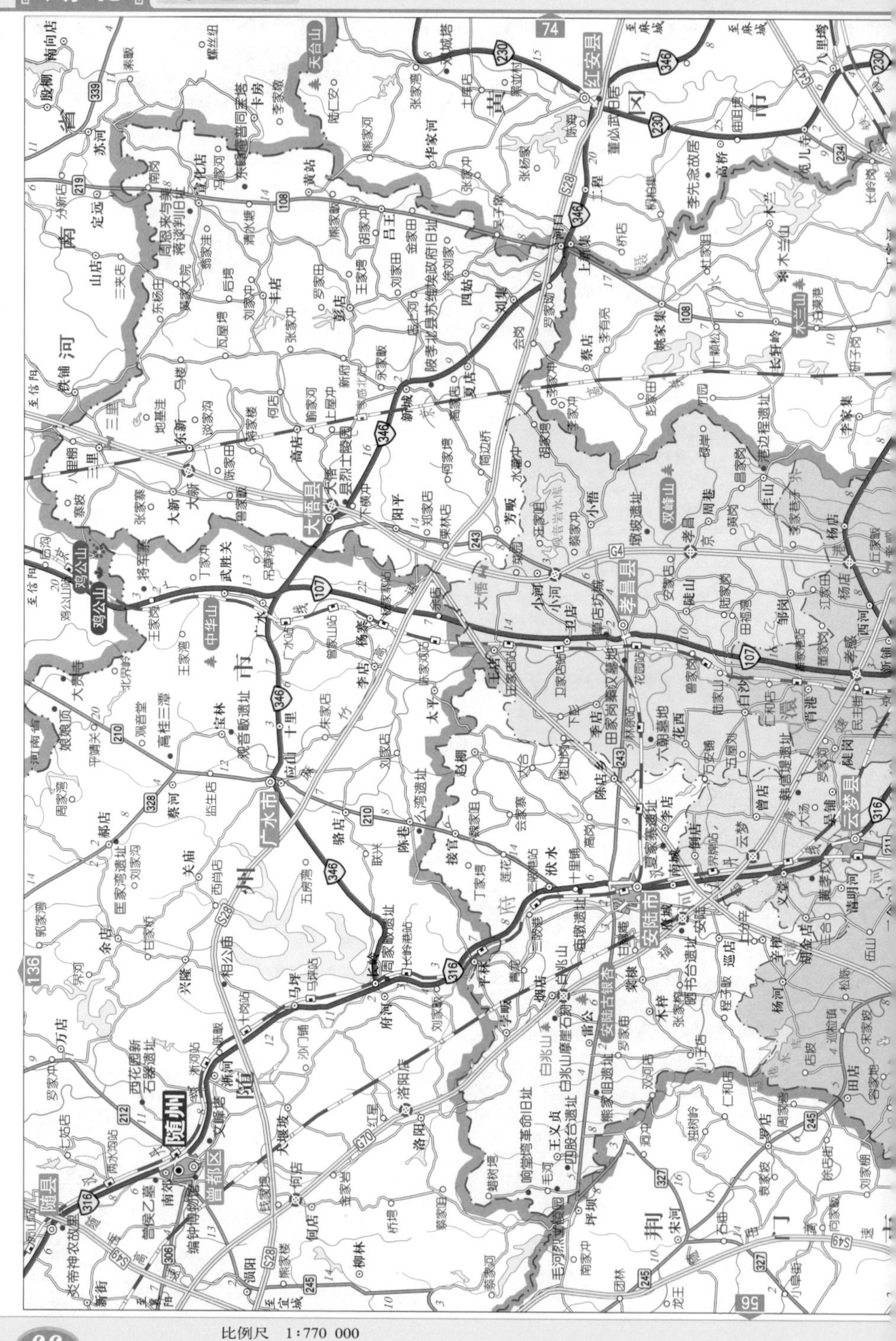

比例尺 1:770 000

7.7千米 0 7.7 15.4 23.1千米

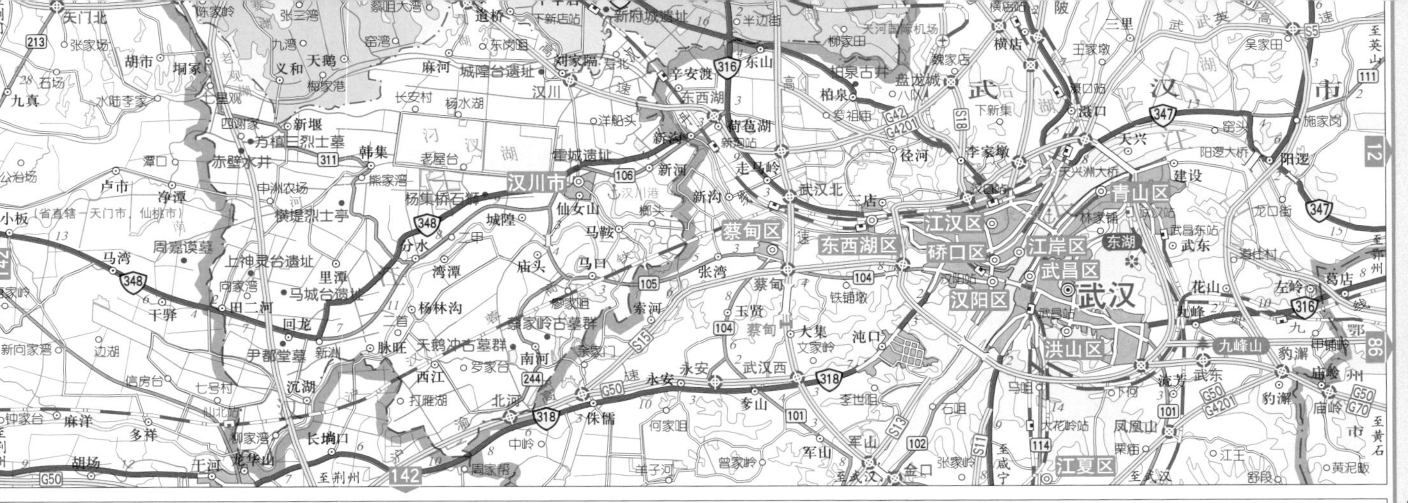

【地理位置】　位于湖北省东北部，长江以北，南邻仙桃市，北与河南省交界，西北接随州市、西邻荆门、天门市，东连武汉、黄冈市。

【行政区划】　现辖孝南区和应城、安陆、汉川3市及孝昌、大悟、云梦3县。

【人口面积】　人口515万，面积8941平方千米。

【历史沿革】　秦属南郡，汉属江夏郡。西魏于孝昌县置岳州及岳山郡，于安陆置安州。北周为郧州。隋初为安陆郡。唐乾元元年(公元758年)复为安州。宋为德安府。元、明因之。1949年设孝感专区，1959年撤消孝感专区所辖划归武汉市领导，1961年复设孝感专区，1970年改称孝感地区。1993年撤消孝感地区，升为地级孝感市。

【地方特色】　孝感是楚文化的发祥地之一，孝文化源远流长。孝感之名，源于汉孝子董永“卖身葬父，行孝感天”，是全国唯一一个因孝得名的地级市。

【地　　形】　地势北高南低，大致呈由平原向山脉过渡的坡状地貌。西北为山地，东北为低山丘陵，南部为江汉平原。

【河流湖泊】　汉江、汉北河、澴水、涢水、汈汊湖、东西汊湖、野猪湖等。

【气　　候】　属亚热带季风气候。年平均气温为15.5～16.5℃，全年无霜期225～257天，年降雨量1040～1230毫米。

【交　　通】　境内有京广、汉丹、长荆铁路和京广、沪汉蓉高速铁路，京港澳、沪蓉、福银、沪渝高速公路相会，107、316国道过境。水运以汉江、汉北河、涢水为主。

【资　　源】　矿产资源较为丰富，主要有金、银、铜、锰等，其中膏、盐、磷被誉为“孝感三宝”，素有“膏都”、“盐海”、“磷山”之称。河流众多，水电资源丰富。

【经　　济】　工业基本形成了以汽车、光学、电子、新型建材、盐磷化工等为主导产业的体系；农业建成了商品粮、优质棉、水产品、畜禽、林果等生产基地。

【风景名胜】　双峰山、安陆古银杏国家森林公园，白兆山森林公园、韩信堤遗址、赤壁水井、庙墩遗址、白兆山摩崖石刻、汤池温泉、城隍台遗址、泗洲寺、六朝墓地等。

【土特产品】　孝感麻糖、孝感米酒、汉川荷月、马口豆瓣、云梦鱼面、黄滩酱油等。

【景点介绍】**汤池温泉**　位于应城市西22千米处的汤池镇，温泉泉水日产量达10400吨，水温72～79摄氏度，属国内已发现的产量最大的温泉之一。温泉池区内设有大型泊浪池、温泉滑道、环状漂流河、玉女汤、日式温泉汤屋、温泉食坊、休息平台等，是按国家4A景区标准建造的，集温泉沐浴、休闲保健、生态、红色旅游以及完善的住、餐、娱、购配置于一体的旅游度假休闲区。

明显陵 世界遗产　　青龙山 国家级自然保护区　　服务区　　里程起讫点
武当山 国家级风景名胜区　　神农架 国家级森林、地质公园　　出入口　　收费站

孝感城区

【城市特色】 鄂东经济区中心城市和交通枢纽之一，武汉城市圈西北翼的副中心城市、重要的经济板块。城市定位为湖北省区域性中心城市、武汉城市圈核心层重要的产业基地、生态环境优良的宜居休闲城市、中华孝文化名城。

【交　　通】 107国道、316国道、京广铁路经过城区。

【土特产品】 **孝感麻糖** 孝感麻糖以香、甜、薄、脆的独特风味闻名于世，甜而不腻、回味无穷。

孝感米酒 孝感米酒是具有千年历史的地方名吃，白如玉液，清香袭人，甜润爽口，浓而不沽，稀而不流，食后生津暖胃，回味深长。一九五八年，毛泽东主席亲临孝感视察工作，品尝了孝感米酒后称赞“味好酒美”。

【风味小吃】 孝感米酒蒸鸡、翰林鸡、晴波鲤、陨中湖明珠等。

【风景名胜】 董永公园等。

【景点介绍】 **董永公园** 位于孝感城区的中心地段，面积5万平方米，1984年建成。园内有孝子祠、游乐园、盆景园。孝子祠内有董永和七仙女挽臂携手的石像和有关董永的文物、碑帖、名人字画等。

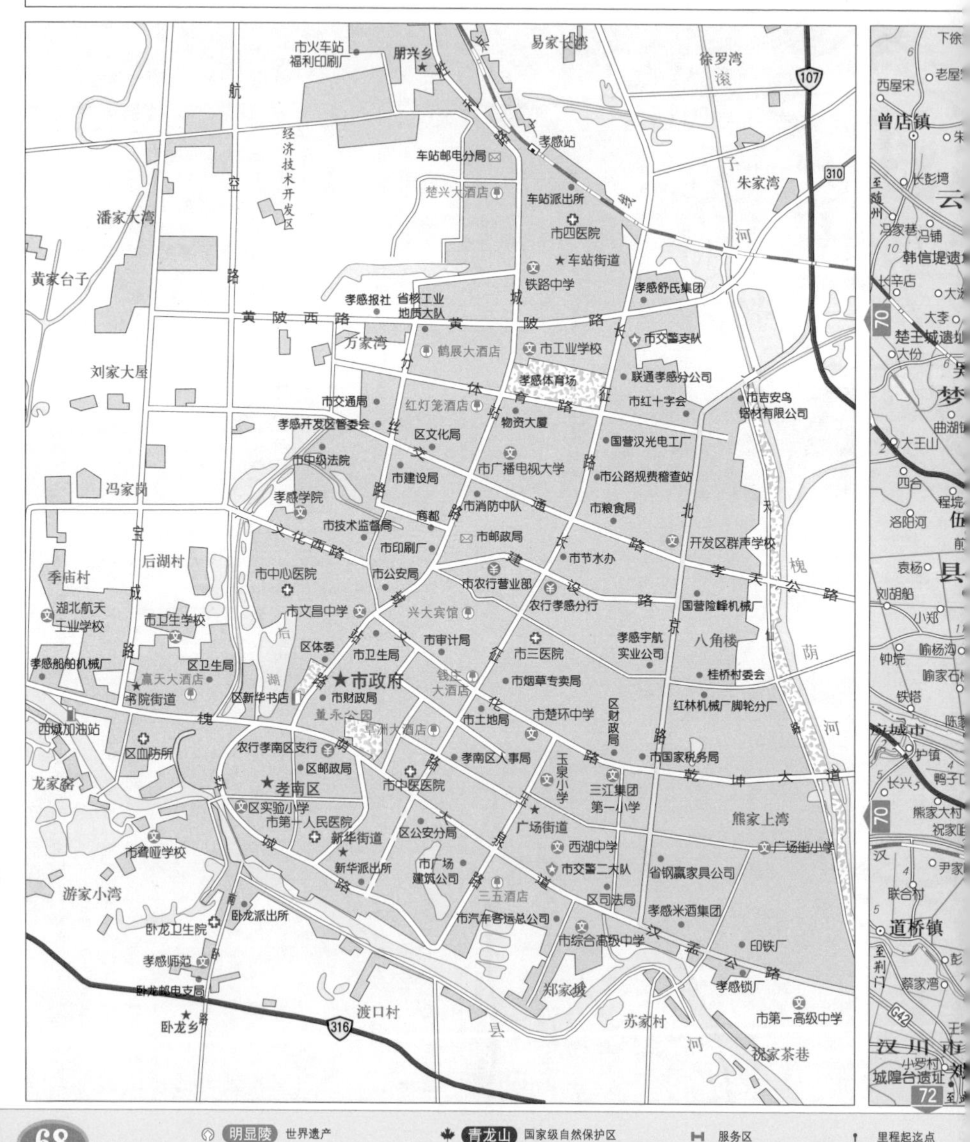

明显陵 世界遗产　青龙山 国家级自然保护区　服务区　里程起迄点
武当山 国家级风景名胜区　神农架 国家级森林、地质公园　出入口　收费站

区

【位置】位于孝感市东南部，北临孝昌县，南与汉川市、区相连，东接黄陂区，西与云梦县接壤。

【面积】人口96万，面积1020平方千米。

【沿革】从南朝宋孝武建元年（公元454年）始，一直是行地。1993年4月撤销原孝感地区，设立地级孝感市，撤孝感市，设立孝南区。

【地形】地处江汉平原北部，以丘陵为主。

【湖泊】府河、滚子河、澴水、野猪湖、王母湖、白水湖、等。

【交通】京广铁路和107、316国道过境，京港澳和福银高速公路纵横交会于境内。

【经　济】工业有机械、电子、印刷、造纸、纺织、皮革、食品、塑料、建材等产业。盛产棉花、油料、畜类、瓜菜和水果，是国家商品粮和优质米生产基地。水产养殖业较为发达。

【风景名胜】董永公园、战国古墓群、凤凰台遗址、董永墓、郑阁龙头岗遗址等。

【土特产品】孝感麻糖、孝感米酒、王母湖银鱼、莲藕、明珠等。

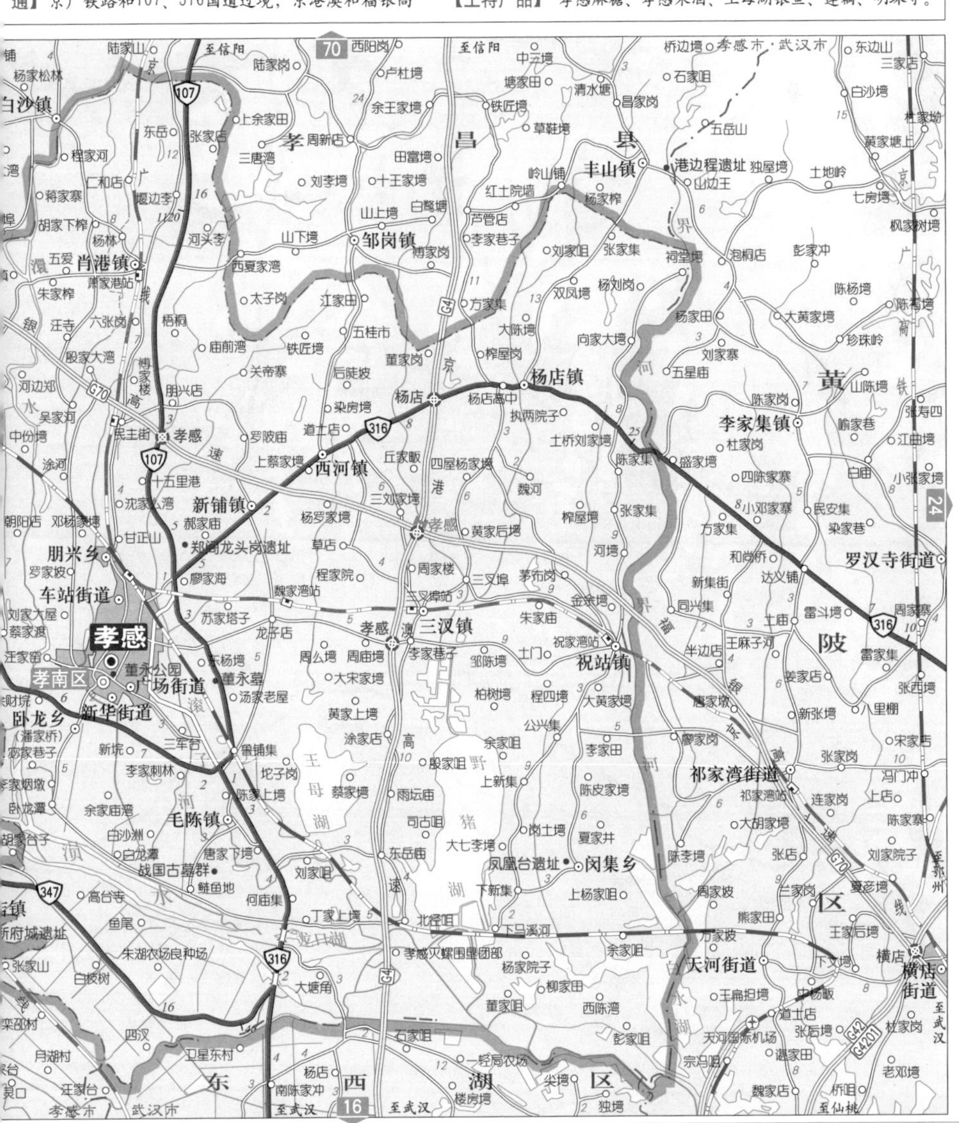

高度表

0 50 100 200 300 400 500 600 800 1000 1200 1500 2000 2500 3000米

比例尺 1:320 000

3.2千米 0 3.2 6.4 9.6千米

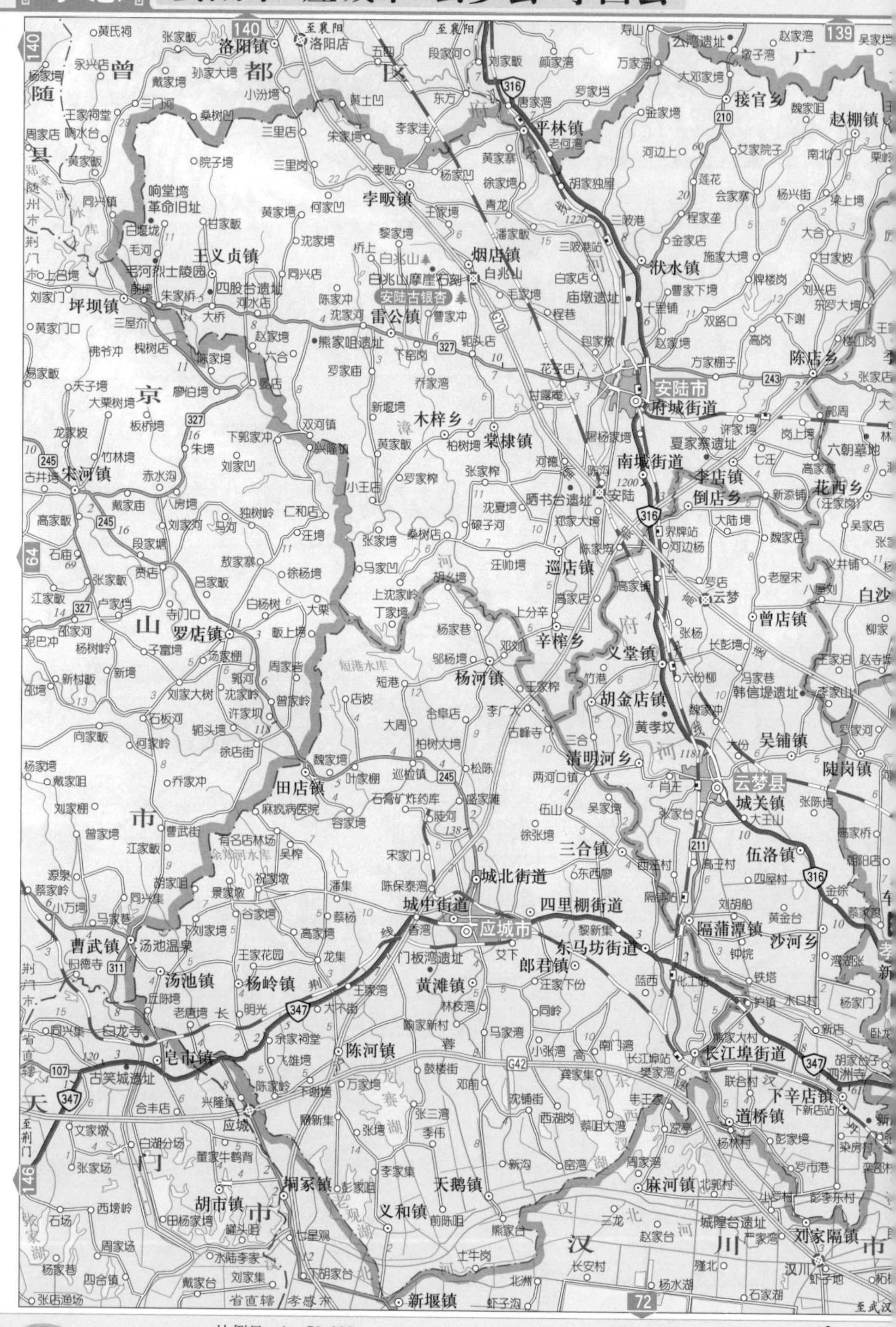

比例尺 1:470 000

4.7千米 0 4.7 7.4 12.1千米

高度表

0 50 100 200 300 400 500 600 800 1000 1200 1500 2000 2500 3000米

安陆市

【地理位置】 位于孝感市西北部，东与孝昌县毗邻，南与云梦县、应城市接壤，西与京山市相连，北与随州市曾都区、广水市接界。

【人口面积】 人口61万，面积1355平方千米。

【地　　形】 地处桐柏山、大洪山余脉所蔓延的丘陵与江汉平原北部交汇地带，多丘陵岗地。

【主要河流】 府河、漳河等。

【交　　通】 汉丹铁路、福银高速公路和316国道纵贯全境。

【风景名胜】 国家森林公园安陆古银杏、白兆山森林公园、晒书台遗址、白兆山摩崖题刻、庙墩遗址等。

应城市

【地理位置】 位于孝感市中西部，东临云梦县，北与安陆市毗连，西与京山市接壤，西南与天门市相接，南与汉川市为邻。

【人口面积】 人口65万，面积1103平方千米。

【地　　形】 地处鄂中丘陵和江汉平原过渡区，地形以丘陵、平原为主，河流众多。

【河流湖泊】 漳河、东西汊湖、龙赛湖、老观湖、短港水库、黄毛湾水库、余郑河水库等。

【交　　通】 汉丹、长荆铁路在此交会，沪蓉高速公路和107、245省道过境。

【风景名胜】 汤池温泉、门板湾遗址。

云梦县

【地理位置】 位于孝感市中部，东与孝南区为邻，西与应城市相接，南临汉川市，北与安陆市接壤。

【人口面积】 人口57万，面积604平方千米。

【地　　形】 地处江汉平原北部，北部为丘陵，中部为平原，南部为水网区。

【交　　通】 汉丹铁路、福银高速公路和316国道过境。

【风景名胜】 黄孝坟、韩信堤遗址、泗洲寺、新府城遗址等。

孝昌县

【地理位置】 位于孝感市中北部，东与武汉市黄陂区为邻，西与安陆市、云梦县相接，南临孝南区，北与广水市、大悟县接壤。

【人口面积】 人口67万，面积1217平方千米。

【地　　形】 地处大别山丘陵向江汉平原过渡地带，以丘陵岗地为主。

【交　　通】 京港澳高速公路、京广铁路、107国道纵贯全境。福银高速在西南角穿过。

【风景名胜】 双峰山国家森林公园、田家岗秦汉墓地、六朝墓地、墩坡遗址、草店坊城等。

明显陵 世界遗产　青龙山 国家级自然保护区　服务区　里程起迄点
武当山 国家级风景名胜区　神农架 国家级森林、地质公园　出入口　收费站

汉川市

【地理位置】 位于孝感市南部，北接应城市、云梦县和孝南区，东临武汉市东西湖区和蔡甸区，南与仙桃市相连，西与天门市接壤。

【人口面积】 人口107万，面积1663平方千米。

【地方特色】 素有“江汉明珠”和江汉平原“鱼米之乡”之美誉。

【地　　形】 地处江汉平原北东边缘，汉江下游湖北中部，地势由西北向东南平缓倾斜，东南部为陇岗丘陵，中部、北部和西部皆为平原。

【河流湖泊】 汉江、汉北河、南支河、汈汊湖、东西汊湖等。

【交　　通】 沪蓉高速公路、汉丹铁路在北部过境。10
贯东西。沪渝高速公路、沪汉蓉高铁在南部过境。

【经　　济】 工业已形成了电力、机械、纺织、建材、
缆、食品加工、塑料制品和医药、化工等产业，建成了
区重要的钢管、钢丝绳、药用玻璃、通讯电缆生产基地
以水稻、棉花、水产品为主，是国家重点商品粮、商品
质出口棉和速生丰产林生产基地。

【风景名胜】 城隍台遗址、杨集桥石狮、天鹅冲古墓群
水井、霍城遗址、马城台遗址、尹都堂墓、方植三烈士

【土特产品】 甲鱼、鳜鱼、河蟹、莲藕、野鸭。

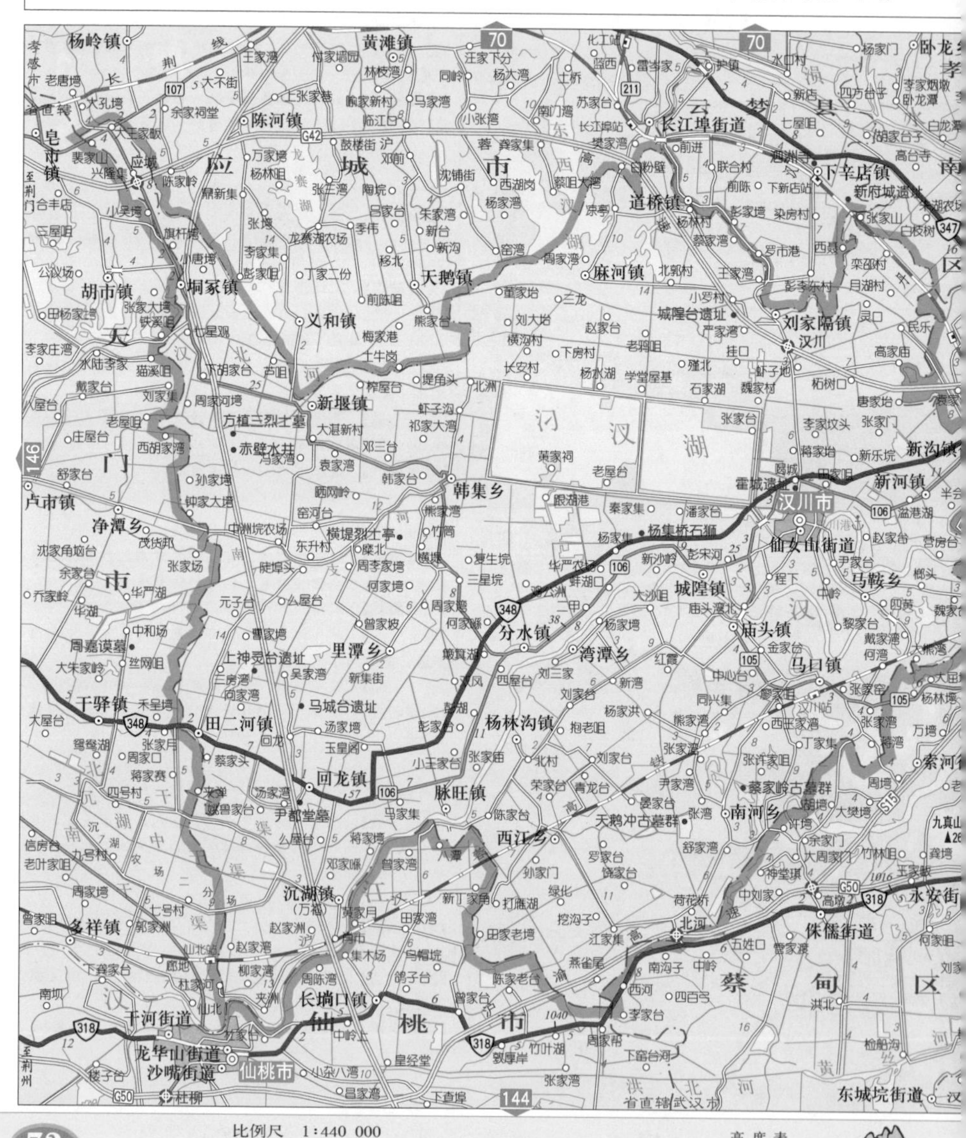

比例尺 1:440 000

4.4千米 0 4.4 8.8 13.2千米

高度表

0 50 100 200 300 400 500 600 800 1000 1200 1500 2000 2500 3000米

县

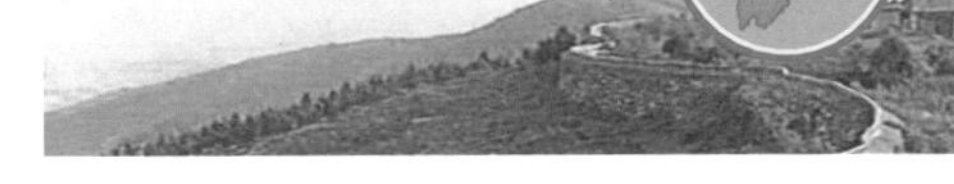

【位置】 位于孝感市北部，北与河南省交界，南与孝昌县
又市黄陂区接壤，东邻红安县，西连广水市。

面积】 人口62万，面积1979平方千米。

形】 地处大别山西部，地貌以低山丘陵为主，境内平
交错，河流纵横。

湖泊】 水、竹杆河、姚河水库、宣化水库、丰店水
畈水库等。

通】 京广高铁、京港澳高速公路纵穿全境，108、243、
省道过境。

源】 矿产资源有金、铜、磷、大理石等，森林资源有
松、杉、乌桕等。产桔梗、杜仲、丹参等药材。

【经　济】工业有采矿、化工、木材加工、卷烟等产业；农业以水稻、小麦、花生为主。

【风景名胜】陂孝北县苏维埃政府旧址、县烈士陵园、周恩来与美蒋谈判旧址、东峰庵普同宝塔等。

【土特产品】花生、烟叶、乌桕等。

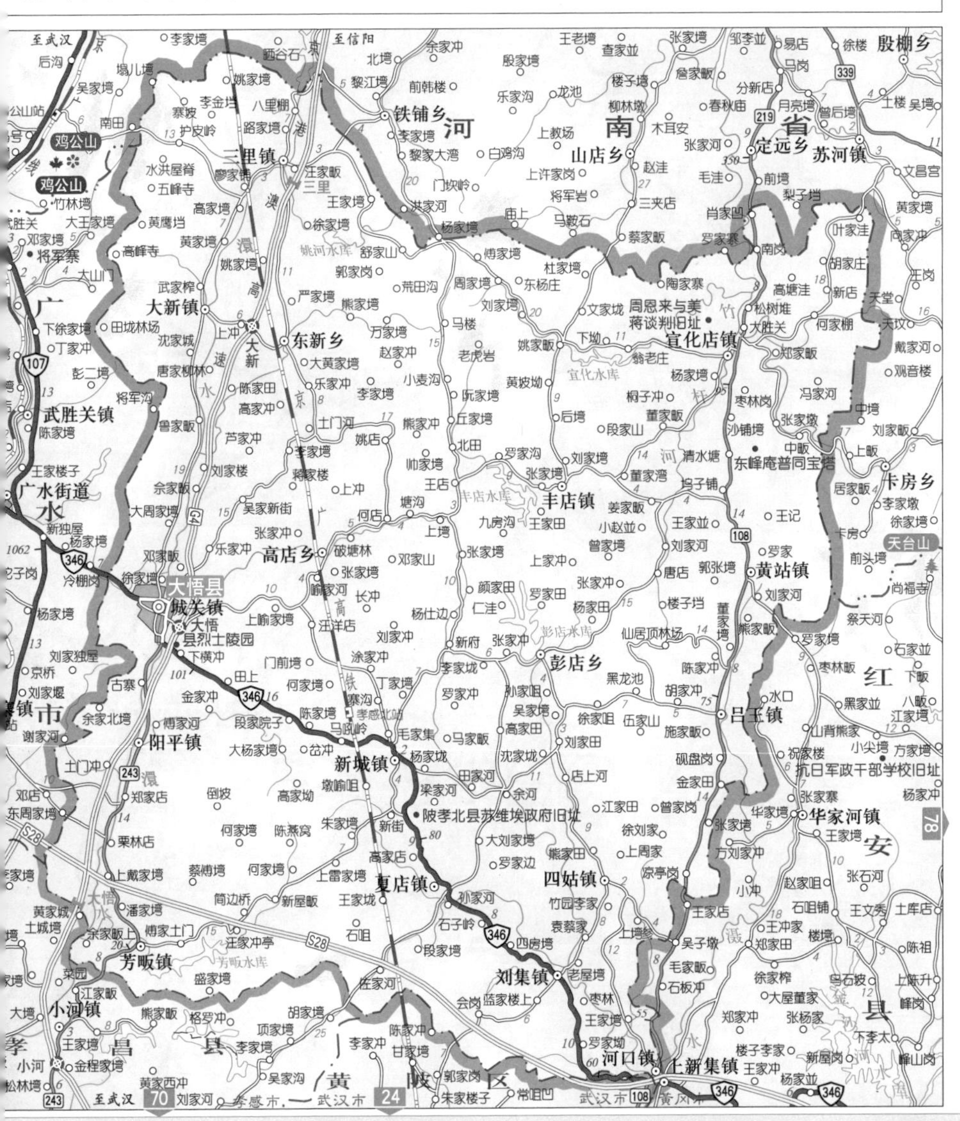

明显陵 世界遗产
青龙山 国家级自然保护区
服务区
里程起迄点
武当山 国家级风景名胜区
神农架 国家级森林、地质公园
出入口
收费站

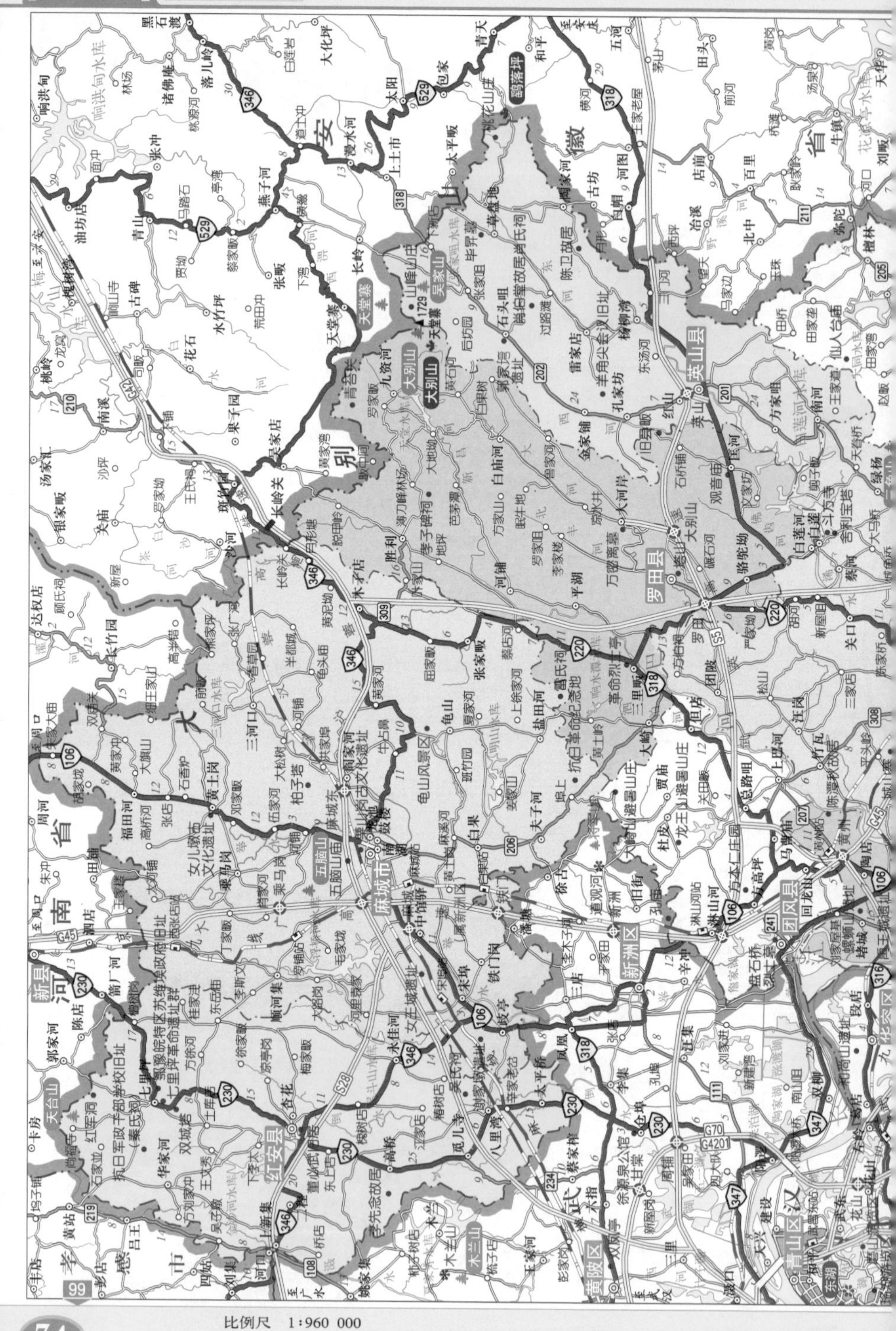

比例尺 1:960 000

9.6千米 0 9.6 19.2 28.8千米

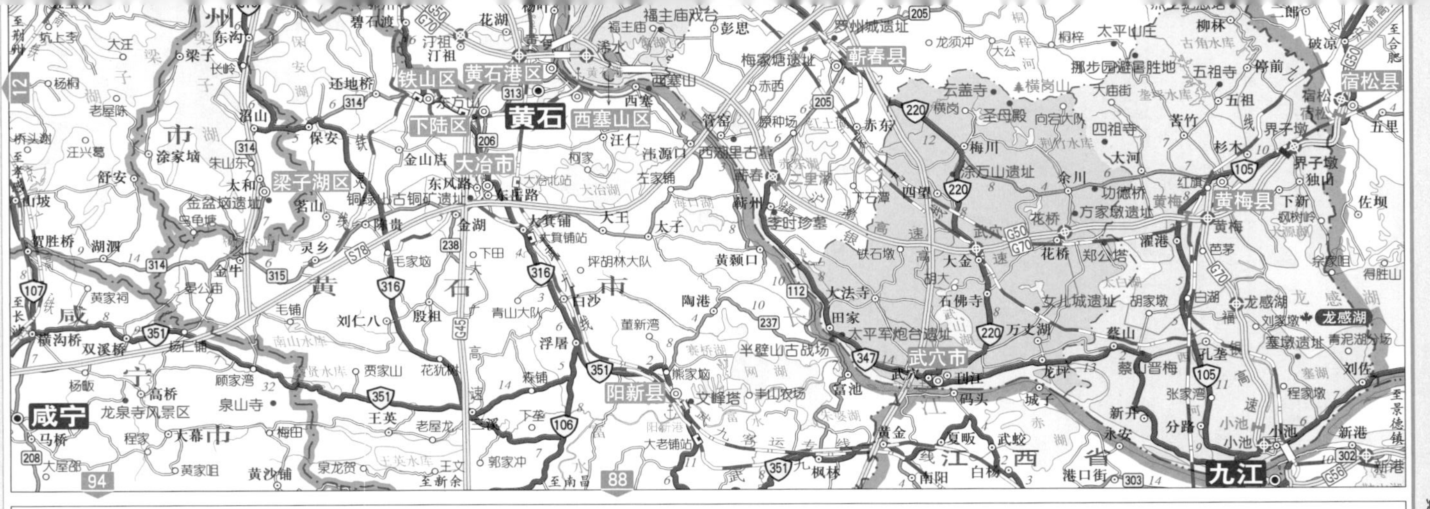

【地理位置】 位于湖北省东部，大别山南麓，长江中游北岸，西南与鄂州市、黄石市隔江相望。西连武汉市、孝感市，北依大别山与河南省为邻，东与安徽省交界，南接江西省。

【行政区划】 辖黄州区和麻城、武穴2市以及红安、罗田、英山、浠水、蕲春、黄梅、团风7县，市政府驻黄州区。

【人口面积】 人口738万，面积17453平方千米。

【历史沿革】 秦汉之际，为郡国之属。自东晋以后，形成大体完整的郡州。隋唐五代直至明初，黄冈基本处于黄州、蕲州两郡（府、路）并治状况。从东晋咸和四年（公元329年）在本域建置西阳郡起，黄冈作为省县之间的一级行政区，已有1670余年的历史。1949年设黄冈专区。1970年改黄冈地区。1995年撤销黄冈地区和黄州市，设立地级黄冈市。

【土特产品】 东坡肉、金包银、巴河藕、豆腐盒、黑谷糯、余正泰粉丝等。

【地　　形】 地势自北向南逐渐倾斜。中部为丘陵区，高低起伏，谷宽丘广、冲、畈交错；南部为狭长的平原湖区，河港、湖泊交织。

【最高山峰】 天堂寨，海拔1729米。

【气　　候】 属亚热带大陆性季风气候，年平均气温为15.7℃～17.1℃，年平均降雨量1200～1500毫米，全年无霜期在237～278天之间。

【交　　通】 地处吴头楚尾，具有“承东启西、纵贯南北、通江达海”的开放性区位优势。京九铁路贯穿南北全境，沪渝、沪蓉、岳武、福银、大广、武英高速和沪汉蓉高铁及105、106、318国道过境。

【资　　源】 境内资源丰富。有铁、锰、铬、金红石、铅、萤石、石英石、磷矿石、花岗石、大理石等，东北部多温泉；珍稀树种有垂枝杉、银杏、金钱松、黄山松、华山松等，森林覆盖率为32.4%；野生动物有绿毛龟、穿山甲、水獭等。

【经　　济】 工业已形成机械、医药化工、冶金、建材、卷烟等支柱产业。农业发达，主产稻、小麦、棉花、油料，为湖北省粮棉重要产区。

【风景名胜】 大别山、吴家山、三角山、天台山、五脑山国家森林公园，横岗山森林公园，东坡赤壁、陈潭秋故居、龟山风景区、七里坪革命遗址群、龙王山避暑山庄等。

【景点介绍】 **大别山国家森林公园** 位于黄冈市罗田县北部高山区，总面积300平方千米，大别山横卧中原，素以雄、奇、险、幽而闻名于世，主峰天堂寨海拔1729米，号称“中原第一峰”，位于大别山国家森林公园东北角。公园分设天堂寨大别雄风自然风光游览区、青台关古关名刹游览区、薄刀峰避暑休闲游览区、九资河大别山田园风光游览区、天堂湖水上乐园等五个景区。公园自然风光优美，人文景观丰富，五个景区各具特色。是一个以中山山岳地貌、原始森林景观为特征，融民俗风情、农艺景观、历史人文景观于一体的国家级森林公园。

明显陵 世界遗产　青龙山 国家级自然保护区　服务区　里程起迄点
武当山 国家级风景名胜区　神农架 国家级森林、地质公园　出入口　收费站

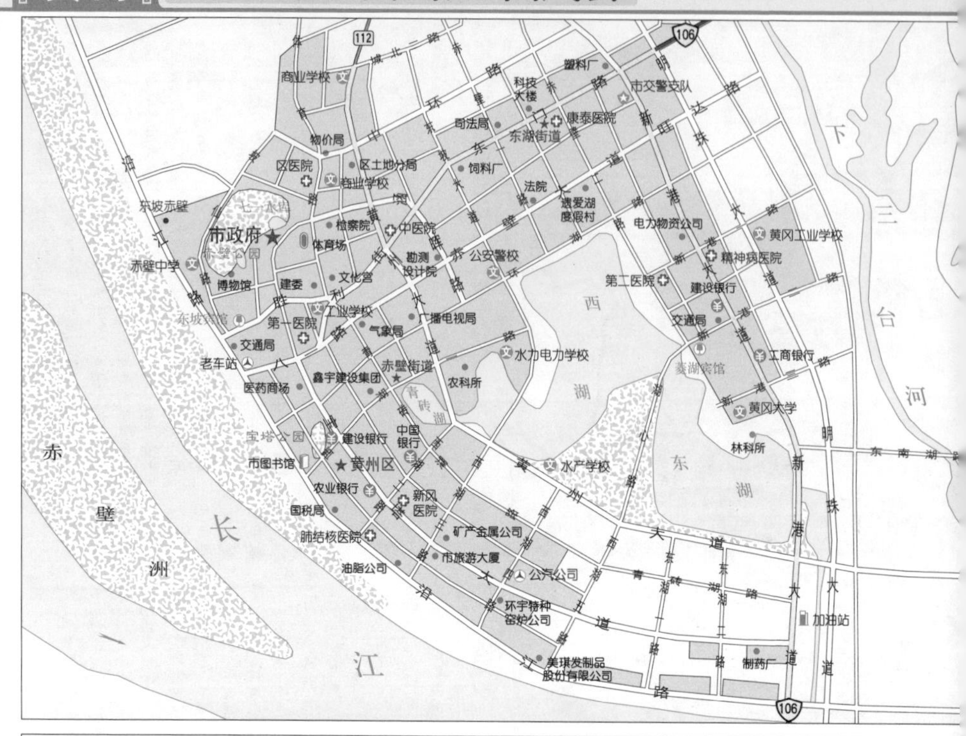

黄冈城区

【风景名胜】 东坡赤壁、宝塔公园、赤壁公园、遗爱湖风景区。

【土特产品】 灯具、时装鞋、人造发丝、竹器制品等。

黄州区

【地理位置】 位于黄冈市中南部，长江中游北岸，东连浠水县，北接团风县，西南与鄂州市市辖区隔江相望。

【人口面积】 人口35万，面积353平方千米。

【地　　形】 地势为东北部高，西部和南部低。以平原为主，丘陵岗地兼有，湖泊众多。

【交　　通】 京九铁路和106国道过境； 大广高速斜穿东北部，水运以长江为主航道。

【经　　济】 工业有纺织、服装、建材、石材、机械、造船、食品加工等产业。农业以水稻、小麦、棉花、油菜为主。

【风景名胜】 东坡赤壁、禹王城遗址、螺蛳山遗址、陈潭秋故居。

团风县

【地理位置】 位于黄冈市中南部，长江中游北岸，东连浠水县，北接罗田县、麻城市，西临鄂州市、武汉市新洲区，南与黄州区接壤。

【人口面积】 人口37万，面积833平方千米。

【地　　形】 地处大别山南麓低山丘陵向长江冲积平原过渡地带，地势自东北向西南倾斜。

【交　　通】 京九铁路、106和318国道过境；大广高速斜穿西南部，水运以长江为主航道。

【土特产品】 大曲酒、彩光家俱、瓦楞纸箱、马蹄爽。

【风景名胜】 方本仁庄园、龙王山避暑山庄、大崎山避暑等。

【景点介绍】 **东坡赤壁** 位于黄州区西北部。因北宋大家苏轼在此写有《念奴娇·赤壁怀古》等著名作品，使赤扬中外。东坡赤壁的楼阁始建于西晋初年。现有剪刀峰、亭睡仙亭、坡仙亭、酹江亭、问鹤亭、碑阁、留仙阁、等景点，这些古建筑依山就势，古朴典雅，具有浓厚的民格赤壁碑刻，闻名全国，有历代名人书画碑刻近二百块，苏轼书画碑刻一百余块，居全国个人碑刻之冠。

东坡赤壁

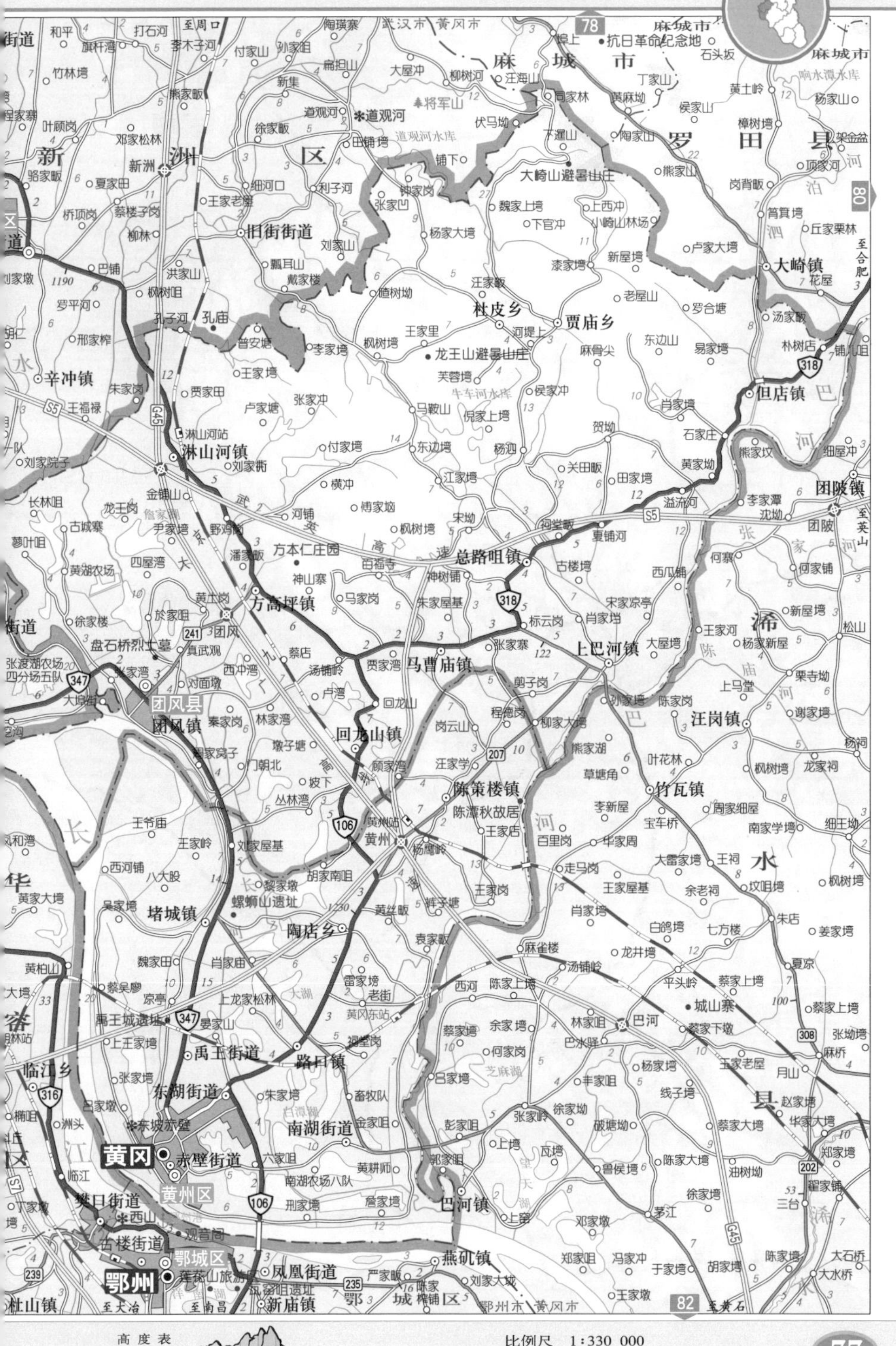

麻城市
罗田县
新洲区
浠水县
抗日革命纪念地
道观河
道观河水库
将军山
大崎山避暑山庄
小崎山林场
大崎镇
杜皮乡
贾庙乡
龙王山避暑山庄
牛车河水库
但店镇
团陂镇
淋山河镇
旧街街道
孔庙
辛冲镇
总路咀镇
方高坪镇
方本仁庄园
上巴河镇
马曹庙镇
汪岗镇
回龙山镇
竹瓦镇
陈策楼镇
陈潭秋故居
黄州
黄州站
团风县
团风镇
盘石桥烈士墓
堵城镇
螺蛳山遗址
陶店乡
禹王城遗址
禹王街道
路口镇
东湖街道
东坡赤壁
黄冈
赤壁街道
黄州区
南湖街道
巴河镇
燕矶镇
樊口街道
古楼街道
鄂城区
鄂州
凤凰街道
新庙镇
临江乡
城山寨
巴河
黄冈东站
望天湖
白潭湖
芝麻湖
大湖
张渡湖农场
四分场五队
至周口
至合肥
至英山
至黄石
至南昌
至大冶
武汉市 黄冈市
鄂州市 黄冈市
78
80
82

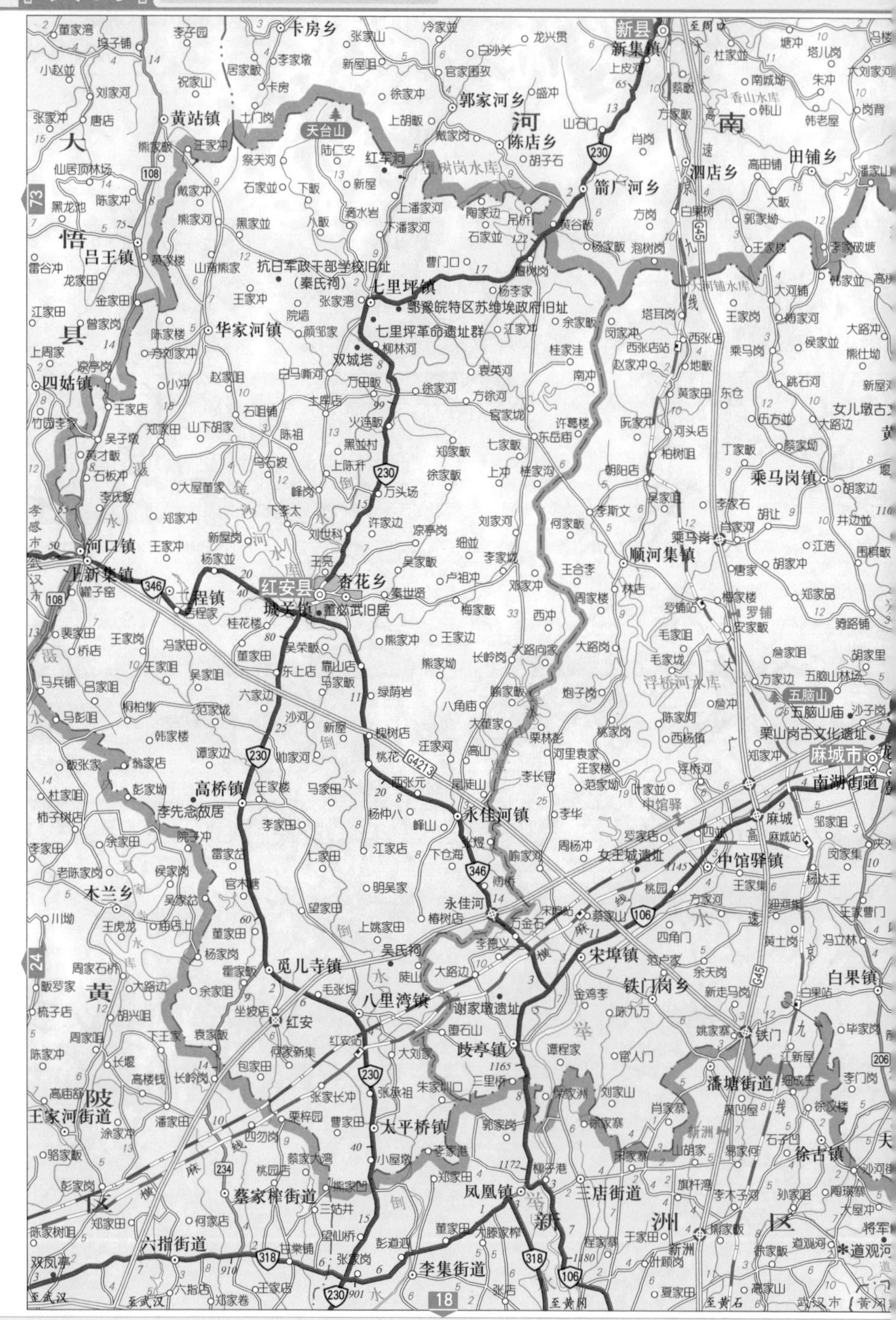

比例尺 1:470 000

4.7千米 0 4.7 9.4 14.1千米

高度表

0 50 100 200 300 400 500 600 800 1000 1200 1500 2000 2500 3000米

麻城市

【地理位置】 位于黄冈市北部，北邻河南与安徽省，东连罗田县，南接新洲区，西靠红安县。

【人口面积】 人口115万，面积3599平方千米。

【地　　形】 全境犹如马蹄形，东、北、西三面环山，群峰突起。地势东北高，西南低。

【河流湖泊】 举水、浮桥河水库、三河口水库等。

【交　　通】 京九、横麻铁路、沪汉蓉高铁在此交会。大广高速和106国道贯穿南北，210、309省道过境。

【资　　源】 矿藏资源丰富，有钛、铁、铬、铜、铅、黄金、磁石、陶土、大理石、花岗石、硅石等。水资源丰富，河流众多。

【风景名胜】 五脑山国家森林公园、龟山风景区、五脑山庙、女儿墩古文化遗址、谢家墩遗址、女王城遗址等。

【景点介绍】 **龟山风景区** 位于麻城市东部，距市区30千米的熊家铺，主峰海拔1250米。此山奇峰异石，云雾缭绕，景象万千，春天红花绿叶气候宜人，夏天清凉爽快，荷叶遮天，秋天红叶覆盖满山，冬天玉树结冰。龟峰山气候宜人，为避暑胜地。

红安县

【地理位置】 位于黄冈市西北部，北抵河南省，东临麻城市，南与新洲区接壤，西连大悟县、黄陂区。

【人口面积】 人口65万，面积1796平方千米。

【历史沿革】 明置黄安县，以“地方安谧，生民安妥”之意得名，属黄州府。1949年属孝感专区。1952年因纪念鄂豫皖革命根据地和中国工农红军第四方面军于此创建，改名红安县，素有“将军县”之称。

【地　　形】 地处大别山低山丘陵，北部为低山丘陵，东部和西部为岗地，南部和中部倒水沿岸为平原。

【河流湖泊】 倒水、滠水，金沙河水库、檀树岗水库。

【交　　通】 横麻铁路，沪汉蓉高铁及沪蓉高速公路穿过本县南部境区，109、304省道在县城交会。

【风景名胜】 国家森林公园天台山、双城塔、董必武旧居、李先念故居、吴氏祠、红军洞等。

烈士陵园

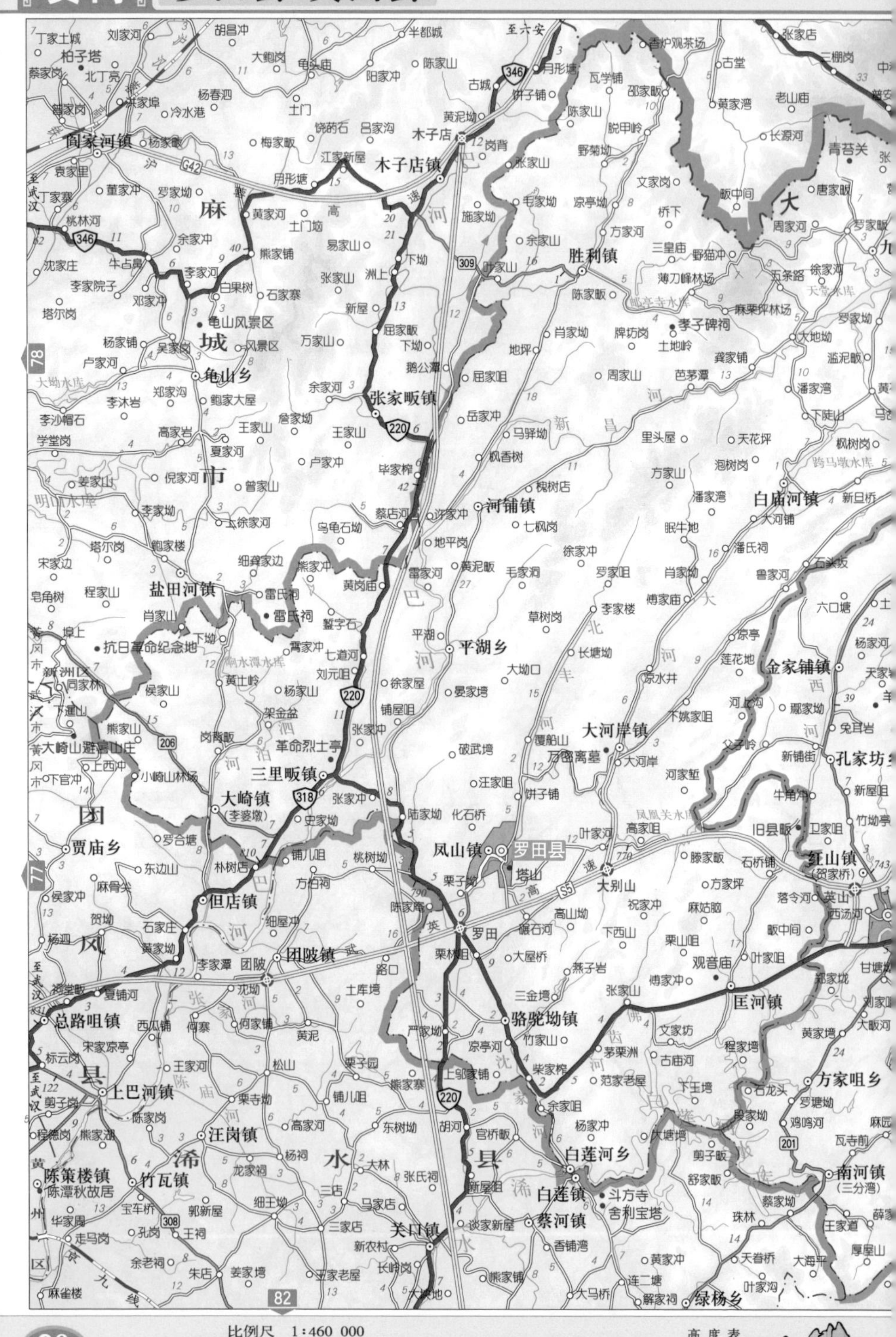

比例尺 1:460 000

4.6千米 0 4.6 9.2 13.8千米

高度表

0 50 100 200 300 400 500 600 800 1000 1200 1500 2000 2500 3000米

罗田县

【地理位置】 位于黄冈市中北部，东北接安徽省，东临英山县，南与浠水县接壤，西连团风县、麻城市。

【人口面积】 人口59万，面积2129平方千米。

【地　　形】 地处大别山南麓，北部为群山，中部为丘陵，南部为浅丘。

【河流湖泊】 巴河、北丰河、大河、新昌河，天堂水库，跨马墩水库、邮亭寺水库、白莲河水库等。

【交　　通】 武英高速和318国道横穿南部境内。

【资　　源】 矿藏资源丰富，有金、银、铅、锌、铁、莹石、云母、水晶等。森林覆盖率达63.8%。以松、杉、竹为主。盛产茯苓、桔梗、月参、苍术等药材。

【经　　济】 工业有食品饮料、建筑材料、机械、电子、化工、医药、纺织等。农业以水稻、小麦、豆类、花生、芝麻为主，盛产茯苓、桔梗、苍术等药材。蚕茧、板栗产量居全省前列。是有名的“桑蚕之乡”、“板栗之乡”、“茯苓之乡”。

【风景名胜】 大别山国家森林公园、孝子碑祠、万密斋墓、青苔关、塔山、观音庙、革命烈士亭。

【土特产品】 板栗罐头、茯苓酒、蚕丝、甜柿等。

英山县

【地理位置】 位于黄冈市东北部，大别山南麓，东、北与安徽省毗邻，西与罗田县接壤，南与浠水、蕲春县为邻。

【人口面积】 人口40万，面积1449平方千米。

【地方特色】 人杰地灵，文化底蕴丰厚，中国古代四大发明家之一、北宋活字印刷术的发明者毕昇就诞生在这里。

【地　　形】 地处大别山低山丘陵，北部为山地，中部和南部为丘陵岗地，仅河谷地带分布有狭窄平原。

【河流湖泊】 西河、东河，白莲河水库、张家咀水库、红花咀水库、詹家河水库等。

【交　　通】 武英高速和318国道横穿境内，242、201省道纵贯本县全境。

【资　　源】 境内资源丰富。矿藏有铜、铅、锰、银、铁沙、云母、水晶、莹石、大理石、刚玉、石英等；是湖北省主要的药材基地，主要品种有天麻、灵芝、杜仲等；是有名的“茶叶之乡”和“桑蚕之乡”。

【经　　济】 工业有五金工具、丝绸服装、机械、山野菜生产、中成药加工等产业。农业主产水稻、小麦等，茶、桑、栗、药四大产业已初具规模。

【风景名胜】 吴家山国家森林公园、国家自然保护区大别山、山峰山庄、毕昇墓、肖伯堂故居肖氏祠、陈卫故居、桃花山庄等。

【土特产品】 天堂云雾茶、灵芝、杜仲、贝母、白厂丝等。

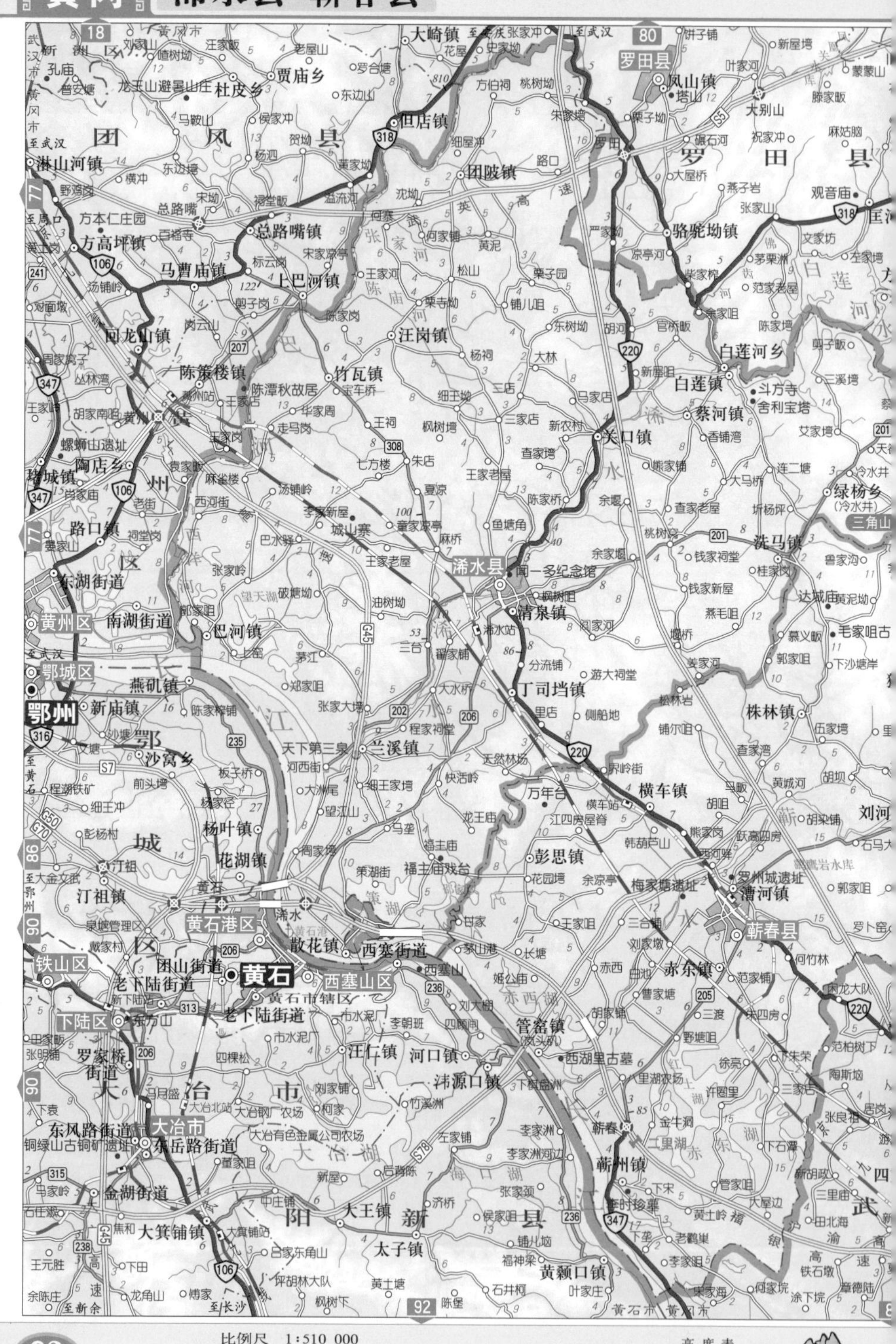

比例尺 1:510 000

5.1千米 0 5.1 10.2 15.3千米

高度表

0 50 100 200 300 400 500 600 800 1000 1200 1500 2000 2500 3000米

浠水县

【地理位置】 位于黄冈市中南部，大别山南麓，长江北岸。东邻蕲春县，西接团风县与黄州区，西南与黄石市和鄂州市隔江相望，北与罗田县、英山县毗连。

【人口面积】 人口101万，面积1949平方千米。

【地　　形】 地势自东北向西南倾斜，东北部为山区、中部为丘陵、西南长江沿岸为冲积平原，被称为“三山六丘一平原，田园水面杂其间”。

【河流湖泊】 长江、巴河、浠水、张家河等，策湖、望天湖、白莲河水库等。

【交　　通】 京九铁路横穿境内，沪渝、大广、武英高速公路过境，201、202、206和308省道在县城区交会。

【风景名胜】 三角山国家森林公园、闻一多纪念馆、城山寨、天下第三泉、福主庙戏台、斗方寺、舍利宝塔等。

【土特产品】 蟠桃、猕猴桃、茶叶、甘蔗、天麻、板兰根、杭菊、团头鲂、银鱼、鳜鱼等。

【景点介绍】 **闻一多纪念馆** 位于浠水县清泉镇原清泉寺旧址，占地面积9333平方米，建筑面积1212平方米。纪念馆分序厅、闻一多生平事迹简史展厅两大部分，展厅前矗立着高2.5米、基座1.4米的闻一多铜像。该馆1986年开始筹建，1993年5月18日正式建成开放。闻一多（1899—1946），现代诗人，学者，1912年入清华学校，1922年赴美国留学，1925年回国后任青岛大学、清华大学、西南联大教授，著有诗集《死水》、《红烛》及古典文学研究专著多种，1946年在昆明被国民党特务暗杀。

蕲春县

【地理位置】 位于黄冈市东部，大别山南麓，长江中下游北岸。东邻安徽省，西连浠水县，南临武穴市和阳新县，北接英山县。

【人口面积】 人口101万，面积2398平方千米。

【地　　形】 地势东北高、西南低，由东北向西南渐次倾斜，境内山地、丘陵、平原兼有。

【河流湖泊】 长江、蕲水，赤东湖、红土湖、赤西湖、大同水库、鸪鹰岩水库等。

【交　　通】 京九铁路和沪渝高速公路过境，205、308省道在县城交会。水运以长江水道为主。

【资　　源】 境内资源丰富。有石英石、大理石、花岗石、白云石、金、锰等；现有药材种植面积15万亩，被列为全国药材生产基地县和湖北省桔梗、丹皮生产县。

【经　　济】 工业以机械、纺织、建材、化工、食品为支柱产业。农业主产水稻、小麦、棉花、油料等，是国家商品粮基地县。

【风景名胜】 李时珍墓、西湖里古墓、梅家塘遗址、罗州城遗址、黄侃墓、毛家咀古文化遗址、达城庙、横岗山森林公园等。

【土特产品】 蕲春四宝：“蕲竹”、“蕲艾”、“蕲蛇”、“蕲龟”。

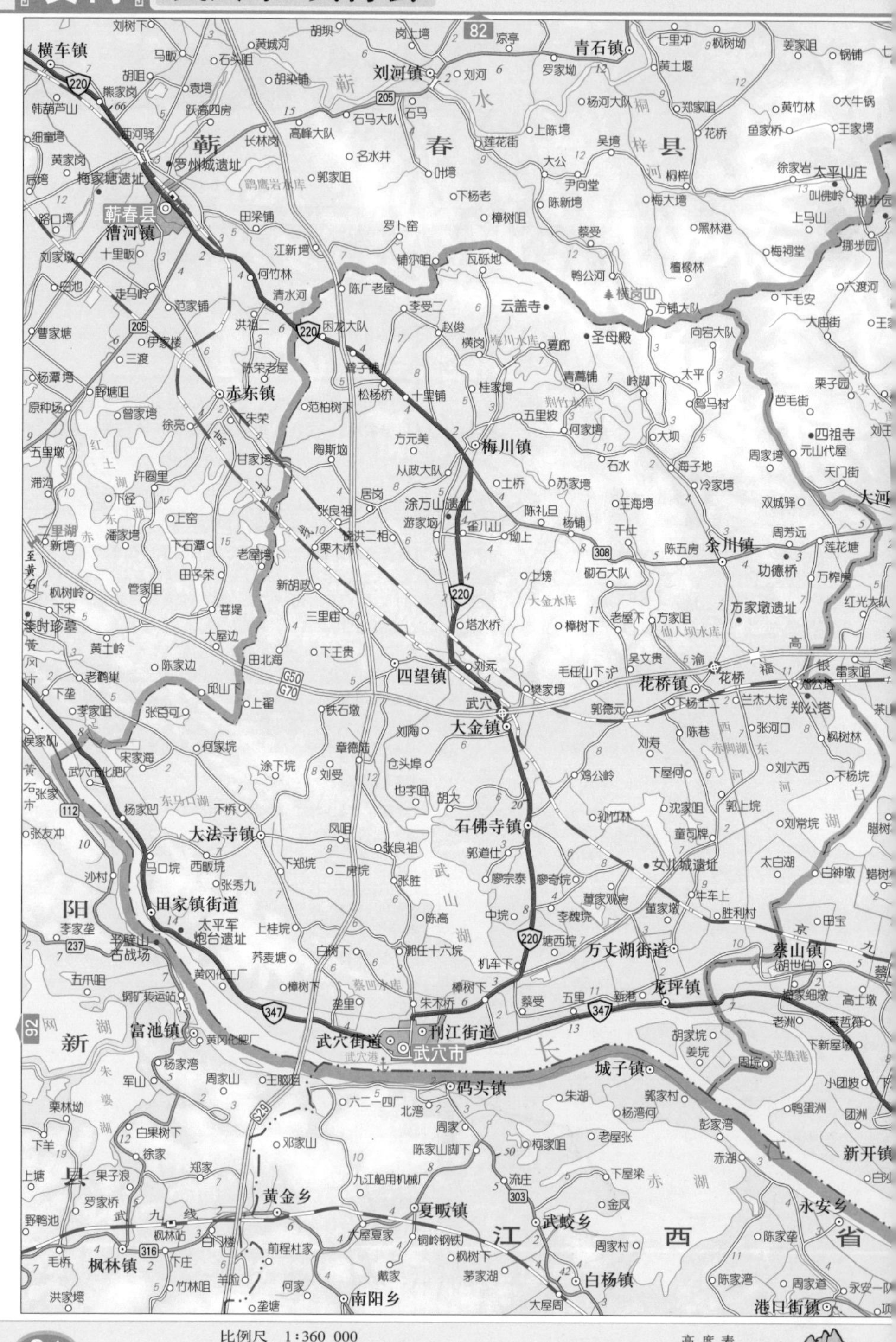

比例尺 1:360 000

3.6千米 0 3.6 7.2 10.8千米

高度表

0 50 100 200 300 400 500 600 800 1000 1200 1500 2000 2500 3000米

武穴市

【地理位置】 位于黄冈市南部，长江中下游北岸，北、西部接蕲春县，南与阳新县、江西省隔江相望，东临黄梅县。

【人口面积】 人口82万，面积1246平方千米。

【地　　形】 地势为北部高、东南部低，自北向东南倾斜。北部一隅为连绵起伏的低山，中、西部为丘陵，南部和东南为平原。

【河流湖泊】 长江、太白湖、武山湖、东马口湖、荆竹水库、梅川水库等。

【交　　通】 京九铁路和沪渝高速公路过境，204、308省道在此交会，水运以长江水道为主。

【资　　源】 矿藏资源有铅、锌、铜、金红石、石灰岩、白云岩、磷、钾、煤等。珍稀动物有金钱豹、小灵猫、穿山甲等。

【经　　济】 工业有医药、机械、建材、化工、食品、轻纺等产业。农业主产水稻、棉花、油料等，盛产猪、鱼、茶、杉树、山药、生姜等，是全国的粮食大县、重点产棉区和著名的“油菜之乡”。富水产，为湖北省商品粮基地。手工业发达，竹器工艺品驰名中外。

【风景名胜】 郑公塔、圣母殿、太平军炮台遗址、方家墩遗址。

【土特产品】 柑橘、芋麻、珍珠、酥糖、章水泉竹器。

黄梅县

【地理位置】 位于黄冈市最南部，长江北岸，鄂、皖、赣三省交界处。

【人口面积】 人口103万，面积1701平方千米。

【地　　形】 地处大别山低山丘陵向长江冲积平原过渡地带。北部为山地、丘陵，中部为岗地，南部为长江冲积平原。

【河流湖泊】 长江、龙感湖、大源湖、太白湖、垄坪水库、古角水库、永安水库等。

【交　　通】 京九、合九铁路在此接轨，沪渝、福银高速公路相会。105国道过境，南部有长江黄金水道。

【资　　源】 矿藏资源丰富，现已探明具有开采价值的有铁矿、磷矿、石膏矿等。水资源较为丰富。

【经　　济】 工业有纺织、服装、冶金、化工、医药、建材、陶瓷、食品、饲料等产业。农业以水稻、小麦、棉花等为主，是湖北省商品粮基地县、优质棉出口基地县和水产大县。

【风景名胜】 四祖寺、五祖寺、蔡山晋梅、塞墩遗址。

【景点介绍】 **五祖寺** 位于黄梅县城北12千米处的东山上，又名东山寺，始建于隋朝末年。唐朝咸亨年间、北宋时期均有大规模扩建，是禅宗五祖弘忍弘法的道场。被誉为“天下祖庭”。现存寺院位于海拔约400米处，整个寺庙建筑群依山势建于东山之阳，从正南山麓到山顶白莲峰以蜿蜒石路为中轴线平行布局。位于一天门的释加多宝如来佛塔，据塔身铭记为北宋宣和年（121年）所建。

明显陵 世界遗产　　青龙山 国家级自然保护区　　服务区　　里程起迄点
武当山 国家级风景名胜区　　神农架 国家级森林、地质公园　　出入口　　收费站

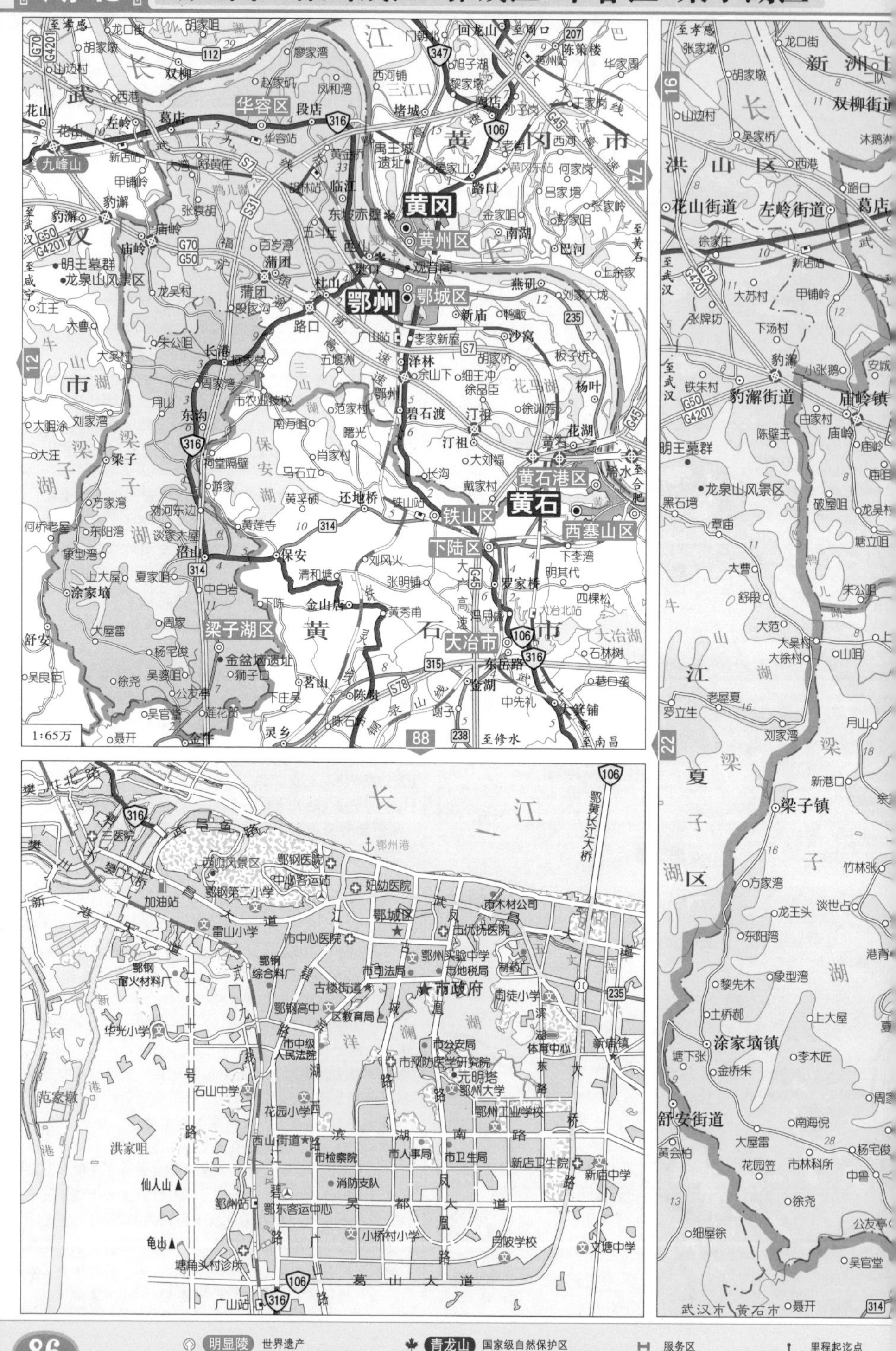

明显陵 世界遗产
青龙山 国家级自然保护区
服务区
里程起迄点
武当山 国家级风景名胜区
神农架 国家级森林、地质公园
出入口
收费站

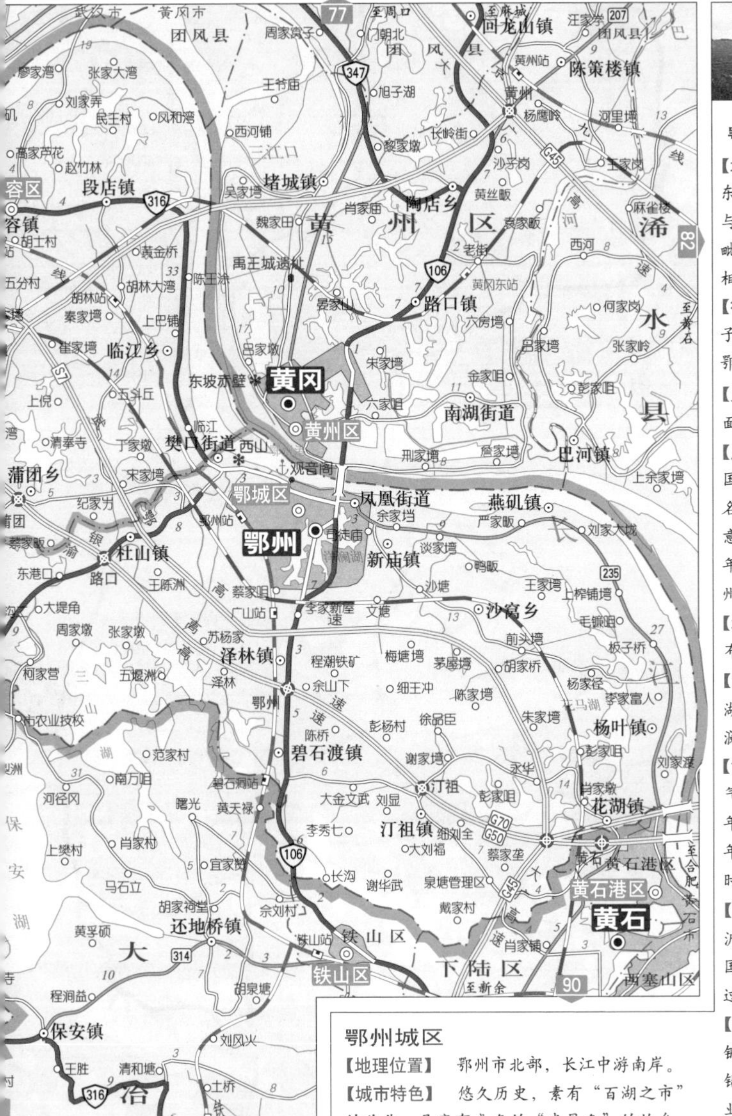

鄂州城区

【地理位置】 鄂州市北部，长江中游南岸。

【城市特色】 悠久历史，素有“百湖之市”的美称，是享有盛名的“武昌鱼”的故乡，又是国内有名的“古铜镜之乡”和佛教“净土宗”的发源地。

【交　　通】 武九铁路穿城而过，316和106国道在城区交会。

【土特产品】 螃蟹、银鱼、珍珠、甲鱼。

【风味小吃】 清蒸武昌鱼、干汁青鱼、西山东坡饼、银鱼烩干贝。

【风景名胜】 西山风景区、洋澜湖风景区、元明塔。

鄂州市

【地理位置】 位于湖北省的东南部，长江中游南岸，西与武汉市接壤，南与黄石市毗连，东与北与黄冈市隔江相望。

【行政区划】 现辖鄂城、梁子湖、华容3区，市政府驻鄂城区。

【人口面积】 人口112万，面积1505平方千米。

【历史沿革】 古名鄂邑，三国时孙权在此建都称帝，取名武昌，寓“以武而昌”之意。1914年改鄂城县，1979年设市，1983年升为地级鄂州市。

【地　　形】 境内港汊密布，湖网纵横，属滨湖地区。

【河流湖泊】 长江，梁子湖、鸭儿湖、三山湖、洋澜湖、花马湖。

【气　　候】 属亚热带季风气候，年平均气温为17.0℃，年平均降水量为1282.8毫米，年平均日照时数为2003.7小时。

【交　　通】 武九铁路、沪渝高速公路和106、316国道以及235、239等省道过境。水运有长江水道。

【资　　源】 矿产资源有铁、铜、钴、金、银等，其中铁、铅矿藏储量大、品质好；农业以水产、蔬菜为主；水产资源十分丰富。闻名全国的梁子湖位于鄂州境内，现已建成武昌鱼、红尾鱼、河蟹、珍珠四大生产基地。

【风景名胜】 西山风景区、金盆坳遗址等。

【土特产品】 武昌鱼、白莲、东坡饼、银鱼。

高度表　0 50 100 200 300 400 500 600 800 1000 1200 1500 2000 2500 3000米

比例尺　1:400 000　4.0千米 0 4.0 8.0 12.0千米

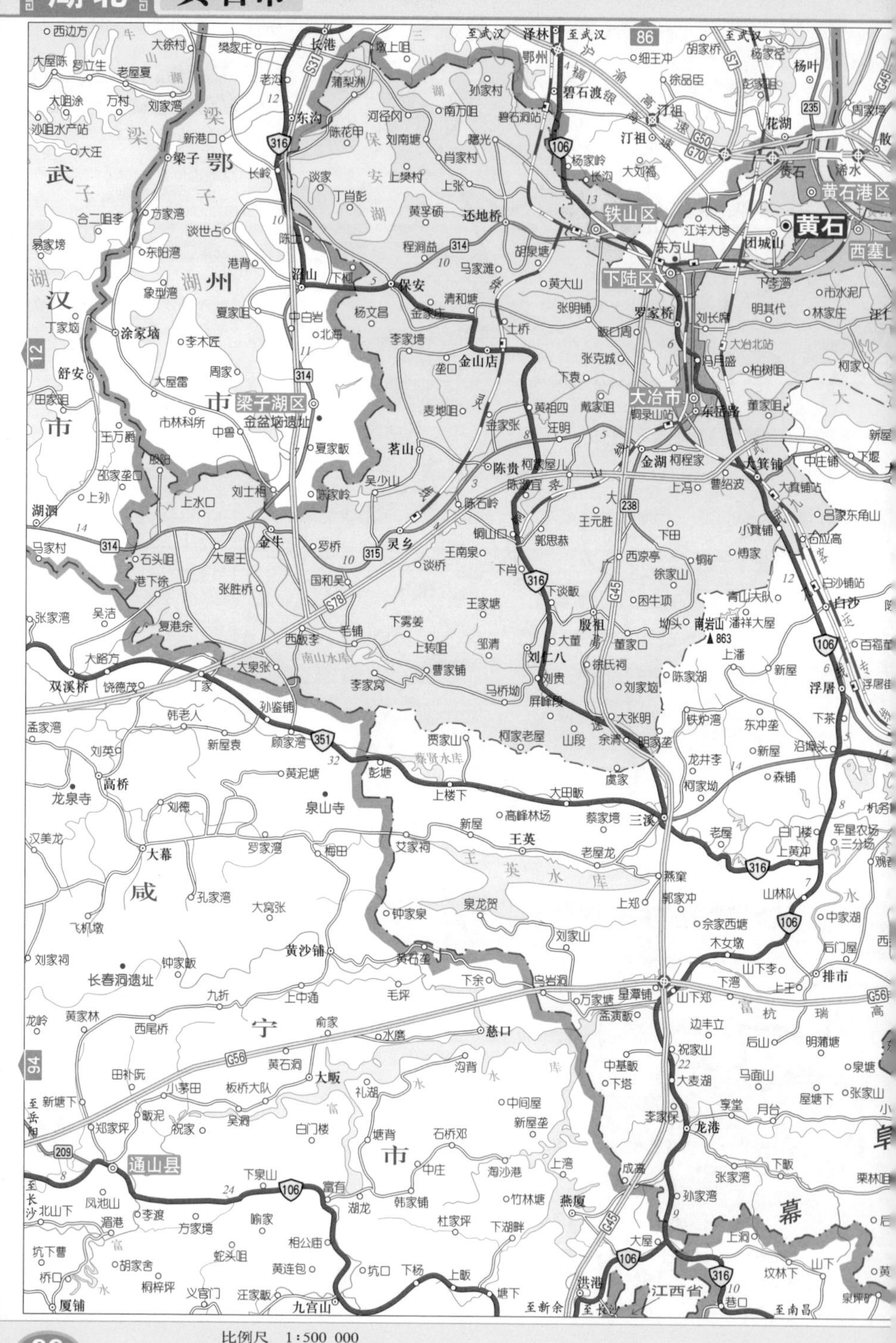

比例尺 1∶500 000

5.0千米 0 5.0 10.0 15.0千米

【地理位置】 位于湖北省东南部，长江中下游南岸。东北临长江，与黄冈市隔江相望，北接鄂州市，西靠武汉市，西南与咸宁市为邻，东南与江西省九江市接壤。

【行政区划】 辖黄石港、西塞山、下陆、铁山4区和大冶市、阳新县。

【人口面积】 人口273万，面积4576平方千米。

【地方特色】 是中国古代青铜文化的发祥地之一，素有“江南明珠”之称，被誉为青铜古都、钢铁摇篮、水泥故乡、服装新城和能源基地。

【地　　形】 地处幕阜山地向长江冲积平原延伸的丘陵地带，地势由西南向东北倾斜，地貌以丘陵为主，兼有平原、低山、岗地。

【最高山峰】 南岩山，海拔863米。

【河流湖泊】 长江、大冶湖、网湖、海口湖、保安湖、王英水库。

【气　　候】 属亚热带季风气候，年平均气温为17℃，年平均降水量1400毫米，年平均无霜期264天。

【交　　通】 武九铁路、106、316国道纵贯南北，杭瑞、大广高速境内交会。315、316、236、237等省道构成主干线公路网。水运以长江为主，黄石港是长江主要港口。

【资　　源】 矿产丰富，素有“江南聚宝盆”之称，有金、银、铜、钨、钼、锌、磷、硫、含钾岩石等矿藏。植物有桉树、油橄榄、油茶、乌桕、核桃、山楂等。

【经　　济】 工业有冶金、建材、能源、纺织、机械、轻工、食品等产业；农业以水稻、小麦、油料、水产养殖为主。

【风景名胜】 西塞山、东方山、飞云洞、文峰塔、半壁山古战场等。

【土特产品】 真丝服装、黄石港饼、三鲜千张卷。

【景点介绍】 **西塞山** 又名鸡头山，位于黄石市东郊，为古樊楚三座名山之一，海拔530米。西塞山，地势险要，自古为军事要塞。孙策攻黄祖，晋朝刘裕破桓元，陈玉成大战清军等事皆于此。西塞山，景色壮丽，临江悬崖峭壁之上有“桃花古洞”。此洞有6平方米，为天然石洞。洞下临江处有元真子钓鱼台。还有飞来船、佛掌、月窟、镜岩、鹅掌、鳌鱼石、过儿洞、蛟龙窟、云林得意笔、标干仞等景观。

西塞山

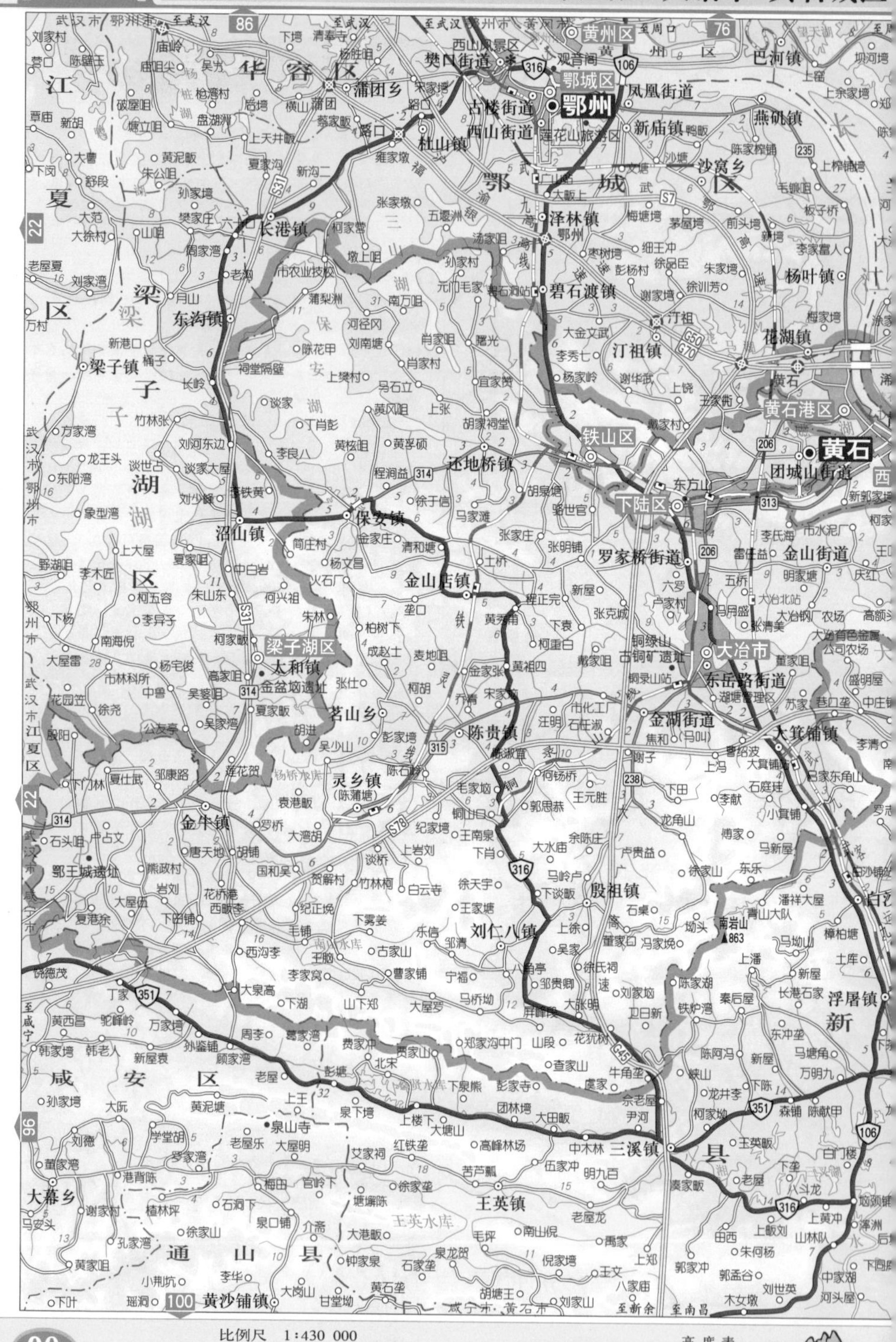

比例尺 1:430 000

4.3千米 0 4.3 8.6 12.9千米

高度表

0 50 100 200 300 400 500 600 800 1000 1200 1500 2000 2500 3000米

黄石市辖区

【地理位置】位于黄石市北部，长江南岸，包括黄石港、西塞山、下陆、铁山4区。

【人口面积】人口61万，面积227平方千米。

【地　　形】地处鄂东南低山丘陵北缘。

【河流湖泊】长江、磁湖。

【交　　通】武九铁路和沪渝高速公路、316国道过境。

【经　　济】工业有建材、纺织、电子、采矿、机械、服装、医药、食品等产业。农业主产水稻、小麦、油菜、蔬菜等。

【风景名胜】西塞山、东方山。

【土特产品】柑橘、油茶、苔藓、地衣等。

大冶市

【地理位置】位于黄石市西北部，长江中游南岸，东与东南连阳新县，北部和西部接黄石和鄂州市辖区，南连咸安区。

【人口面积】人口100万，面积1566平方千米。

【地　　形】地势为东南高，西北低。

【交　　通】武九铁路、铁灵铁路和316国道过境。238、314、315省道相连，大广高速纵贯南北。

【经　　济】工业主要有建材、煤炭、化工、电力、食品、饲料等产业，农业主产水稻、小麦、玉米、油菜、柑橘等。

【风景名胜】鄂王城遗址、铜绿山古铜矿遗址。

黄石城区

【地理位置】位于黄石市北部，长江南岸。

【城市特色】黄石城区依山傍水、内嵌湖泊，景色秀丽，既是一座新型的工业城市，又是一座矿冶文化古城和山水园林旅游城市。

【交　　通】沪渝高速公路、316国道和武九铁路穿过城区。

【风景名胜】东方山风景区、团城山公园、磁湖等。

【风味小吃】黄石港饼、珍珠果米酒、松花皮蛋等。

【景点介绍】**东方山风景区**　位于黄石市下陆区北部。东方山，海拔495.2米，山势巍峨。山顶有弘化寺，建于唐宪宗元和五年(公元810年)。现存弘化寺古建筑群为清同治年间重修。殿堂楼阁，规模宏大。东方山自然景色秀丽，有灵泉锡卓、仙履日喧、青松倒插、白莲频开、铁山懒卧、石船高撑、禅关月涌、道洞云停等八景。

磁湖　又名张家湖，相传在古时候湖中有大量的磁石，因此而得名。磁湖位于市中心，三面环山，一面临江，面积9.5平方千米，景区内山形峻峭，水域纵横，山环水抱，交相辉映，美不胜收。苏轼谪居黄州时曾在此与苏辙酬唱。

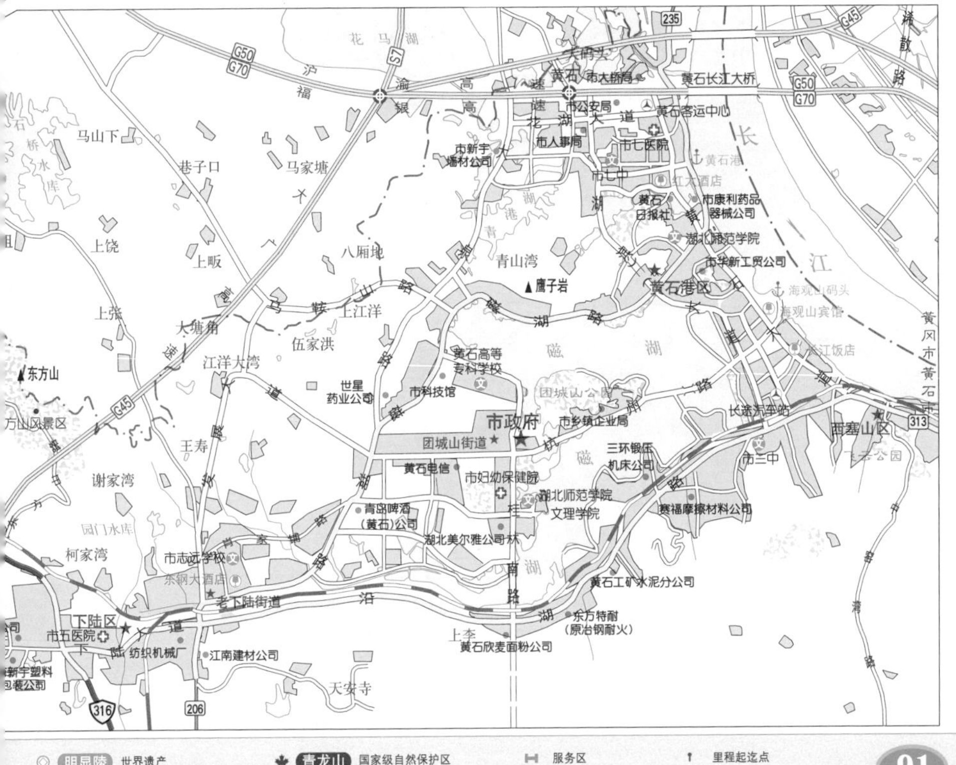

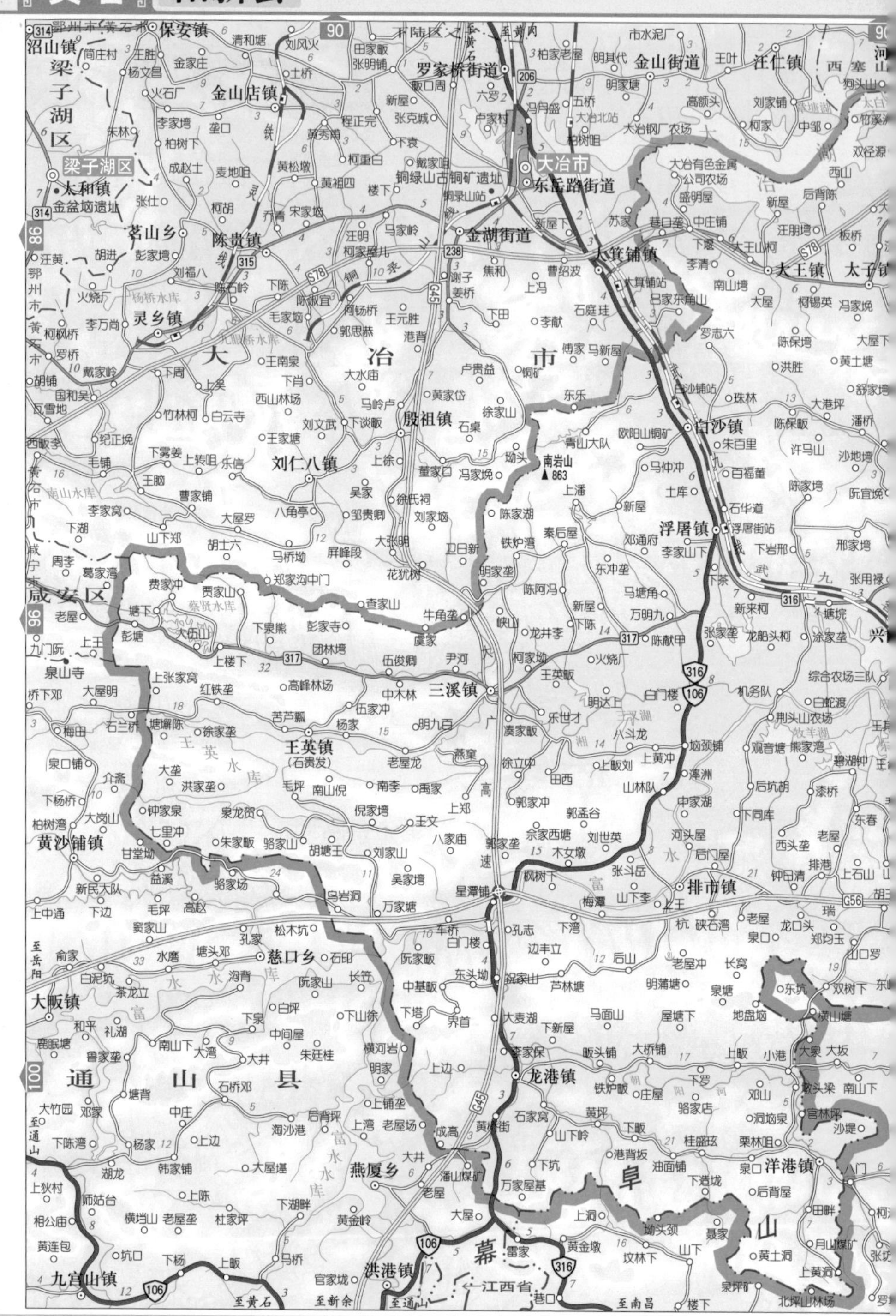

比例尺 1:400 000

高度表

【地理位置】 位于黄石市东南部，东北与蕲春县、武穴市隔江相望，东南邻江西省，南与西南接通山县和江西省，西邻咸安区，西北连大冶市。

【人口面积】 人口112万，面积2783平方千米。

【历史沿革】 春秋归楚，秦属南郡。宋、元、明、清先后称兴国军、路、府、州。1912年废州设县，1914年定名阳新县，沿用至今。1949年阳新解放后，隶属大冶专区。1952年6月改属黄冈专区。1965年7月起改属咸宁地区。1997年1月1日起划归黄石市管辖。

【地　　形】 属鄂东南低山丘陵区，处幕阜山向长江冲积平原过渡地带，中小湖泊较多。地势西南高、东北低。

【河流湖泊】 长江、网湖、海口湖、大冶湖、朱婆湖、王英水库、蔡贤水库。

【交　　通】 武九铁路、106、316国道过境，大广、杭瑞高速相会。长江黄金水道通航沿江各埠。

【资　　源】 自然资源丰富。矿产资源有金、银、铜、锌、煤炭、石灰石、大理石等。森林覆盖率为43%。

【经　　济】 工业初步形成了铝业、金铜、水泥、纺织、煤、炭等五大支柱产业。农业形成了水产、林果、蔬菜、苎麻、畜牧、旅游等六大特色产业。苎麻产量居全国前列，为我国柑橘重点县和湖北省商品鱼基地。

【风景名胜】 半壁山古战场、文峰塔、龙港镇。

【风味小吃】 太子豆腐。

【土特产品】 春鱼、芝麻、茶叶、湖蒿、柑橘等。

【景点介绍】 **半壁山古战场** 位于阳新县城东25千米处，长江南岸。为太平军阻击清兵之著名战场。清咸丰四年（公元1854年），太平军为确保天京，踞此夹岸结营，并于江面横贯铁索3道、蔑缆7道，以阻清兵水师。如今，半壁山危崖峭壁之上尚存“铁锁沉江”、“东南半壁”、“楚江锁钥”等石刻，山西麓有太平军烈士葬墓“千人冢”，墓碑犹存。

龙港镇 位于阳新县西南60千米处，岗峦绵亘，地势险要。龙港拥有丰富的自然景观和人文景观，岩泉飞瀑、龙潭橘红、凤栖仙洞、宝莲禅寺、陵园松涛等景点让人流连忘返。土地革命时期，湘、鄂、赣革命根据地曾驻此。镇西北狮子山上建有烈士陵园，纪念碑上有彭德怀题词，山麓建有革命历史陈列馆。

半壁山

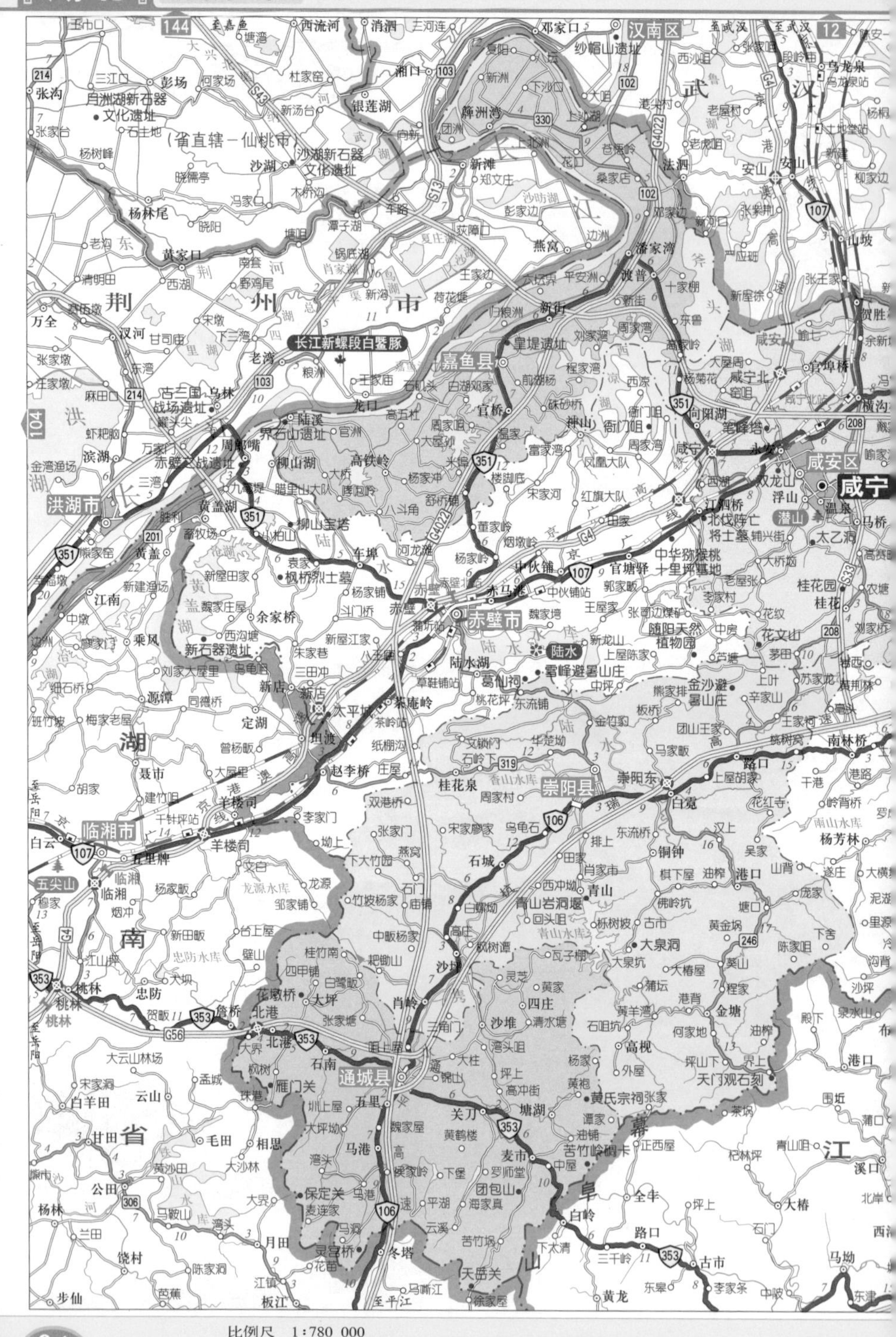

比例尺 1:780 000

7.8千米 0 7.8 15.6 23.4千米

【地理位置】 位于湖北省东南部，长江中下游南岸，西北与武汉、荆州市相邻，东北与黄石市接壤，东南与江西省接连，西南与湖南省交界。

【行政区划】 辖咸安区和赤壁市及嘉鱼、通城、崇阳、通山4县，市政府驻咸安区。

【人口面积】人口305万，面积10019平方千米。

【历史沿革】 夏商属荆楚。南唐保大十三年（955年）始置永安县。宋真宗景德四年（1007年）为避宋太祖永安陵讳，取“永安”近义之意“万国咸宁”，故定名为咸宁县（今咸安区）。新中国成立后，先后隶属大冶专区、孝感专区。1965年8月成立咸宁专区。1998年12月撤销咸宁地区，设立地级咸宁市。

【地　　形】 地形由西南向东北倾斜，属低山丘陵区，兼有高山、平原、湖区，主要山脉有幕阜山脉。南部为中高山，中部为丘陵，北部为平原。

【最高山峰】 老鸦尖，海拔1656米。

【河流湖泊】 长江、斧头湖、西凉湖、黄盖湖、陆水水库、青山水库、富水水库。

【气　　候】 属亚热带季风气候，年平均气温16.7℃，年降雨量为1747毫米，年平均日照时间为1754.5小时，年平均无霜期为245～258天。

【交　　通】 京广铁路和武广高速铁路、106国道、107国道和京港澳高速公路过境，杭瑞高速横穿东西，102、208、209、318、 319、320等省道干线纵横境内；长江水运通沿江各埠。

【资　　源】 矿产丰富，现已发现有金、铜、铁、锡、锰、锑、稀土、钽铌、硫铁、原煤、石煤、瓷土、大理石、硅石等。境内森林覆盖率达37%，以松、杉、南竹为主，为省重要林区，是全国楠竹五大基地之一，有香料、金玫松、红豆松、兰果树等珍贵树种，有豹、穿山甲、水獭、大鲵等珍稀动物。盛产楠竹、松杉木、茶叶、桂花、蜜橘、猕猴桃等。地热资源丰富。

【风景名胜】 九宫山风景名胜区和国家级自然保护区、国家地质公园九宫山—温泉、陆水风景名胜区、潜山国家森林公园、闯王陵李自成墓、龙泉寺风景区、双龙山风景区、赤壁之战遗址、新石器遗址、天门观石刻等。

九宫山古藤桥

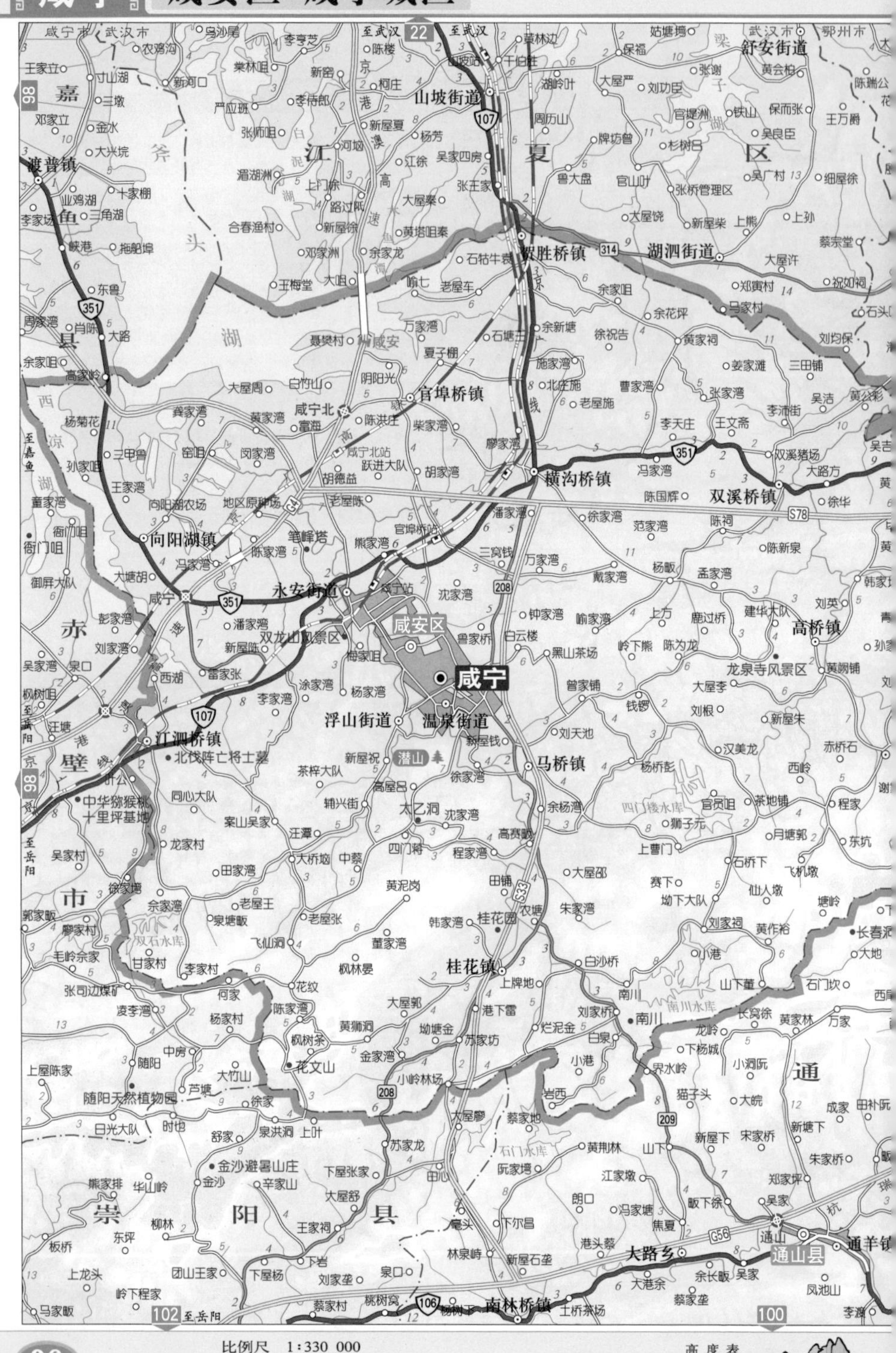

比例尺 1:330 000

3.3千米 0 3.3 6.6 9.9千米

高度表

0 50 100 200 300 400 500 600 800 1000 1200 1500 2000 2500 3000米

咸安区

【地理位置】 位于咸宁市北部，北接江夏区、大冶市，东邻阳新、通山县，南连崇阳县，西与赤壁市、嘉鱼县接壤。

【人口面积】 人口63万，面积1502平方千米。

【地　　形】 地处江汉平原和鄂东南丘陵之间的过渡地带。

【河流湖泊】 斧头湖、西凉湖、南川水库。

【交　　通】 京港澳高速公路、京广铁路、京广高速铁路和107国道过境。

【经　　济】 工业以机电、化工、建材、轻工、纺织等为主。农业主产水稻、麻类、油料，盛产茶叶、楠竹，是“中国桂花之乡”、“楠竹之乡”、“苎麻之乡”、“茶叶之乡”和“千桥之乡”。

【风景名胜】 潜山国家森林公园、龙泉寺风景区、太乙洞、双龙山风景区、笔峰塔、桂花园等。

【景点介绍】 **潜山国家森林公园**

位于咸宁市咸安区温泉潜山，面积2.97平方千米。潜山属幕阜山余脉，山峦叠翠，气势雄伟，草木茂盛，集南北400多个树种于一山，汇200种奇花异草于一园，最具观赏和实用价值的有桂花、楠竹、金钱松及兰科植物等，园中奇花异草，清香袭人，各式盆景，巧夺天工。

咸宁城区

【地理位置】 位于咸宁市北部。

【城市特色】 咸宁以“山青、水秀、桂香、竹翠、泉通、洞奇”而闻名，有丰富的自然风光和文化景观旅游资源。

【交　　通】 京广铁路、107国道横穿本市城区。

【风味小吃】 鄂南石鸡、桂花糕、桂花饼、花麻酥、桂花酒、春笋烧肉。

【风景名胜】 双龙山风景区、十六潭公园、香吾山公园等。

咸宁市夜景

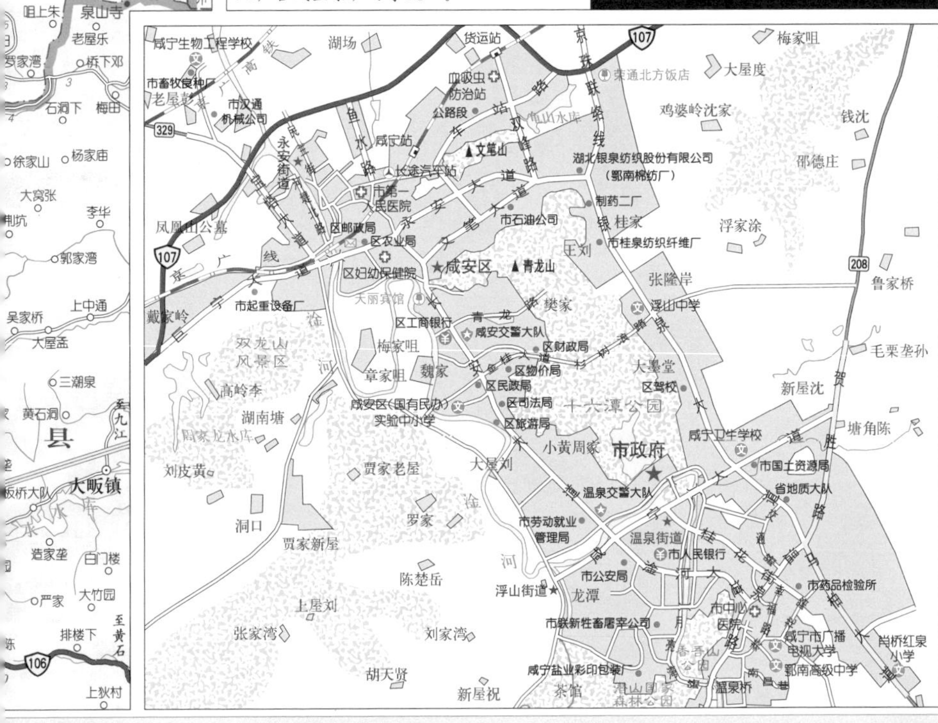

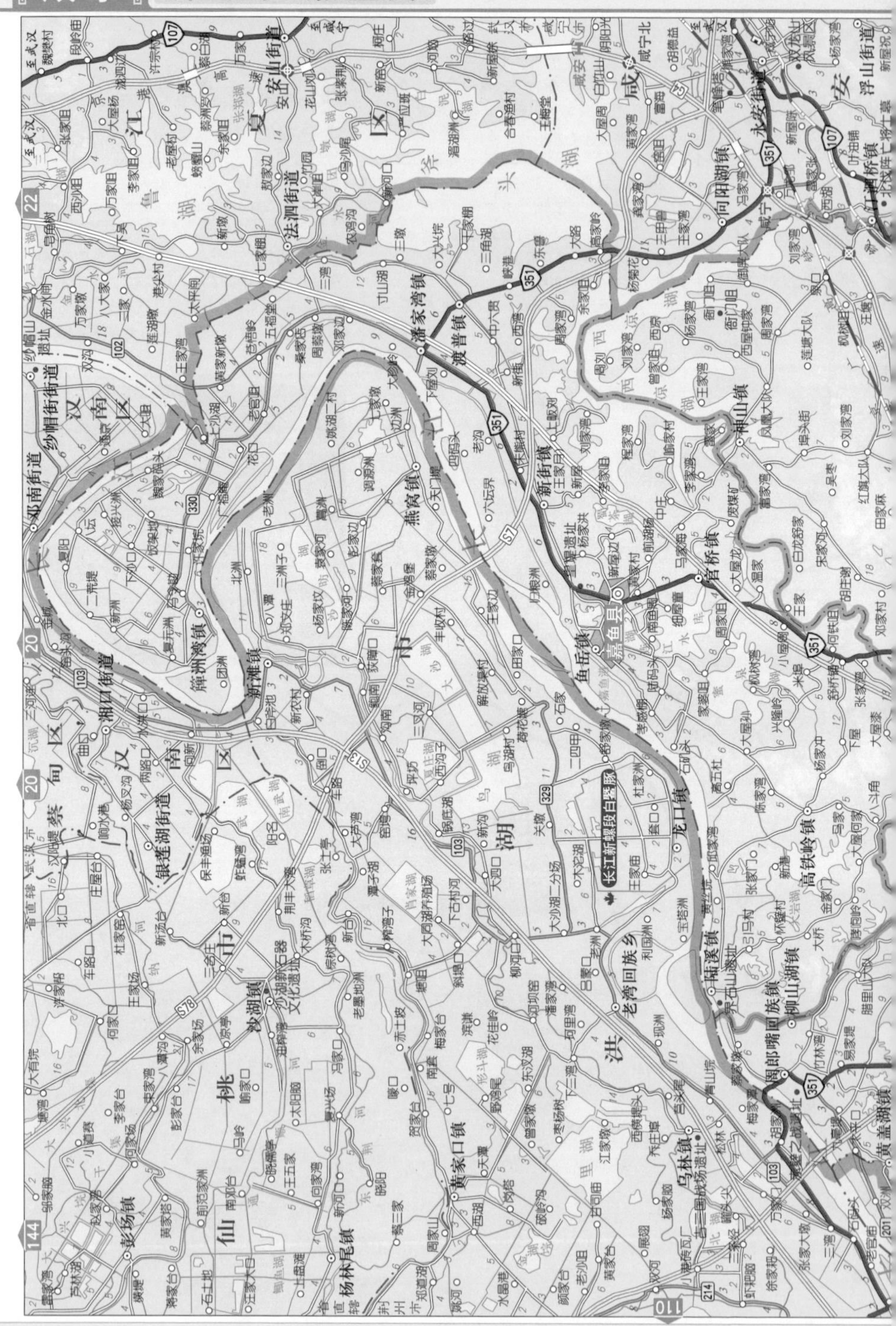

比例尺 1:430 000

4.3千米 0 4.3 8.6 12.9千米

高度表

0 50 100 200 300 400 500 600 800 1000 1200 1500 2000 2500 3000米

赤壁市

【地理位置】 位于咸宁市西部，北倚嘉鱼县，西临湖南省，西北靠洪湖市，南连崇阳县，东与咸安区接壤。

【人口面积】 人口53万，面积1723平方千米。

【历史沿革】 赤壁，古称蒲圻，缘起于三国东吴黄武二年设置蒲圻县。1986年有着1700多年历史的蒲圻撤县设市。1998年6月更名为赤壁市。

【地　　形】 北部为冲积平原，中部为丘陵岗地，南部为低山丘陵。

【河流湖泊】 长江、黄盖湖、陆水水库。

【交　　通】 京广铁路、京广高速铁路、京港澳高速公路和107国道过境。

【经　　济】 工业有印刷、建材、机械、电器、纺织、服装、塑化工、竹木工艺、食品等产业。农业主产水稻、小麦、油料，盛产楠竹、茶叶、苎麻、水果，素称“茶麻之乡”。

【风景名胜】 陆水风景名胜区、太平城、赤壁之战遗址、柳山宝塔、随阳天然植物园、枫桥烈士墓、中华猕猴桃十里坪基地、衙门咀。

【景点介绍】 **陆水风景名胜区** 位于赤壁市近郊，总面积268.5平方千米。景区以山幽、林绿、水清、岛秀而闻名遐迩，被誉为“楚天明珠”。主要景点有陆水湖、民俗乐园、雪峰山、玄素洞、雪峰寺、狮子垴、试剑石等。

嘉鱼县

【地理位置】 位于咸宁市北部，北临武汉市汉南区，南连赤壁市，东接武汉市江夏区和咸安市咸安区，西与洪湖市隔江相望。

【人口面积】 人口37万，面积1017平方千米。

【历史沿革】 古名沙阳堡。西晋太康元年（公元280年）设沙阳县。南唐保太十一年（公元953年），取“南有嘉鱼，蒸然罩罩”之义，得名嘉鱼县。建立县制至今已有1700多年历史。

【地　　形】 全境属长江冲积平原，地势平坦，仅南部有少数残丘。

【河流湖泊】 长江、斧头湖、西凉湖、蜜泉湖。

【交　　通】 102、329、330省道在此交会，长江连通沿江各港。

【资　　源】 有煤、锰、铝土、金、铁、铜等矿产资源。

【经　　济】 工业主要有纺织、化工、机电、食品、森工、皮件等产业。农业主产稻谷、小麦、豆类、棉花，盛产芝麻、油菜籽。河湖盛产鲜鱼和莲藕。沿江多芦苇。

【风景名胜】 皇堤遗址、界石山遗址、三国东吴古镇陆口、蜀山岳公城。

【土特产品】 云雾茶、灵芝、杜仲、贝母、白厂丝等。

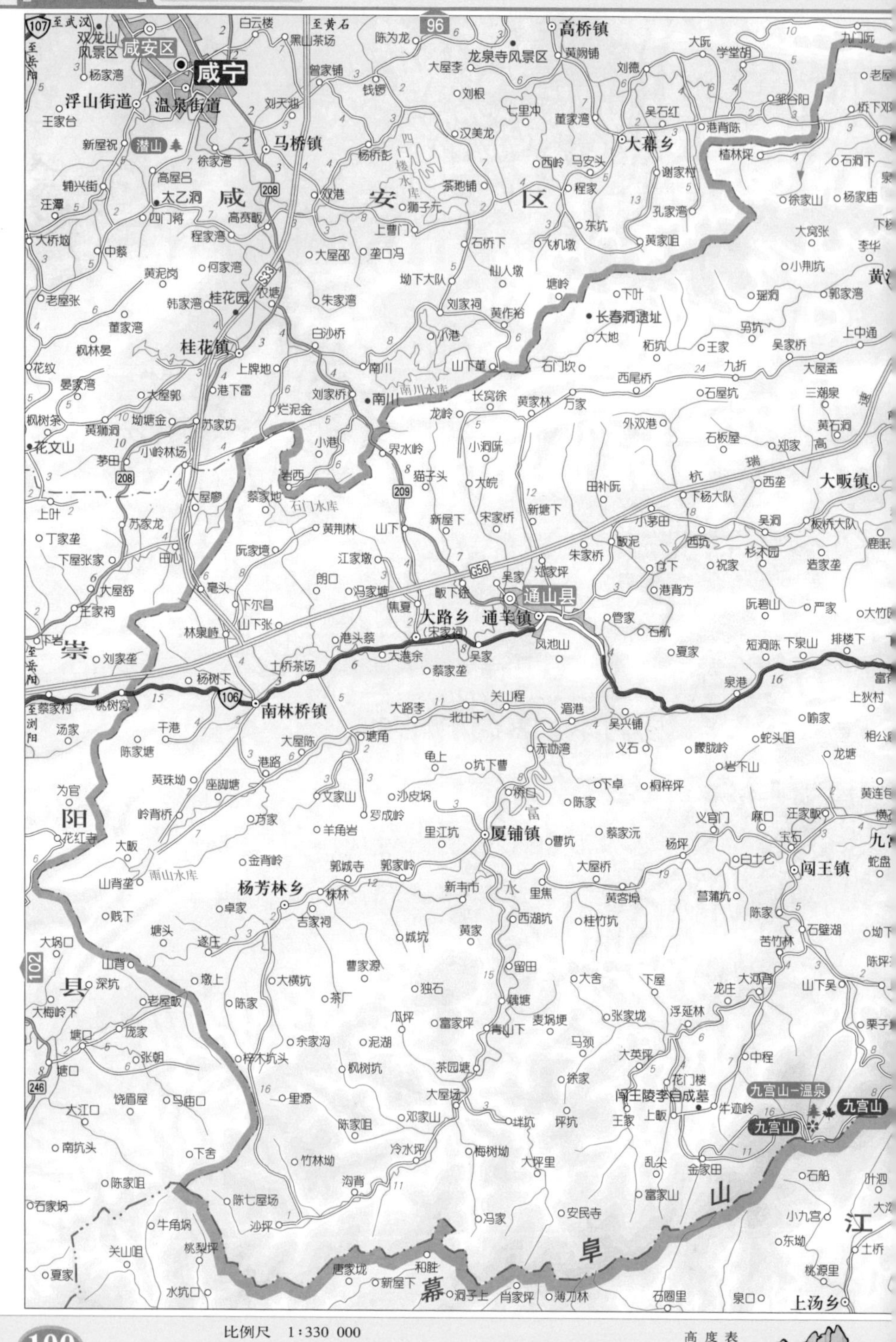

比例尺 1:330 000

3.3千米 0 3.3 6.6 9.9千米

高度表

0 50 100 200 300 400 500 600 800 1000 1200 1500 2000 2500 3000米

【地理位置】 位于咸宁市东南部，东北临阳新县，南、东南与江西省毗邻，西接崇阳县，北邻咸安区。

【人口面积】 人口49万，面积2680平方千米。

【历史沿革】 战国时为楚地，秦属南郡。北宋乾德二年（公元964年），南唐（遵北宋年号）始置通山县，以通羊、青山二镇各取一字命名，隶鄂州。民国时，始终属湖北省辖。解放后，属大冶专署。1958年11月与崇阳、通城合并为崇阳县，1959年3月恢复通山县。

【地　　形】 地处鄂东南低山丘陵区，峡谷、丘陵、盆地交错。

【河流湖泊】 富水、富水水库、雨山水库、石门水库等。

【交　　通】 杭瑞高速与106国道横贯境内。大广高速在东南部过境。

【资　　源】 境内资源丰富。矿产资源有煤、磷、硫、锑、石英石、大理石、白云石等。森林资源丰富，以松、杉、南竹为主，南竹产量居全省首位。盛产茶叶、柑橘。有豹、狼、鹿等野生动物。

【经　　济】 工业有冶金、建材、能源等产业。在农业上，形成了以山区竹木畜牧、丘陵茶叶油菜、库区水果水产为主导的产业体系。

【风景名胜】 九宫山风景名胜区和国家级自然保护区、闯王陵李自成墓、长春洞遗址、富水游览区等。

【土特产品】 茶叶、柑橘、油茶、中华猕猴桃、七叶一枝花、江边一碗水、竹节人参、川香等。

【风味小吃】 大畈麻饼、通山粑坨、燕厦火烤鱼等。

【景点介绍】 **九宫山** 总面积210平方千米。核心风景区由九宫山镇、森林公园（即自然保护区）、闯王陵三部分组成。九宫山主峰铜鼓凸海拔1564米，峰下有湖北省唯一的面积百亩的高山湖泊——云中湖，湖畔有南宋名道张道清建的宫观遗址。景点有云湖夕照、崖头飞瀑、闯王陵墓、铜鼓绝顶、虎伏天门、雪海翠园等。九宫山既有江南山峰的奇秀，又具塞北岭岳之雄伟，兼有五岳之雄、险、奇、幽、秀，被称为“九天仙山”。

九宫山

明显陵 世界遗产　青龙山 国家级自然保护区　服务区　里程起迄点
武当山 国家级风景名胜区　神农架 国家级森林、地质公园　出入口　收费站

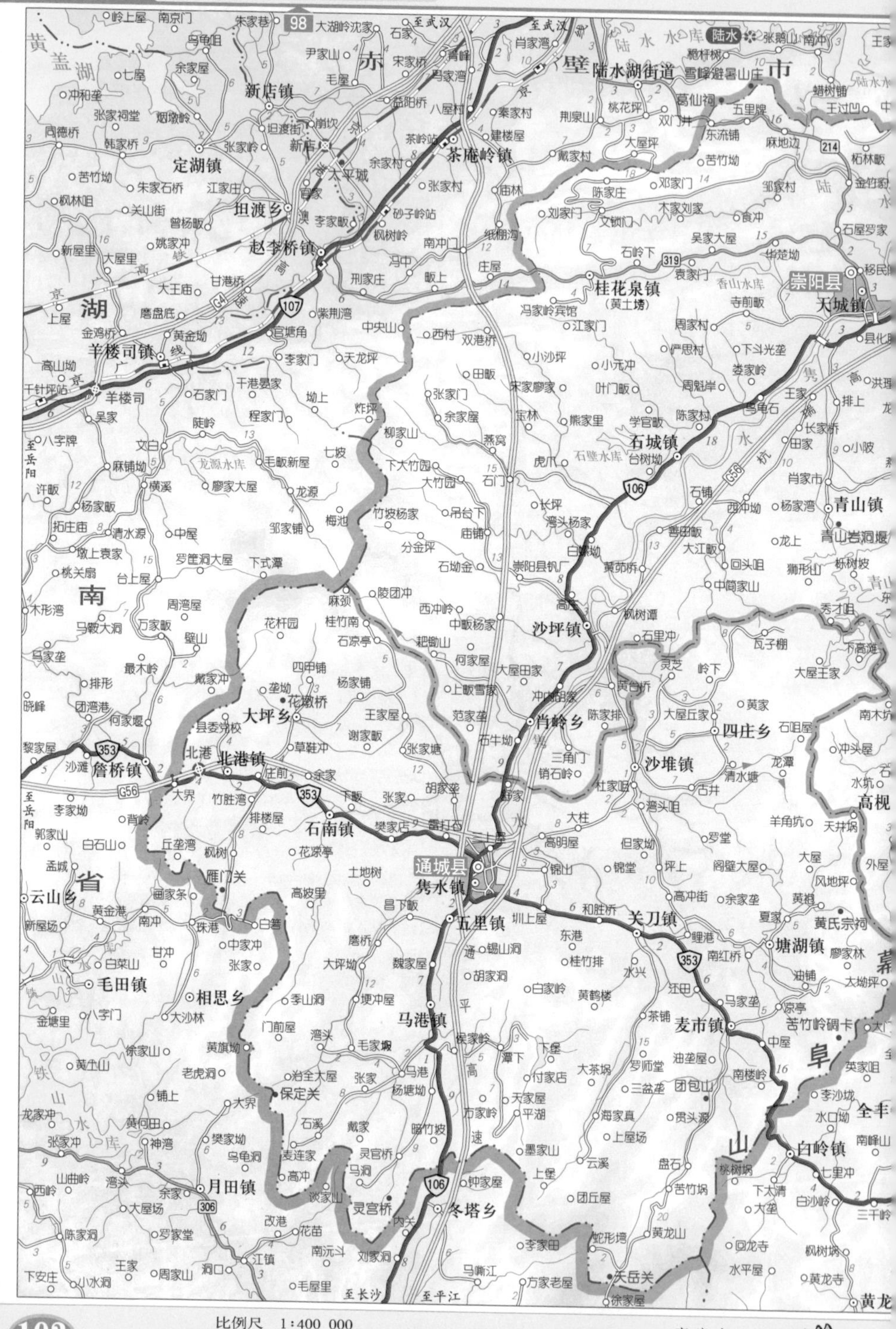

比例尺 1:400 000

4.0千米 0 4.0 8.0 12.0千米

高度表

0 50 100 200 300 400 500 600 800 1000 1200 1500 2000 2500 3000米

崇阳县

【地理位置】 位于咸宁市南部，东接通山县，南邻通城县和江西省，西毗湖南省，北接咸安区、赤壁市。

【人口面积】 人口51万，面积1968平方千米。

【历史沿革】 春秋时期属楚，汉高祖五年始置下隽县，唐置唐年县，五代改为宗阳县，北宋开宝八年（975）始名崇阳县，明清属湖北武昌府。1949年属大冶专区。1952年属孝感专区。1950年属武汉市。1999年属咸宁市。

【地　　形】 地处幕阜山脉低山丘陵地带，地势由南向北倾斜。

【交　　通】 杭瑞高速与106国道斜贯境内，208、246、319省道与县乡公路相接成网。

【资　　源】 矿产资源有金、锑、钒、钨、石煤、石灰岩等。森林覆盖率59.1%。以松、杉、南竹为主，产茶叶、蚕茧、野桂花和药材。

【经　　济】 工业有纺织、建材、造纸、机械制造等产业。农业以水稻、油料为主，是国家级商品粮基地县和省级优质稻基地县。

【历史人物】 米应生、王世杰、吴藻溪、赵国泰、殷承祯。

【风景名胜】 金沙避暑山庄、天门观石刻、大泉洞、青山岩洞堰。

【土特产品】 雷竹笋、优质米、茶叶、棕片、板栗、野桂花蜜、油茶、龙须草、中药材。

通城县

【地理位置】 位于咸宁市最南部，东南与江西省交界，南、西、西北与湖南省毗连，北与崇阳县相邻。

【人口面积】 人口53万，面积1129平方千米。

【历史沿革】 周为楚地，秦属南郡。汉高祖六年（公元前201年）分南郡置下隽县，南齐东昏侯永元元年（公元499年），改下隽县为上隽县，设锡山市，唐元和五年（公元810年）置通城镇。1949年属大冶专区，1952年属孝感专区。1998年属咸宁市。

【地　　形】 位于幕阜山脉北麓，为丘陵起伏的盆地，东、西、南三面环山，北面平坦开阔。

【交　　通】 106国道纵贯南北，杭瑞高速、320省道横穿东西，县乡公路相接成网。

【资　　源】 矿产资源有钽、银、大理石、陶土、瓷土、石英等。林业以松、杉、南竹为主。有野猪、虎、豹、鹿、白颈长尾雉、白鹇、蛇类等野生动物。

【经　　济】 工业的主导产业有电力、轻工、陶瓷、矿冶、建材、食品等。农业主产油菜、水稻、豆类等，盛产茶叶、油茶。为湖北省油茶重点产区。

【风景名胜】 黄氏宗祠、团包山、花墩桥、保定关、苦竹岭硐卡、灵宫桥、天岳关。

【土特产品】 银珠米、竹木工艺品、茶叶、豆腐干等。

明显陵 世界遗产　青龙山 国家级自然保护区　服务区　里程起迄点
武当山 国家级风景名胜区　神农架 国家级森林、地质公园　出入口　收费站

荆州古城墙

【地理位置】位于湖北省中南部，地处长江中游和汉江下游的江地。东连武汉、咸宁市，西接宜昌市，北邻荆门、潜江、仙桃市，南接壤。

【行政区划】辖荆州、沙市2区和石首、洪湖、松滋、监利4市及安2县，市政府驻沙市区。

【人口面积】人口637万，面积14104平方千米。

【历史沿革】春秋战国时属楚。汉武帝元封五年（公元前106年），刺史部。三国时期，魏、蜀、吴三分荆州，后归吴。民国初年为荆年7月，沙市解放，沙市市正式建置，为省辖市。1994年10月，撤销沙市市和江陵县，设立地级荆沙市。1996年12月，荆沙市更名为荆州

【地　　形】处于中国地势第三级阶梯的西部边缘，是江汉平原

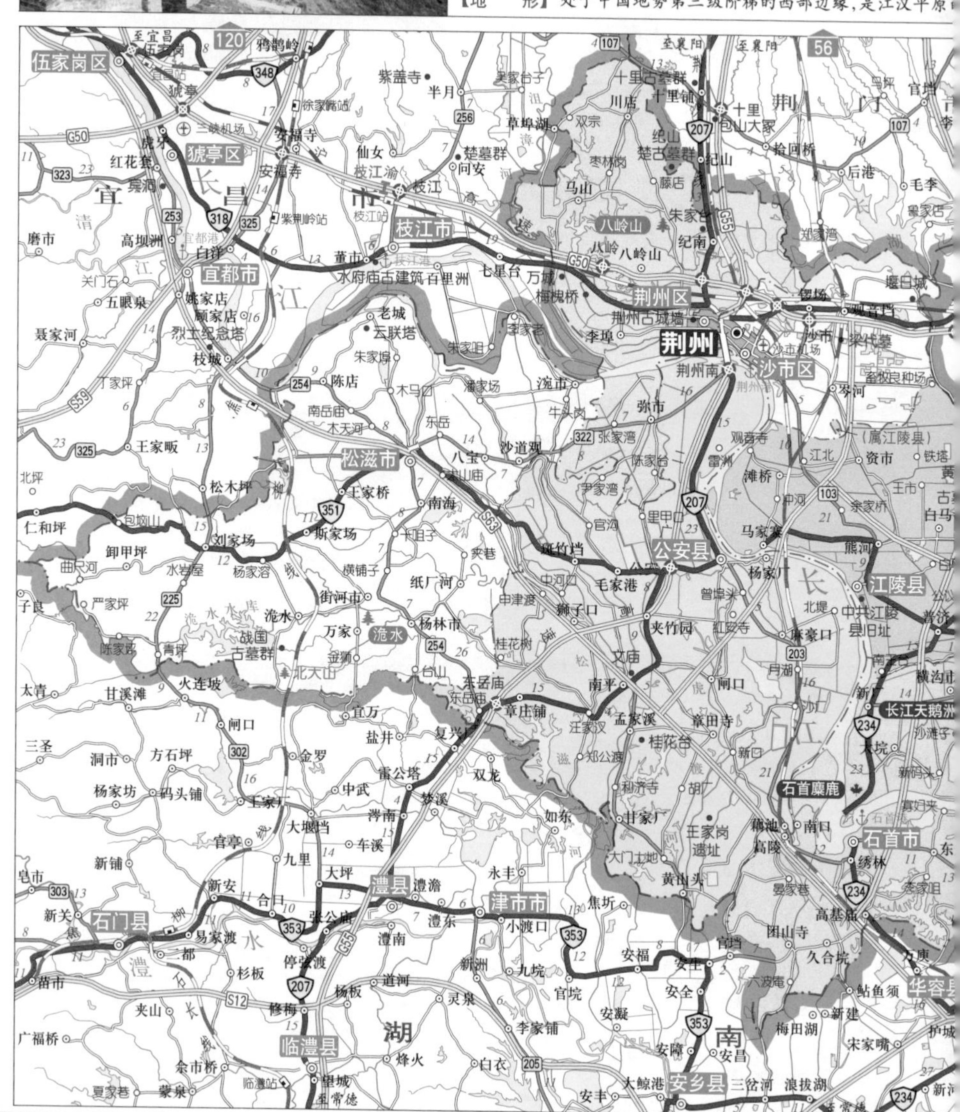

比例尺　1:1 000 000

10.0千米　0　10.0　20.0　30.0千米

略呈西高东低，由低山丘陵向岗地、平原逐渐过渡。境内河湖
小河流近百条，均属长江水系。

】 长江、洪湖、里湖、滍水水库等。

】 属亚热带季风性湿润气候。年平均气温为16.2℃～16.6℃，
为250～267天，年平均降水量1100～1300毫米。

】 焦柳、荆沙铁路和207、318国道过境，二广、沪渝、随岳高
横境内，水运有长江黄金航道，沙市机场辟有至武汉、北京航线。

】 矿产丰富，有石油、煤炭、岩盐、卤水、芒硝、硫铁矿、
花岗石等。森林以松类为主，水资源丰富，是全国内陆水域最
密度最高的地区之一。

】 工业以轻工、纺织、化工、机械、食品为主。农业初步形成

了粮油、棉花、水产、生猪、森工、禽蛋、果蔬及种子繁育八大主导产业。为我国商品鱼生产基地和轻纺工业基地，湖北省主要粮、棉产区。

【风景名胜】 有滍水、八岭山国家森林公园，石首麋鹿、长江天鹅洲白鳖豚、长江新螺段白鳖豚、洪湖国家级自然保护区，荆州古城墙、三国古战场遗址、华容古道、章华台遗址、战国古墓群等。

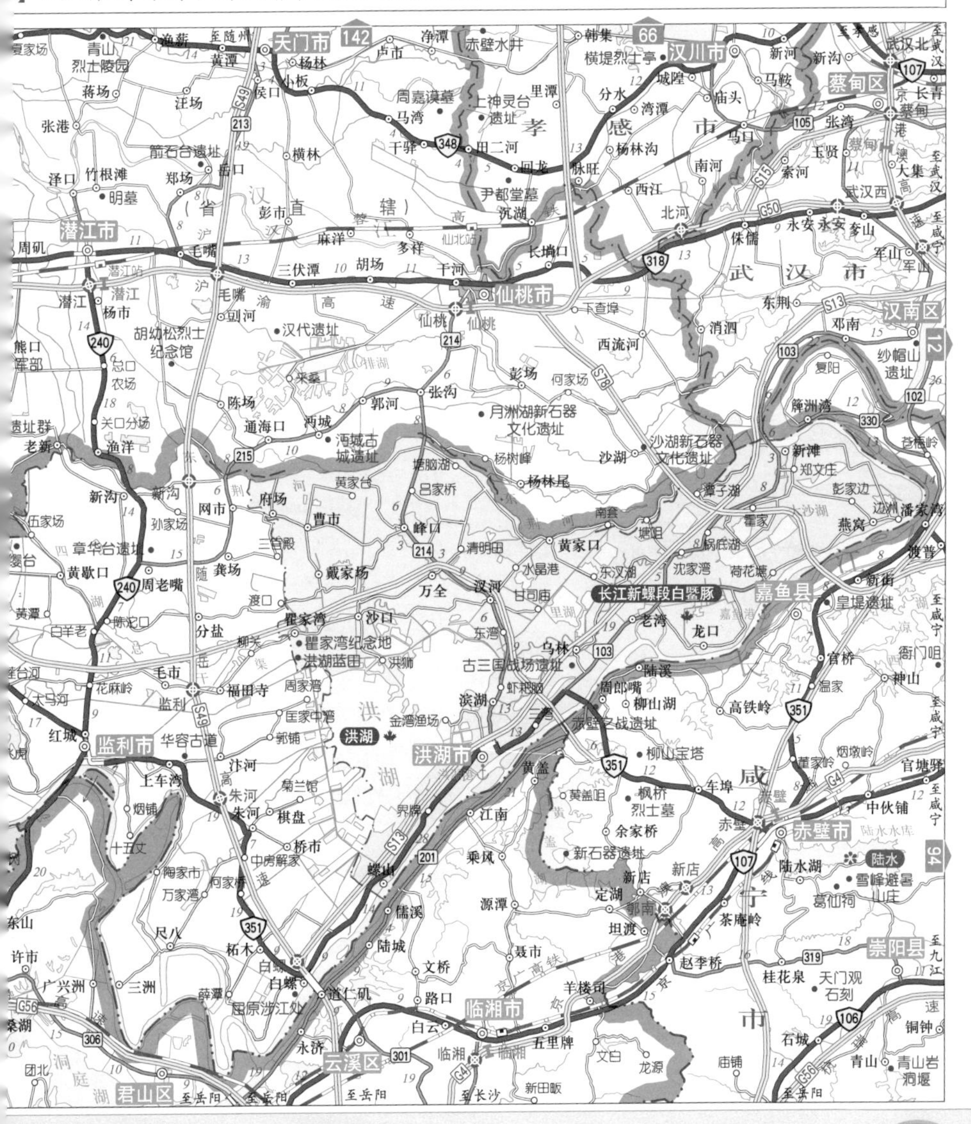

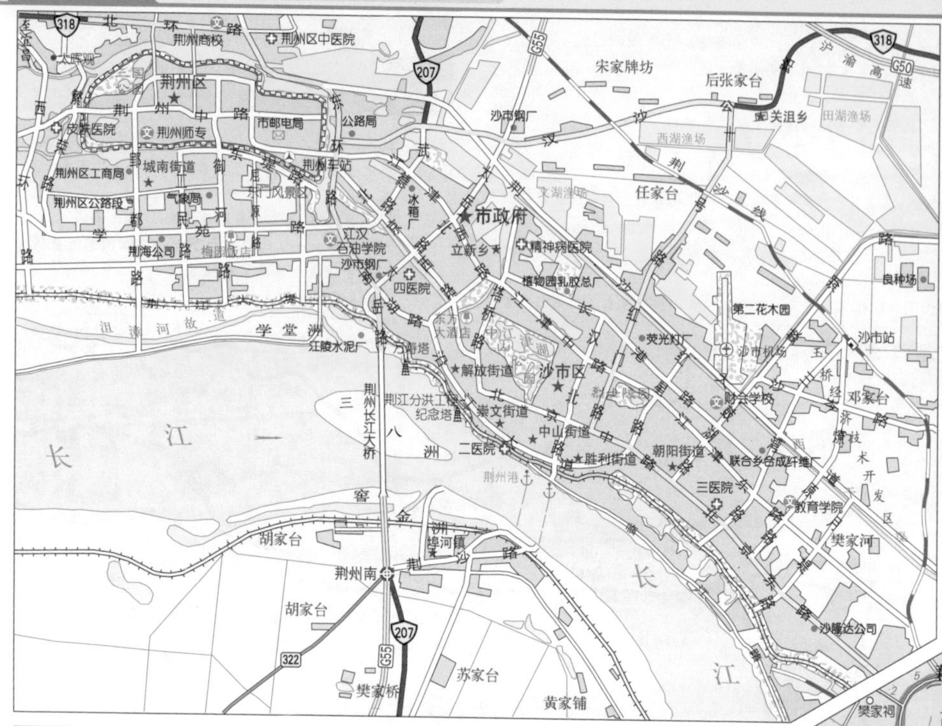

荆州城区

【地理位置】 位于荆州市西北部。

【城市特色】 旧称江陵，是楚文化发祥地和中心区域、中外闻名的三国古战场、湘鄂西革命根据地中心、国家历史文化名城、中国优秀旅游城市。

【交　　通】 荆沙铁路进入市区，207、318国道在此交会，沙市机场辟有至北京、广州等10多条航线。

【风景名胜】 东门风景区、太晖观、万寿塔、三国公园、荆江分洪工程纪念塔等。

【土特产品】 龟鳖、鲟鱼、螃蟹、黄鳝。

【景点介绍】 ***万寿塔***位于荆州市沙市区西南端荆江大堤之上。此塔为明朝第七代辽王朱宪㸅藩封荆州时，于明嘉靖二十七年（公元1548年）遵嫡母毛太妃之命，为嘉靖皇帝祈寿而建。此塔通高40余米，八面七层。塔内有汉白玉坐佛87尊。

万寿塔

石首市

【地理位置】 位于荆州市南部，北接江陵县，东邻监利市，南与西南连湖南省，西与公安县接壤。

【人口面积】 人口61万，面积1427平方千米。

【历史沿革】 西晋太康五年（公元284年）始置县制，1986年撤县建市，距今有1700多年历史，是楚文化的发祥地之一。

【地　　形】 地处江汉平原与洞庭湖平原的结合部，地势东南高，西北低。

【河流湖泊】 长江、藕池河、上津湖、中湖、白莲湖。

【交　　通】 203、220、221等省道相会市区。长江黄金水道横贯全境。

【资　　源】 境内有花岗石、石英石、磁铁石等矿藏。

【经　　济】 工业以纺织、机械、汽配、冶金为主。农业主产水稻、棉花、油料。是全国重要的商品粮、棉、油、渔生产基地、精细化工产品出口和汽车零部件生产基地。

【风景名胜】 石首麋鹿国家级自然保护区、长江天鹅洲白暨豚国家级自然保护区、红军树、绣林山。

【土特产品】 笔架鱼肚、桃花鸡蛋、七姊妹朝天椒、中湖鲑鱼、东山绿茶。

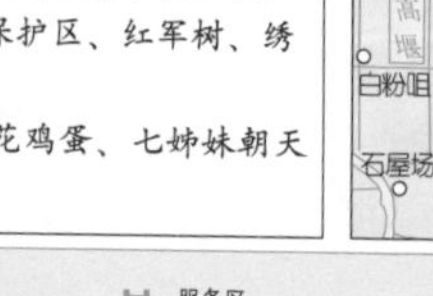

樊家祠　朴岭公　傅家潭　张陵垱　桥口　茅草街　贺家咀　西王　榨林桥　上牧放　天合垸　黑鱼垱　白湖口　赵家台　复兴垸　秦克湖　官垱镇　新安垸　302　合安垸　永安垸　晏家河口　丁堤拐　汪堤拐　长安垸　长兴垸　沙波洲　南堤拐　高堰　白粉咀　杨家湖　石犀场　丰家垱

明显陵 世界遗产　武当山 国家级风景名胜区　青龙山 国家级自然保护区　神农架 国家级森林、地质公园　服务区　出入口　里程起迄点　收费站

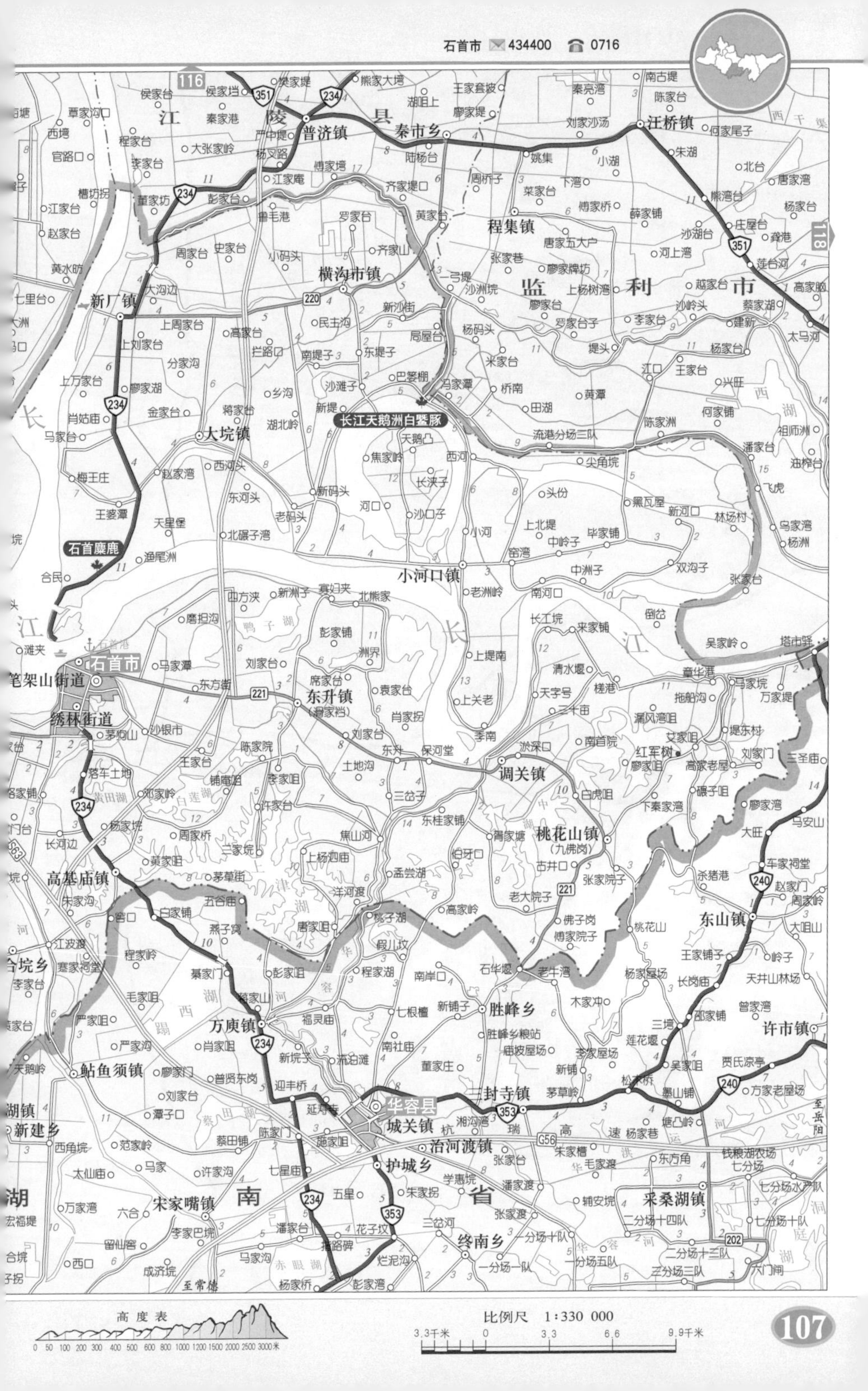

116
351
234
江陵县
监利市
普济镇
秦市乡
汪桥镇
程集镇
横沟市镇
新厂镇
大垸镇
小河口镇
东升镇
(渭家垱)
调关镇
桃花山镇
(九佛岗)
高基庙镇
万庚镇
鲇鱼须镇
华容县
城关镇
治河渡镇
护城乡
三封寺镇
宋家嘴镇
终南乡
胜峰乡
采桑湖镇
东山镇
许市镇
石首市
笔架山街道
绣林街道
团山寺
新建乡
长江天鹅洲白鳖豚
石首麋鹿
长江
西湖
上津湖
鸭子湖
白莲湖
湖南省
侯家台
侯家垱
樊家堤
熊家大塆
王家套坡
秦亮湾
南古堤
陈家台
湖咀上
廖家堤
刘家沙场
严中堤
陆杨台
姚集
朱湖
何家尾子
杨叉路
傅家塆
小湖
北台
唐家湾
江家庵
齐家堤
周桥子
菜家台
下湾
熊湾台
杨家湾
彭家台
傅家桥
薛家铺
庄屋台
龚港
董家坊
雷毛港
罗家台
黄家台
唐家五大户
沙湖台
周家台
史家台
小码头
齐家山
张家巷
河上湾
莲台河
廖家牌坊
一弓堤
沙洲垸
上杨树湾
越家台
高家脑
大沟边
廖家台
沙岭头
蔡家湖
七里台
新沙街
民主沟
上周家台
高家台
局屋台
杨码头
罗家台子
李家台
建新
太马河
上刘家台
拦路口
南堤子
东堤子
米家台
堤头
杨家台
分家沟
江口
王家台
上万家台
沙滩子
巴篓棚
马家潭
兴旺
廖家湖
乡沟
桥南
黄潭
何家铺
金家台
蒋家台
新堤
田湖
肖姑庙
湖北岭
陈家洲
祖师洲
马家台
天鹅凸
流港分场三队
潘家台
焦家岭
西河
尖角垸
油榨台
梅王庄
赵家湾
西河头
长泱子
飞虎
东河头
新码头
头份
河口
沙口子
黑瓦屋
新河口
王婆潭
老码头
林场村
天星堡
北碾子湾
小河
上北堤
中岭子
毕家铺
乌家湾
杨洲
渔尾洲
窑湾
合民
中洲子
双沟子
老洲岭
南河口
张家台
四方泱
新洲子
寡妇夹
北熊家
磨担沟
彭家铺
长江垸
来家铺
倒岔
吴家岭
塔市驿
滩夹
刘家台
洲界
上堤南
马家潭
东方街
席家台
袁家台
清水堰
章华港
马家垸
天字号
槎港
拖船沟
万家堤
二十亩
漏风湾咀
茅狗山
沙银市
肖家拐
上关老
刘家台
季南
南首院
艾家咀
提东村
陈家院
保河堂
淤深口
红军树
刘家门
三圣庙
王家台
土地沟
东升
廖家咀
高家老屋
落车土地
铺庵咀
李家咀
三岔子
白虎咀
碾子咀
邓家岭
东桂家铺
下秦家湾
廖家湾
许家台
焦山河
胥家塘
大旺
马安山
杨家垸
周家桥
伯牙口
古井口
车家祠堂
长河边
三家垸
上杨泗庙
黄家咀
孟尝湖
张家院子
杀猪港
赵家门
茅草街
洋河渡
老大院子
周家岭
朱家沟
五谷庙
桃子湖
高家岭
佛子岗
窑口
白家铺
傅家院子
桃花山
大咀山
燕子窝
唐家咀
假儿坟
江波渡
王家铺子
岭子
石华堰
程家岭
南岸口
老牛湾
杨家屋场
长岗庙
天井山林场
寨家祠堂
慕家门
彭家咀
程家湖
李家台
毛家咀
蒋家山
新铺子
木家冲
三塆
邵家铺
曾家湾
严家咀
福灵庙
七根樯
胜峰乡粮站
莲花堰
天鹅岭
严家沟
肖家咀
磨坡屋场
李家屋场
新垸子
流泊滩
南社庙
贾氏凉亭
廖家门
普贤东岗
董家庄
新铺
松木桥
吴家咀
刘家台
迎丰桥
茅草岭
墨山铺
方家老屋场
潭子口
延寿寺
湘沟湾
塘凸岭
至岳阳
陈家门
施家咀
杨家巷
西角垸
范家岭
蔡田铺
朱家槽
张家台
东方角
钱粮湖农场
七分场
太仙庙
马家
许家沟
七星庙
学惠垸
毛家渡
潘家渡
七分场水产队
五里
朱家拐
辅安垸
万家湾
六合
李家巴垸
三岔河
张家渡
二分场十四队
七分场十队
宏福堤
潘家台
花子坟
一分场十队
留仙窖
摇路碑
二分场十三队
西口
马家沟
一分场一队
一分场五队
成济垸
烂泥沟
三分场三队
六门闸
至常德
杨家桥
彭家湾
赤眼湖
蔡田湖
洪湖
G56
221
220
240
353
202
118
S63
高速
高度表
0 50 100 200 300 400 500 600 800 1000 1200 1500 2000 2500 3000米
比例尺 1:330 000
3.3千米 0 3.3 6.6 9.9千米

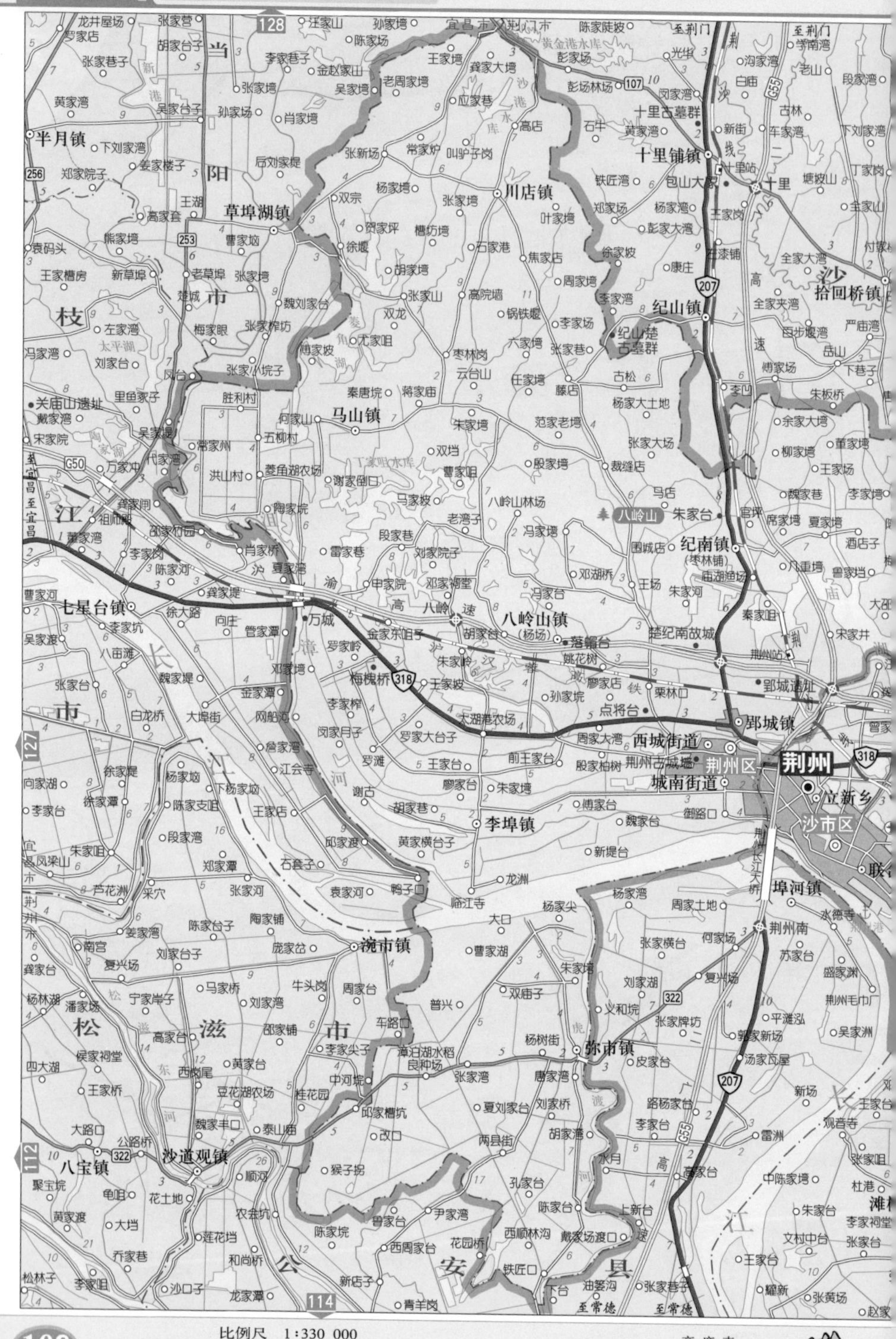

比例尺 1:330 000

3.3千米 0 3.3 6.6 9.9千米

高度表

0 50 100 200 300 400 500 600 800 1000 1200 1500 2000 2500 3000米

沙市区

【地理位置】 位于荆州市中部，长江北岸，长湖南部。

【人口面积】 人口53万，面积469平方千米。

【地方特色】 沙市历史悠久，自古就是"三楚名镇"，1895年辟为通商口岸，是我国对外开放最早的四大内河港之一。

【地　　形】 处江汉平原，为长江古河漫滩，地势平坦低下。

【交　　通】 连结江汉平原和洞庭湖平原两大水网地区的枢扭。沪汉蓉高速铁路、沪渝高速公路、318国道横贯全境。沙市机场通航国内各大城市。

【经　　济】 为著名的轻纺工业城和全国纺织工业基地之一。有机械轻工、电子、化工等产业。是省重要出口工业品生产地。

【风景名胜】 堰日城、梁代墓等。

荆州区

【地理位置】 位于荆州市西北部，东邻沙市区、沙洋县，南接公安县，西与松滋、枝江市接壤，北靠当阳市。

【人口面积】 人口55万，面积1046平方千米。

【地　　形】 地处江汉平原，地势平坦，仅西北部有少量丘陵岗地。

【河流湖泊】 长江、沮漳河，丁家咀水库，菱角湖等。

【交　　通】 沪汉蓉高速铁路横穿全境，荆沙铁路纵贯过境，二广、沪渝高速公路呈十字相交，207、318国道境内相会。长江黄金水道通沿江各埠。

【经　　济】 工业有机械、汽车、轧钢、丝绸、印染、电子等产业。农业主产水稻、小麦、棉花，富水产。

【风景名胜】 八岭山国家森林公园、楚纪南古城、郢城遗址、点将台等。

【景点介绍】 **八岭山国家森林公园** 又名八宝山，古称龙山，位于荆州城西北20千米，八岭山因有起伏回环的崇岭八道而得名。面积6.67平方千米。这里风景优美，林木葱郁，山上乔木参天，茶海松涛，兼有雄奇幽深之胜。山中古墓葬密集，现尚存特大型、大型及中型古墓560余座。墓藏文物丰富，越王勾践剑和彩漆木雕座屏均在此山出土。山上有平头冢、换帽台、落帽台、马跑泉等胜迹。八宝山古墓群为全国重点文物保护单位。

八岭山国家森林公园

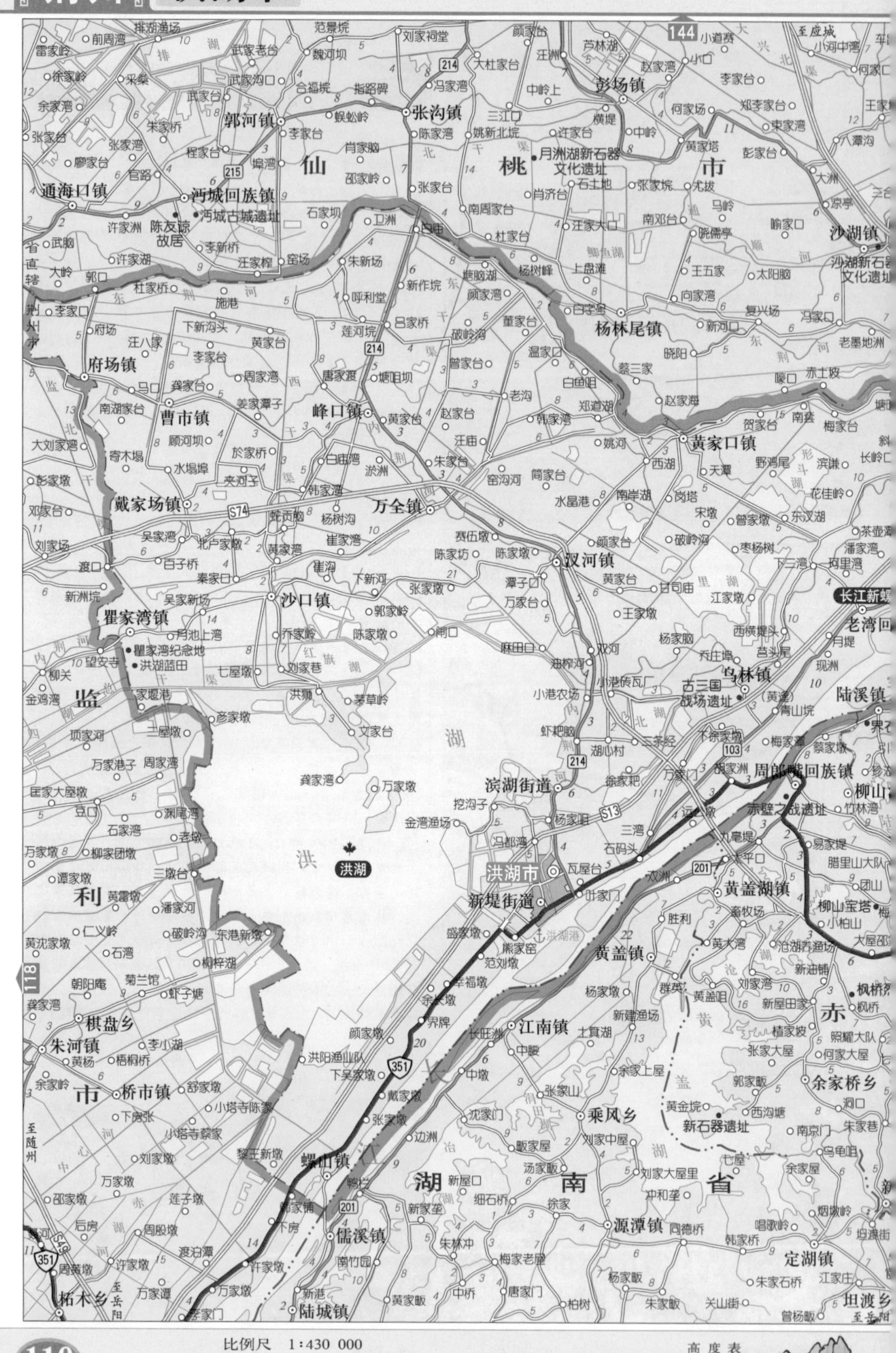
仙
桃
市
监
利
市
湖
南
省
洪湖市
洪湖
郭河镇
沔城回族镇
通海口镇
府场镇
曹市镇
戴家场镇
瞿家湾镇
峰口镇
万全镇
沙口镇
汉河镇
黄家口镇
杨林尾镇
沙湖镇
彭场镇
张沟镇
乌林镇
陆溪镇
周郎嘴回族镇
滨湖街道
新堤街道
黄盖湖镇
黄盖镇
江南镇
乘风乡
螺山镇
儒溪镇
源潭镇
陆城镇
定湖镇
余家桥乡
柘木乡
棋盘乡
朱河镇
桥市镇
赤壁之战遗址
古三国战场遗址
月洲湖新石器文化遗址
沔城古城遗址
瞿家湾纪念地
洪湖蓝田
新石器遗址
比例尺 1:430 000
4.3千米 0 4.3 8.6 12.9千米
高度表

【地理位置】 位于荆州市东部，北接武汉市与仙桃市、汉南区，西临监利市，南连湖南省，东与赤壁市、嘉鱼县接壤。

【人口面积】 人口91万，面积2519平方千米。

【历史沿革】 洪湖，因为境内有53万亩的同名湖泊而得名。自西周武王分封始，便设州置政；清咸丰七年（公元1857年）洪湖市区设立海关，委任道台；民国十五年（1926年）设新堤市，是当时湖北省八大市镇之一；建国初期，为沔阳专署所在地；1951年，沔阳专署撤销，成立洪湖县，1987年撤县建市。1996年由荆州市代管。

【地　　形】 地处江汉平原东南部，属古云梦泽东部的长江冲积平原，地势广阔平坦，境内河渠纵横交织，湖泊星罗棋布。

【河流湖泊】 长江、东荆河、 洪湖、里湖、肖家湖、夏庄湖等。

【交　　通】 103、214、321等省道过境。水运以长江黄金水道为主。

【经　　济】 工业以纺织、机械、化工、服装、食品为支柱。农业以水稻、棉花、油料、芝麻为主，是全国闻名的商品鱼基地和外贸出口基地，以及商品粮、商品棉，速生丰产林生产基地。

【风景名胜】 长江新螺段白鳖豚、洪湖国家级自然保护区、瞿家湾纪念地、古三国战场遗址。

【景点介绍】 **洪湖**　洪湖素有“水乡泽国地、江汉鱼米乡”的美称。位于洪湖市西南部。是湖北省最大的淡水湖泊，湖面348平方千米，呈多边几何形。湖中水生高等底栖动植物量居全国首位，底栖动植物量居全国第二位，其中黑鹳、白鹳、中华秋沙鸭等十多种珍禽属国家一、二级保护动物。这里盛产各种鱼、虾、蟹、龟、鳖、螺和莲藕等。洪湖风光秀丽，清澈见底，盛夏季节可以采莲、垂钓，是天然的游乐场所。

洪湖渔夫与渔鹰

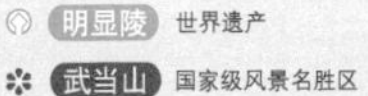

青龙山 国家级自然保护区
神农架 国家级森林、地质公园
服务区
出入口
里程起讫点
收费站

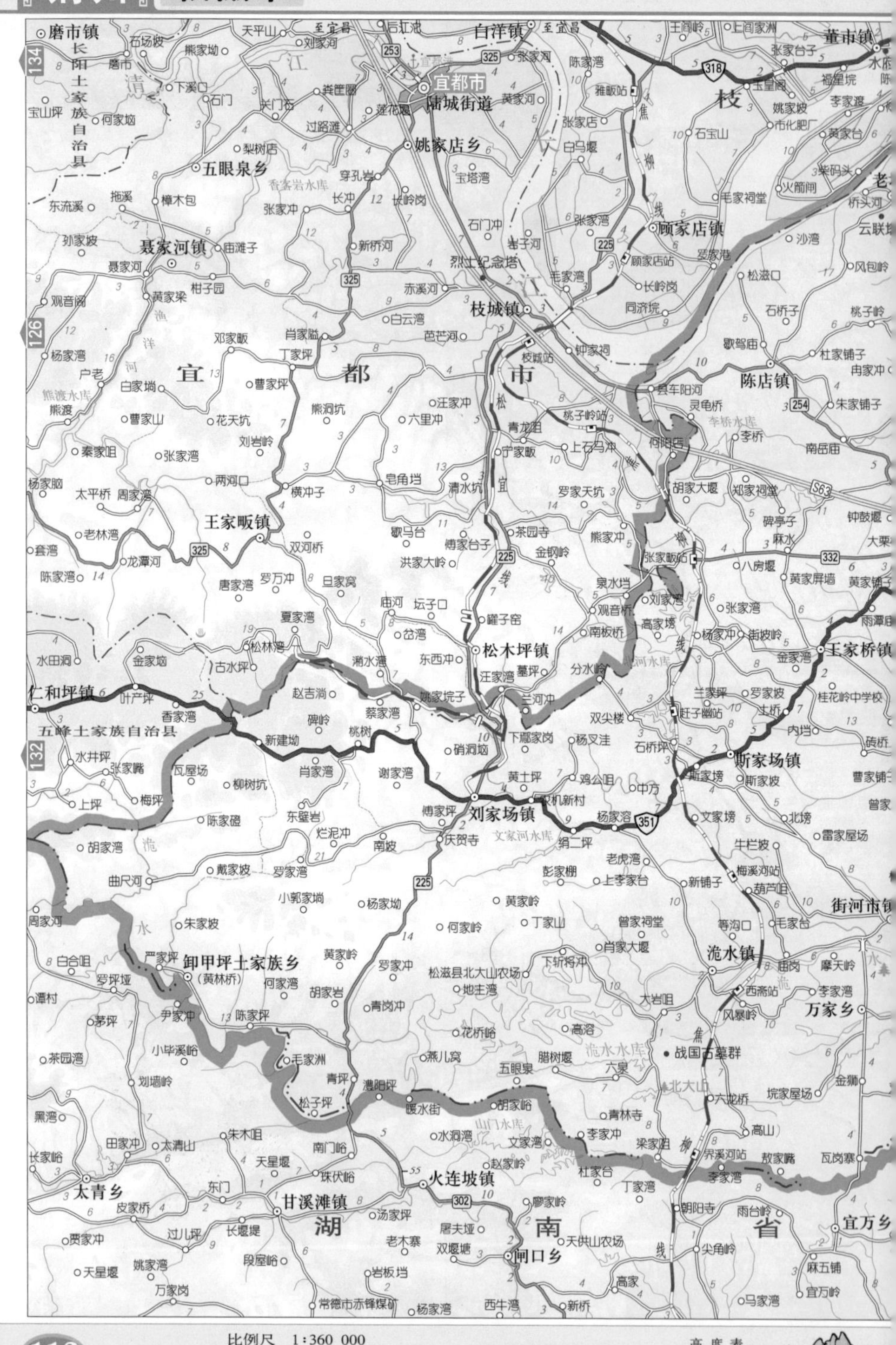

比例尺 1:360 000

3.6千米 0 3.6 7.2 10.8千米

高度表

0 50 100 200 300 400 500 600 800 1000 1200 1500 2000 2500 3000米

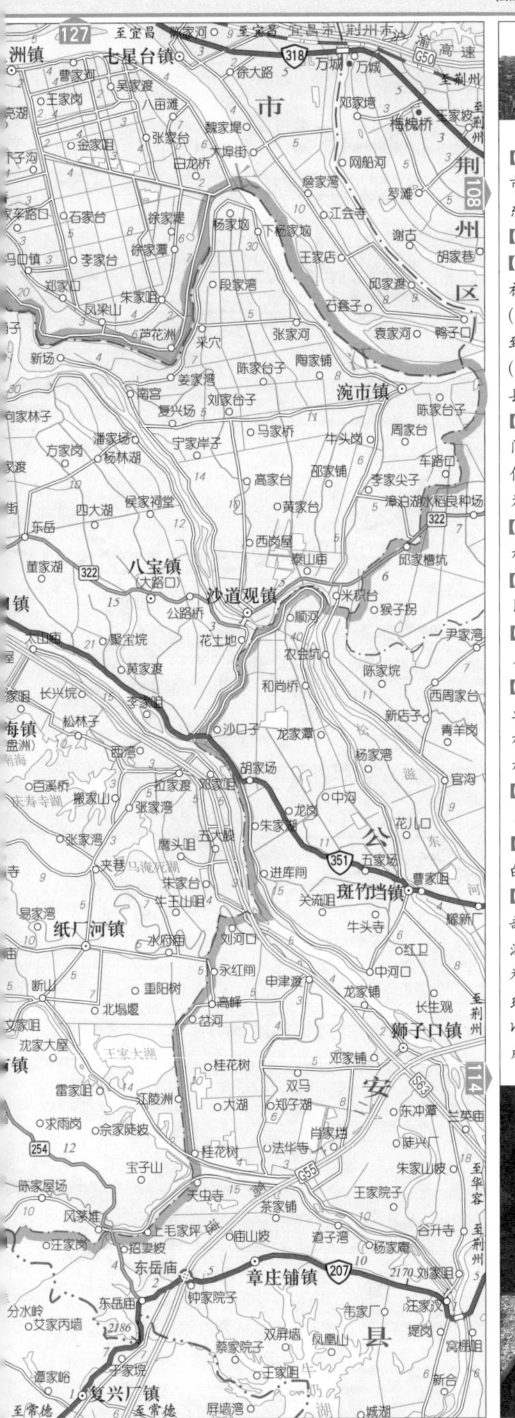

【地理位置】 位于荆州市西部，长江南岸。北接枝江市，西临宜都市、五峰土家族自治县，南连湖南省，东与荆州区、公安县为邻。

【人口面积】 人口82万，面积2235平方千米。

【历史沿革】 古属荆州，战国属楚，秦属南郡。汉高祖5年（公元前202年）设县，名为高成。东晋咸康3年（公元337年）庐江郡松滋（今安徽霍丘县）流民避兵乱到此，侨置松滋县，从此县名延续到今。民国元年（1912年），裁荆州府，松滋属省直辖。1995年12月撤县建市。1996年属荆州市。

【地　　形】 地处巫山山系荆门分支余脉和武陵山系石门分支余脉向江汉平原延伸的过渡地带。地势为西高东低，西部为鄂西山地，东部为丘陵平原，西北部和中部为广阔的丘陵岗地。

【河流湖泊】 松滋河、洈水、洈水水库、王家大湖、北河水库、庆寿寺湖、小南海。

【交　　通】 焦柳铁路和225、254、322等省道相会市区。水运以长江、松滋河为主。

【资　　源】 境内矿产有煤、岩盐、铁、重晶石、硅石、石油等。水资源丰富。

【经　　济】 工业有纺织、建材、酿酒、矿产机械等产业。农业以水稻、棉花、油料为主，盛产梨、橙、杏等水果，先后被国家确定为商品粮、优质棉、长江上中游水果开发基地。

【风景名胜】 洈水国家森林公园、云联塔、战国古墓群、北大山森林公园。

【土特产品】 白云边酒、沙道观鸡、八宝棉花、釉中彩白炻瓷、松滋蜜橘、白龙潭云雾茶。

【景点介绍】 **洈水国家森林公园** 位于松滋市西南部，地处长江三峡、荆州古城、湖南张家界三个著名旅游区的中心部位，距长江三峡80千米，距张家界100千米，是“三峡—洈水—张家界”这条黄金旅游线上的一颗璀璨明珠。公园总面积52.8平方千米，森林覆盖率达80%以上，春花、夏树、秋月、冬雪，四季美景使森林公园成为天地间宽敞亮丽的泼墨山水。

洈水国家森林公园

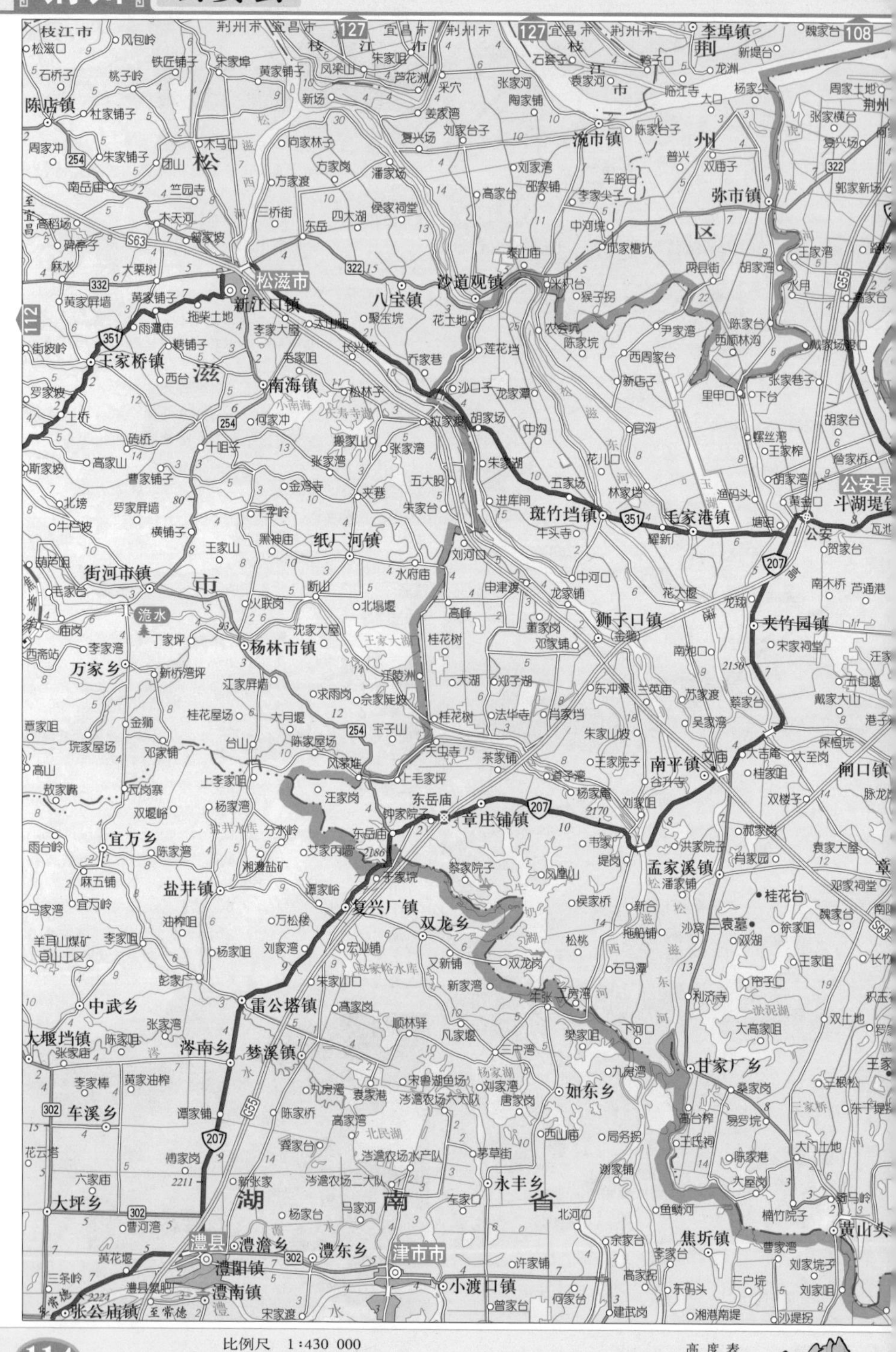

比例尺 1:430 000

4.3千米 0 4.3 8.6 12.9千米

高度表

0 50 100 200 300 400 500 600 800 1000 1200 1500 2000 2500 3000米

【地理位置】 位于荆州市西南部，北接荆州区和沙市区，西连松滋市，南与西南临湖南省，东与石首市、江陵县接壤。

【人口面积】 人口99万，面积2258平方千米。

【历史沿革】 刘邦建立西汉王朝后的第五年（公元前202年），即颁御旨建孱陵县（公安县的前身）。209年，刘备领荆州牧，扎营油江口（今斗湖堤），称左将军（即左公），改孱陵为公安县，取意“左公之所安”之意，公安县名始于这时。1996年属荆州市。

【地　　形】 属平原滨湖区，西南部分为平岗和丘陵。境内河湖交错、堤垸纵横。虎渡河自北向南穿越全境，把全县分割虎东、虎西两部分。

【河流湖泊】 长江、虎渡河、松滋东河、松滋西河、玉湖、崇湖、牛奶湖、淤泥湖。

【交　　通】 二广高速公路及207国道纵贯全境，水运以长江水道为主，松滋、虎渡等河流均可通航。

【资　　源】 矿产资源较丰富，有盐矿（含芒硝）、石膏、煤等。森林资源总面积373平方千米，森林覆盖率17%。水资源丰富，河流众多，是名符其实的“百湖之县”，水面360平方千米，其中精养水面147平方千米。

【经　　济】 工业有机械、建材、纺织、食品等产业。农作物有水稻、棉花、油料、莲藕等，素有江南“鱼米之乡”美称，是国家重要的粮、棉、油生产基地和果、菜、畜禽、水产品产地。

【历史人物】 明末著名文学家袁氏三兄弟：袁宗道、袁宏道、袁中道，易敬法、邱宏锡、郭大华、王竹溪等。

【风景名胜】 王家岗遗址、桂花台、文庙、三袁墓。

【土特产品】 团头鲂、湖鳖、龙虾、无核桔、沙梨、绿茶、板鸭、红心蛋。

【景点介绍】 **三袁墓** 位于孟家溪镇荷叶山，在一片开阔地中间，隆起处为明末著名文学家袁氏三兄弟的墓葬。墓北为三袁故里桂花台。

公安风光

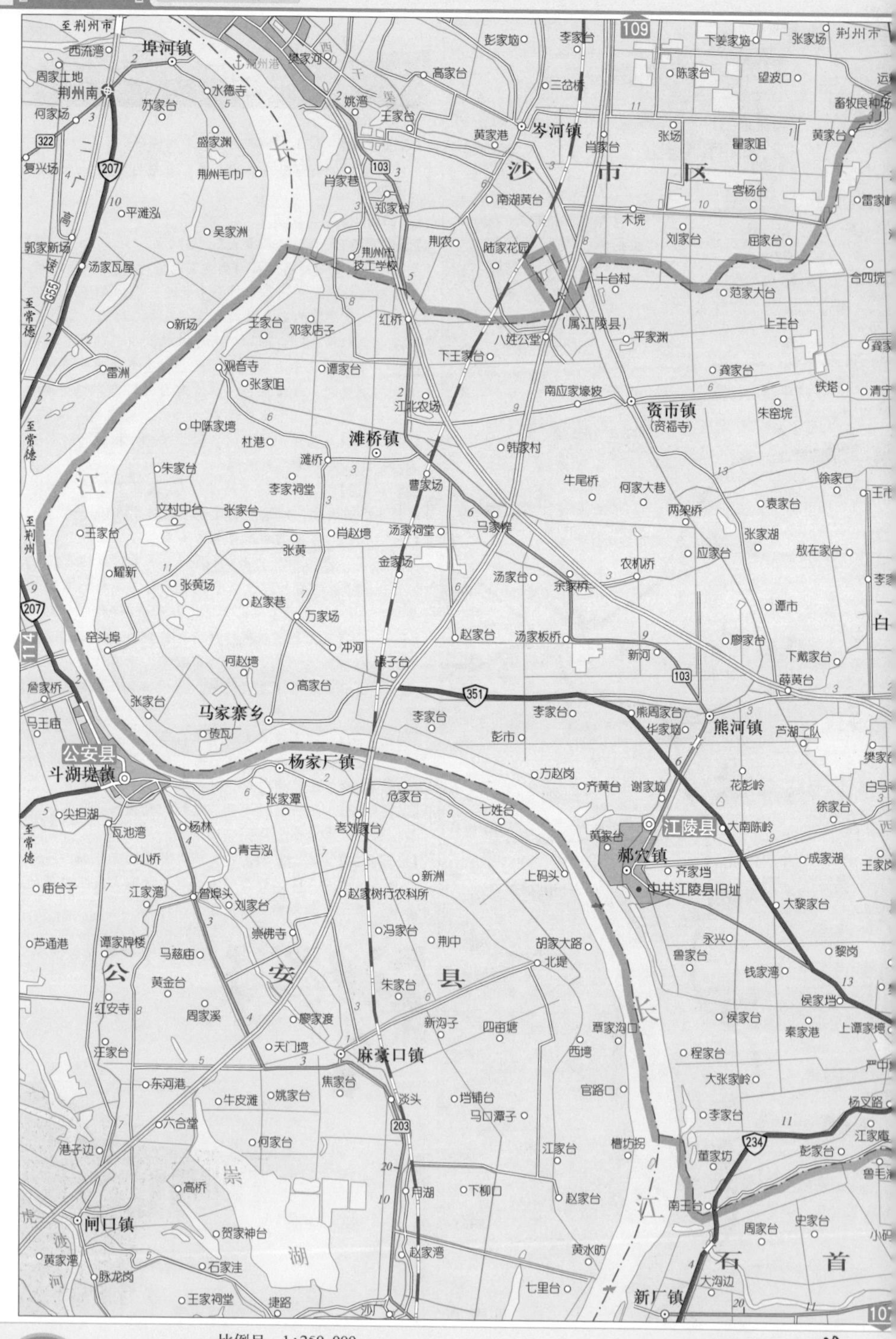
沙 市 区
公 安 县
江陵县
郝穴镇
中共江陵县旧址
资市镇
(资福寺)
熊河镇
滩桥镇
岑河镇
马家寨乡
杨家厂镇
麻豪口镇
埠河镇
公安县
斗湖堤镇
闸口镇
新厂镇
(属江陵县)
长
江
崇
湖
石
首
至荆州市
荆州市
荆州南
荆州港
荆州市技工学校
至常德
至荆州
二广高速
比例尺 1:250 000
高度表

【地理位置】 位于荆州市中北部，北接沙市区，西连公安县，南临石首市、监利市，东北与潜江市接壤。

【人口面积】 人口39万，面积1032平方千米。

【历史沿革】 秦置江陵县，以“近州无高山，所有皆陵阜”得名。先后有14代帝王建都于此，是国家历史文化名城，全国有名的革命老区。

【地　　形】 地处江汉平原，长江中游北岸，地势西高东低，河湖密布，沟渠纵横。

【交　　通】 249、321等省道在此交会。水运以长江水道为主，通航沿江各口岸。

【资　　源】 矿产资源有石油等，东部地下凹陷地区有盐湖，卤水蕴藏较大。森林覆盖率为8.4%，主要有水杉、池杨、枫树、苦楝等。

【经　　济】 工业有精细化工、造纸包装、轻工纺织、建筑建材、汽车零配件、农副产品加工等产业，是国家首批公布的星火技术密集区。农作物有水稻、棉花、芝麻等，是国家重要的优质商品粮、商品棉生产基地和湖北省“双低”油菜产业化示范县。

【风景名胜】 中共江陵县旧址。

【土特产品】 甲鱼、黄鳝、七星黑鱼、大口鲶，以及“郢城风”酱品、“白鹭春”香莲、菱角。

【民间艺术】 **跳丧鼓** 又名打丧鼓。是一种边唱边跳的风俗歌，流传于今江陵、石首、监利、公安一带。一人坐在中间打鼓，两人各拿一面钹，边敲边绕鼓跳；三人轮唱，内容多为怀念死者和安慰死者亲属。其舞蹈动作和歌声节拍，在我国颇为罕见。

江陵民歌 江陵曾经是楚国民歌楚声的发端地。江陵名歌有五大调，即喇叭调、伙计调、嘚嘚调、叮当调、呵吹调。民歌曲调高亢，节奏明快，旋律优美，地方特色浓郁；歌词短，易记诵，有生活气息，传统民歌《火烧粑》等著名。

江陵风景

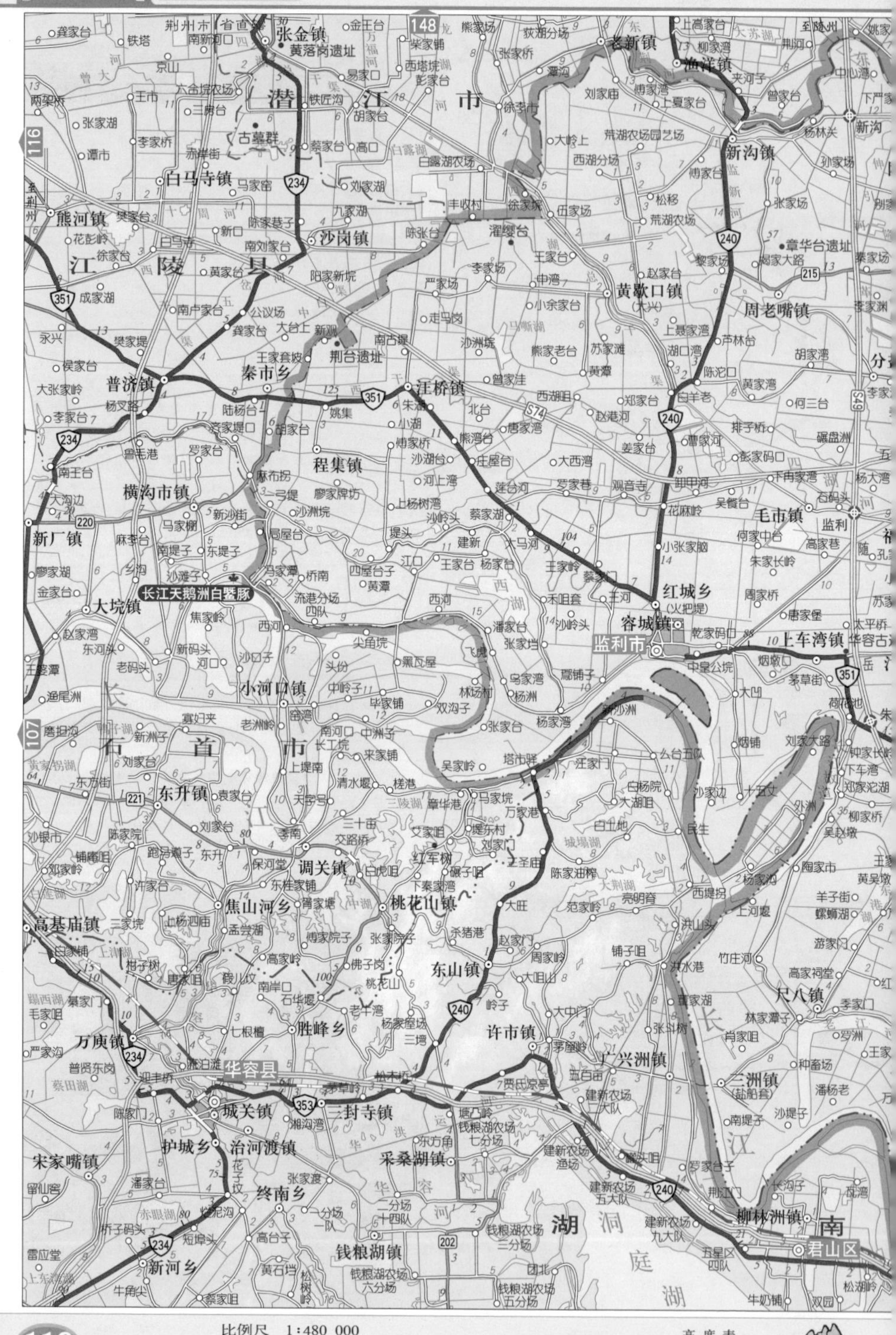

比例尺 1:480 000

4.8千米 0 4.8 9.6 14.4千米

高度表

0 50 100 200 300 400 500 600 800 1000 1200 1500 2000 2500 3000米

【地理位置】 位于荆州市中东部，洞庭湖的北面，长江北岸，西与江陵县、石首市依江接壤，北与潜江、仙桃市相邻，东与洪湖市交界，南与湖南省隔江相望。

【人口面积】 人口157万，面积3118平方千米。

【历史沿革】 春秋战国属楚。汉初置华容县，属南郡。三国时吴黄武元年（公元222年）析华容县置监利县。因“地富鱼稻，设官监办”而立此县名。明代时，监利属荆州府，清朝一直沿袭未变。1949年属沔阳专区，1951年改属荆州专区，1970年属荆州地区，1996年属荆州市。

【地　　形】 河湖淤积，地势平坦，河渠纵横交织，湖泊星罗棋布。是典型的平原地形。南部长江沿岸，北部东荆河沿岸和西部较高，中间和东部属于湖洼地带。

【河流湖泊】 长江、老江河、四湖河、东荆河、洪湖、东港湖。

【交　　通】 随岳高速纵贯南北全境，215、247、321等省道与县乡公路构成交通主干网。

【资　　源】 矿产资源有石油、石膏、芒硝、岩盐等。

【经　　济】 工业有轻工、纺织、食品加工、建材、机械等产业。农作物有水稻、棉花、油菜、莲藕等，素以盛产粮、棉、油、麻、猪、鱼、禽和芦苇而闻名于世，是典型的“鱼米之乡”。是全国商品粮、商品鱼、良种猪、麻类和优质棉生产基地，是湖北省出口麻生产基地。

【风景名胜】 华容古道、荆台遗址、濯缨台、章华台遗址等。

【土特产品】 滨湖水牛、荆江麻鸭、“江汉鸡”、“监利猪”、“无铅松花皮蛋”、桑蚕、菱角、荸荠、黄鳝、河蟹、福寿米、朱河刺绣等。

【风味小吃】 屈原饼、春卷、子胥饼、银鱼、河蟹、紫云英蜜、太平萝卜、泅水糯。

【景点介绍】 **华容古道** 位于监利县境内，因汉代以前，监利县称为华容县而得名。公元208年，曹操被孙刘联军火烧赤壁，仓惶溃逃，败走华容道。华容道真正得到开发是从元代开始的。现在，华容道，已根本看不见昔日的荒凉，而是绿树成荫，道路两侧良田万顷。稻谷飘香，荷花吐艳，呈现出一派平原水乡风光。沿途有吴王庙、子龙岗、救曹鞭、曹鞭港、放曹坡、鲁肃桥等三国名胜古迹，是三国传说故事旅游景区之一。

荆台遗址 位于监利县境内。荆台，又名景夷台，春秋时为楚灵王所建。唐开成年间（公元836～840年）重建荆台观于荆台旧址。后梁开平年间（907～911年），邛州（今四川邛来）依政梁震过荆州时，武信王高季兴识其才，挽留为官。梁以已为唐进士，不愿事二主。武信王感其事，留为幕宾，并重修荆台观，让梁震披鹤闲居荆台。梁震自称“荆台处士”。现台、观俱废，仅存遗址。

明显陵 世界遗产　青龙山 国家级自然保护区　服务区　里程起迄点
武当山 国家级风景名胜区　神农架 国家级森林、地质公园　出入口　收费站

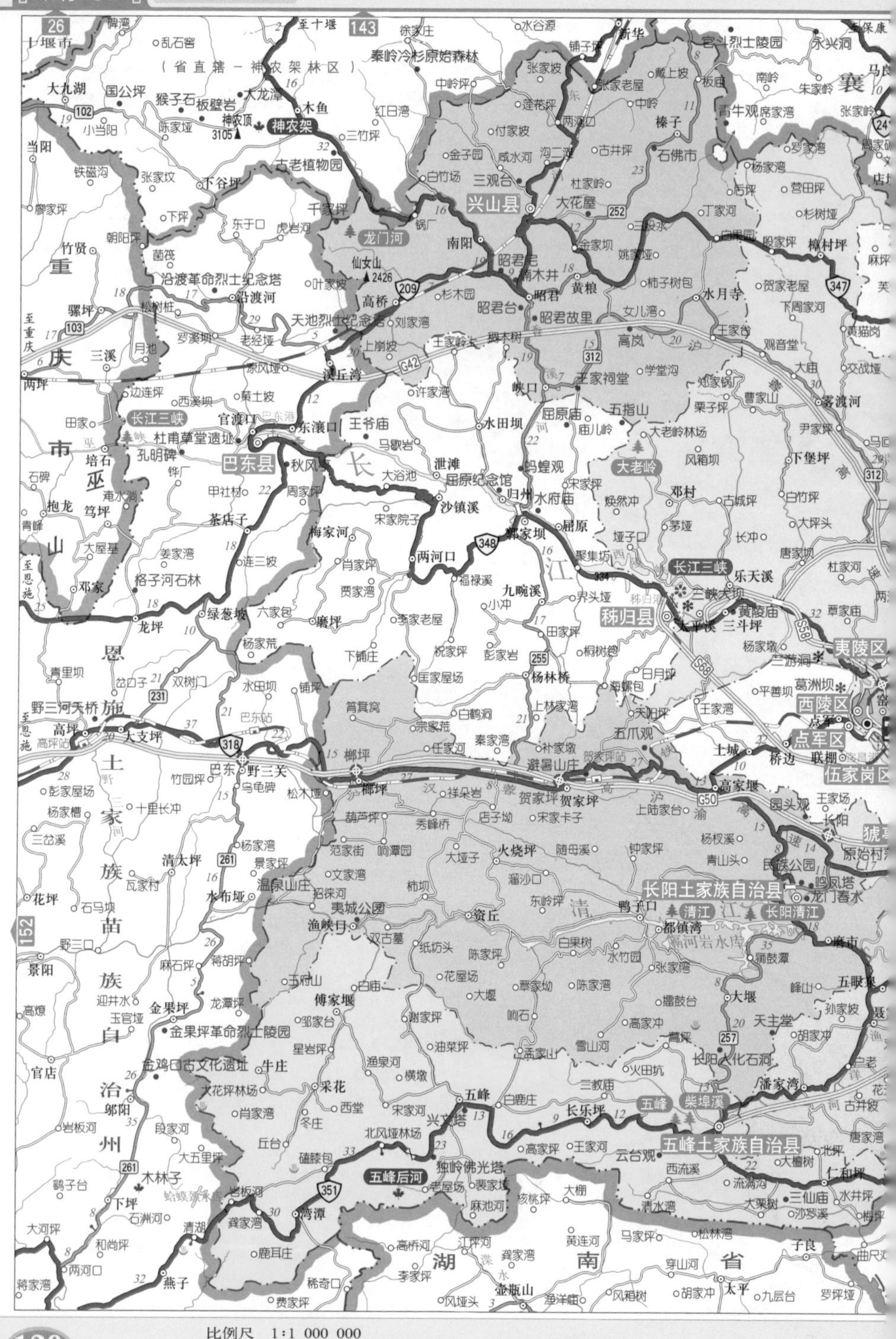

比例尺　1:1 000 000

10.0千米　0　10.0　20.0　30.0千米

西陵峡

【地理位置】 位于湖北省西部，东邻荆州市和荆门市，南抵湖南省，西接恩施土家族苗族自治州，北靠神农架林区和襄阳市。

【行政区划】 辖西陵、伍家岗、点军、猇亭、夷陵5区和枝江、宜都、当阳3市以及远安、兴山、秭归3县和长阳、五峰2个土家族自治县，市政府驻西陵区。

【人口面积】 人口391万，面积21081平方千米。

【历史沿革】 春秋战国时期为楚西塞。西汉初年置县，名夷陵县，因“水至此而夷，山至此而陵”而得名。清雍正十三年（1735年），置府名宜昌。建国后，分设地级宜昌市和宜昌地区(专区)，后几经变更，1992年撤消宜昌地区，行政区域并入宜昌市。

【地　　形】 地处长江中上游交界处，鄂西山区向江汉平原的过渡地带。地势呈西高东低走向。地貌以山地为主；其次为丘陵、平原。

【最高山峰】 仙女山，海拔2426米。

【气　　候】 属于亚热带季风气候，处于北亚热带和中亚热带的过渡地带。年平均气温16℃，年降水量在1000毫米以上。

【交　　通】 长江黄金水道西进万州、重庆，东达武汉、上海；焦柳铁路、沪汉蓉高铁过境，沪渝与沪蓉高速公路、318国道和223、224、257、325等省道形成主干交通网。三峡机场通往国内各大城市。

【资　　源】 矿产资源有磷、石墨、锰、重晶石、煤等。林产以松、栎、杉为主。有珙桐、银杏、红豆杉等珍贵林木。盛产杜仲、天麻、金钗、党参等中药材。

【风景名胜】 长江三峡风景名胜区和大老岭、清江、玉泉寺、紫埠溪、龙门河国家森林公园，五峰后河国家级自然保护区、国家地质公园长阳清江、五峰、葛洲坝、三峡大坝、屈原纪念馆、三游洞、昭君宅、关庙山遗址、避暑山庄、独岭佛光塔、苏维埃政府旧址、民族公园、原始村落遗址等。

【景点介绍】 **长江三峡** 横跨湖北、重庆两省市，东起宜昌南津关，西至奉节白帝城，全长201千米，由西陵峡、巫峡、瞿塘峡组成。西陵峡126千米，以险峻著名；巫峡42千米，以秀丽闻名；瞿塘峡33千米，是三峡中最短的一个峡，以雄伟见长。现三峡工程蓄水达135米高，峡高平湖颇为壮观。长江三峡是集名山大川、名胜古迹和水利发电于一体的“黄金水道”，是国家级风景名胜区。

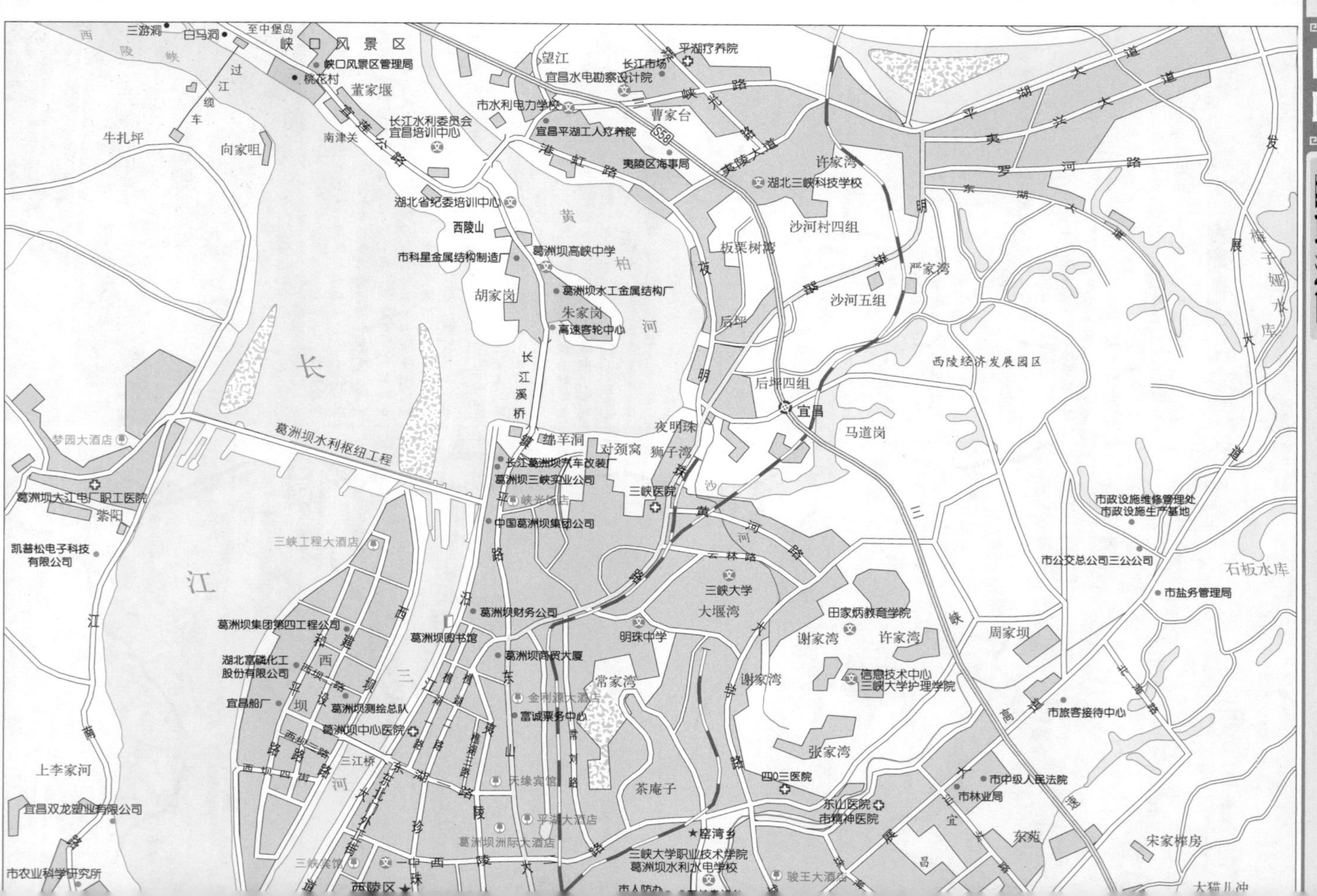
三游洞
白马洞
至中堡岛
峡口风景区
峡口风景区管理局
桃花村
董家堰
过江缆车
牛扎坪
向家咀
南津关
长江水利委员会宜昌培训中心
望江
宜昌水电勘察设计院
长江市场
平湖疗养院
市水利电力学校
曹家台
宜昌平湖工人疗养院
夷陵区海事局
湖北三峡科技学校
许家湾
沙河村四组
板栗树湾
湖北省纪委培训中心
西陵山
市科星金属结构制造厂
葛洲坝高峡中学
胡家岗
葛洲坝水工金属结构厂
朱家岗
高速客轮中心
严家湾
沙河五组
西陵经济发展园区
后坪四组
宜昌
马道岗
长江溪桥
梦园大酒店
葛洲坝水利枢纽工程
葛洲坝大江电厂职工医院
紫阳
凯普松电子科技有限公司
绵羊洞
夜明珠
对颈窝
狮子湾
长江葛洲坝汽车改装厂
葛洲坝三峡实业公司
三峡医院
峡光饭店
中国葛洲坝集团公司
三峡工程大酒店
市政设施维修管理处
市政设施生产基地
市公交总公司三公司
石板水库
市盐务管理局
三峡大学
大堰湾
田家炳教育学院
葛洲坝财务公司
葛洲坝集团第四工程公司
葛洲坝图书馆
明珠中学
谢家湾
许家湾
周家坝
湖北富磷化工股份有限公司
葛洲坝商贸大厦
常家湾
信息技术中心
三峡大学护理学院
宜昌船厂
金利源大酒店
市旅客接待中心
葛洲坝测绘总队
富诚票务中心
葛洲坝中心医院
张家湾
三江桥
上李家河
天缘宾馆
茶庵子
四〇三医院
市中级人民法院
市林业局
宜昌双龙塑业有限公司
东山医院
市精神医院
平湖大酒店
窑湾乡
东苑
宋家榨房
葛洲坝洲际大酒店
三峡大学职业技术学院
葛洲坝水利电力学校
市农业科学研究所
三峡宾馆
一中
骏王大酒店
西陵区
大猫儿冲

【地理位置】 位于宜昌市境中东部，长江的西陵峡口。

【城市特色】 是举世闻名的三峡工程总部和葛洲坝水利枢纽工程所在地。全国重点旅游城市之一，融自然风光、历史文化和现代工业为一体。

【交　　通】 沪汉蓉高速铁路、鸦宜铁路和高速路通过城区，长江黄金水道通航沿江各埠。

【土特产品】 桃叶橘、稻花香酒、葛洲坝啤酒。

【风景名胜】 三游洞、峡口风景区、葛洲坝、白马洞、桃花村、镇江阁、庙咀、南榭、磨基山公园、东山游乐园、儿童公园、滨江公园。

【景点介绍】 **葛洲坝** 位于宜昌市境内、长江三峡出口。大坝全长2606米，最大坝高53.8米，由一座27孔泄水闸、2座电站、3座船闸、2座冲砂闸组成。它除了能够泄洪防涝，还能利用长江水力进行发电。是举世瞩目的大型水利枢纽工程之一。

葛洲坝

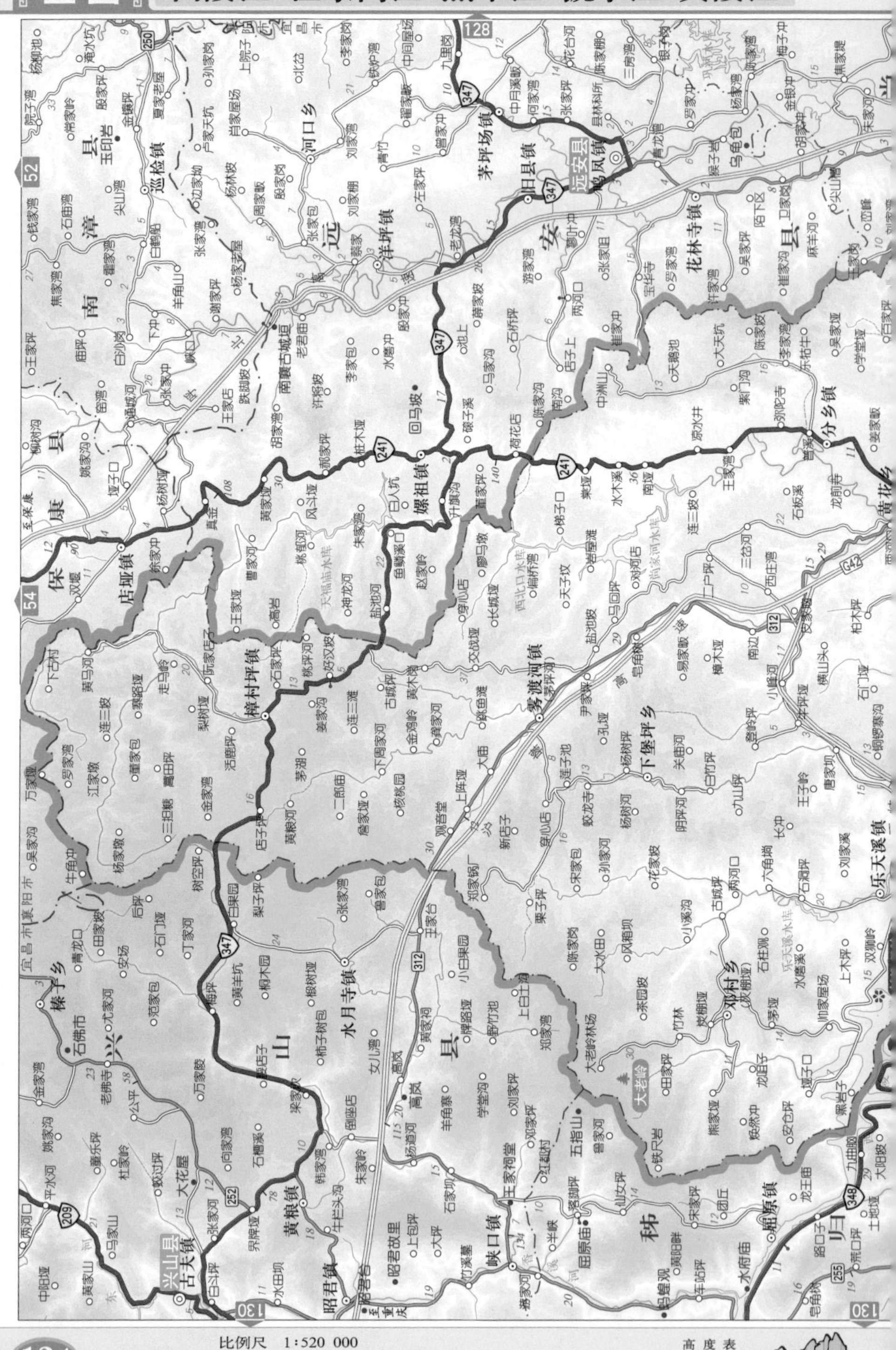

比例尺 1:520 000

5.2千米 0 5.2 10.4 15.6千米

高度表

0 50 100 200 300 400 500 600 800 1000 1200 1500 2000 2500 3000米

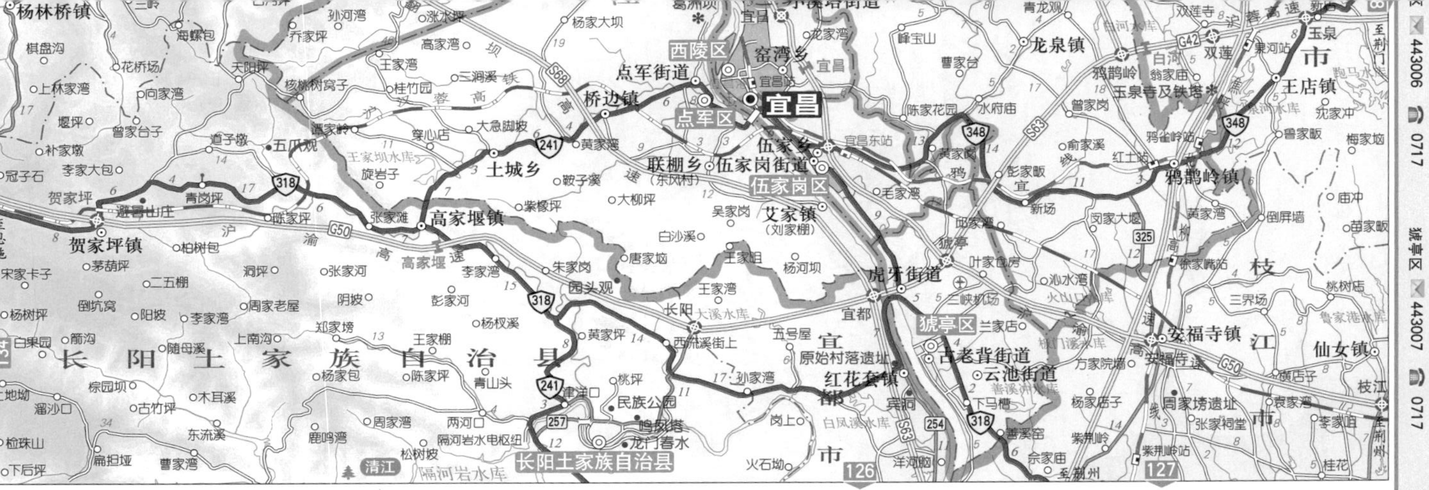

宜昌市辖区

【地理位置】　位于宜昌市中部，北接保康县，西与兴山县、秭归县接壤，南连长阳土家族自治县、宜都和枝江市，东邻当阳市、远安县。包括西陵、伍家岗、点军、猇亭、夷陵5区。

【人口面积】　人口126万，面积4247平方千米。

【地方特色】　是巴楚文化的发祥地之一。自古以来，这里是鄂西、湘西北和渝东一带的物资集散地和交通枢纽，是“上控巴蜀、下引荆襄”的军事重镇，素以“三峡门户”、“川鄂咽喉”著称。

【地　　形】　属鄂西山区向江汉平原过渡地带，以山地丘陵为主，沿江一带为河谷平原。

【河流湖泊】　长江、西北口水库、尚家河水库、官庄水库、东西泉水库、王家坝水库、乐天溪水库。

【交　　通】　焦柳铁路，沪汉蓉高铁、沪渝、沪蓉高速公路和318国道通过境内；三峡机场距市区26千米，并开辟了国内外航班；水运以长江黄金水道为主。

【资　　源】　境内水资源丰富，是我国水能资源最富集的地区之一，是我国最大的水电基地，建有举世闻名的三峡水利枢纽和葛洲坝水利枢纽。

【经　　济】　工业有精细化工、方便食品、新型建材、精密仪表、包装印刷、高新技术等产业。农业形成了蔬菜业、林果业、养殖业、茶叶业、桑蚕业和水产业等六大主导产业格局。

【风景名胜】　长江三峡风景名胜区、大老岭国家森林公园。葛洲坝、三峡大坝、三游洞等。

【景点介绍】　**三峡大坝**　位于西陵峡中段，距下游宜昌市38千米。大坝为混凝土重力坝，坝顶总长3035米，坝顶高程185米，正常蓄水位175米，总库容393亿立方米，其中防洪库容221.5亿立方米。水电站厂房位于泄洪坝左、右两侧，共装机26台，单机容量70万千瓦，总容量1820万千瓦，年均发电量847亿千瓦小时。主要景观有坛子岭园区、双线五级船闸、三峡工程展览馆、坝顶观景区、近坝观景区、截流纪念园等。

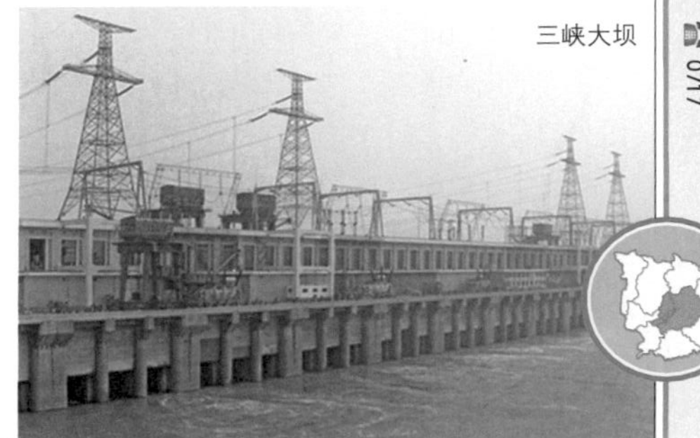
三峡大坝

明显陵　世界遗产
武当山　国家级风景名胜区
青龙山　国家级自然保护区
神农架　国家级森林、地质公园
服务区
出入口
里程起迄点
收费站

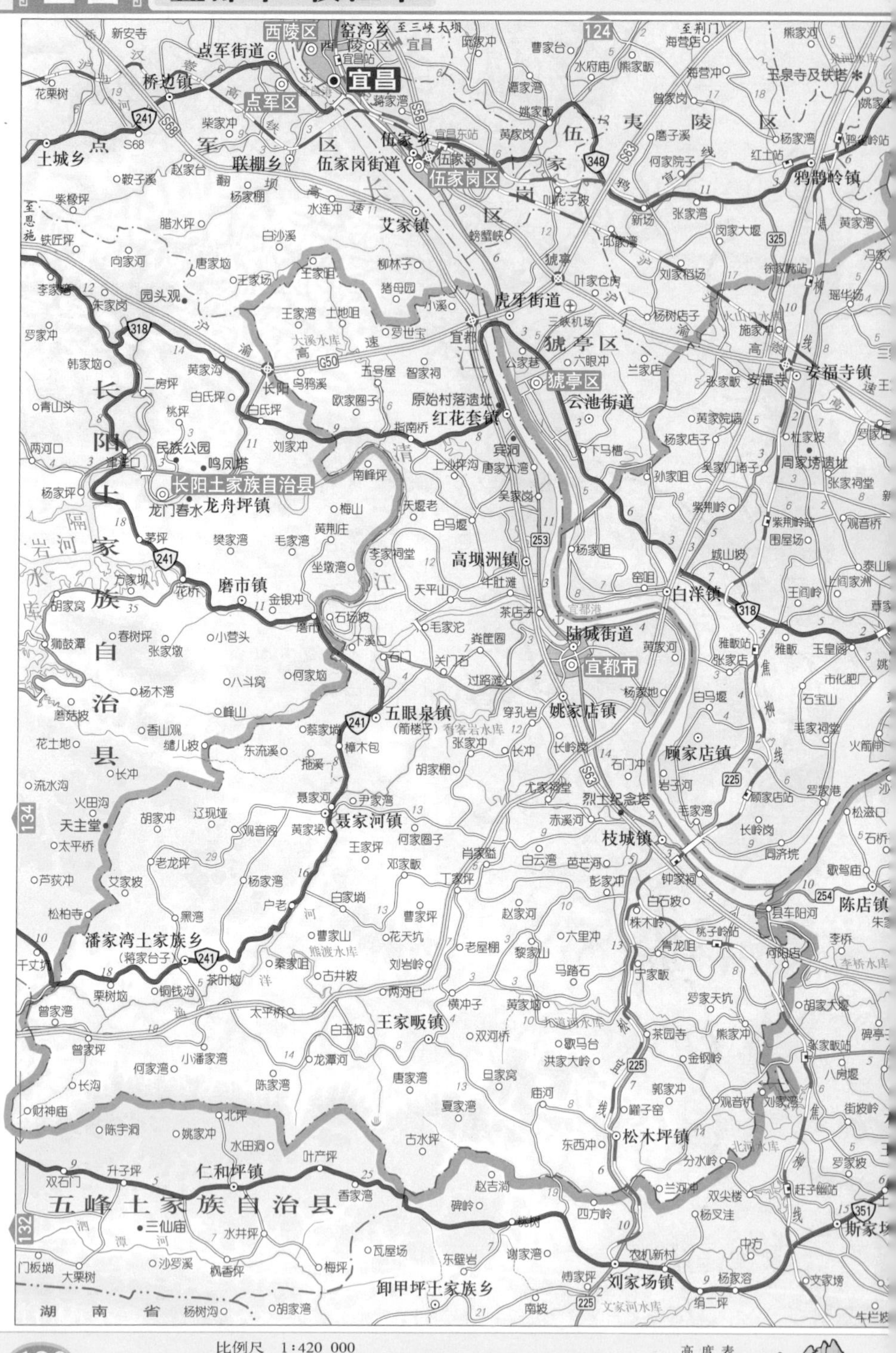

比例尺 1:420 000

4.2千米 0 4.2 8.4 12.6千米

高度表

0 50 100 200 300 400 500 600 800 1000 1200 1500 2000 2500 3000米

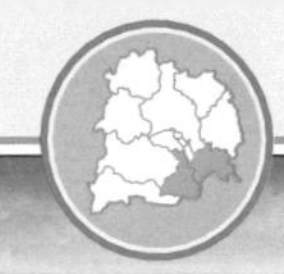

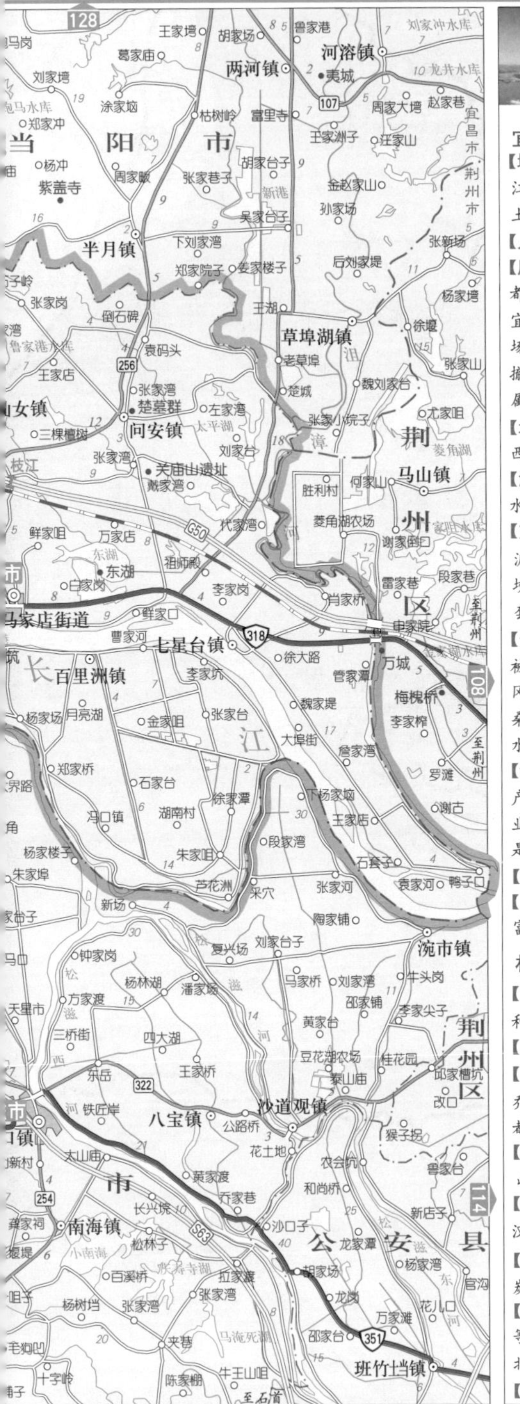

宜都市

【地理位置】位于宜昌市南部，长江中游南岸，北隔长江与枝江市相望，东南邻松滋市，西部与五峰、长阳土家族自治县交界，北与宜昌市辖区接壤。

【人口面积】人口39万，面积1357平方千米。

【历史沿革】东汉建安十五年（公元210年）刘备设宜都郡，“宜都”至此得名。天嘉元年（公元560年）改宜都郡为宜都县。曾是三国时期“夷陵之战”的主战场，也是清朝“川楚白莲教起义”的首义地。1987年撤销宜都县设立枝城市。1998年6月更名为宜都市，隶属湖北省宜昌市。

【地　　形】地处鄂西山地向江汉平原过渡地带，地势西南高东北低，地貌以丘陵为主，山地、平原兼有。

【河流湖泊】长江、清江、渔洋河、香客岩水库、熊渡水库、白凤溪水库、大溪水库。

【交　　通】焦柳铁路、松宜铁路相连，沪汉蓉高铁、沪渝高速公路在北部过境，225、253、325等省道通过境内，水运有长江航运和清江航运，主要港口有红花套、陆城、枝城、洋溪。

【资　　源】矿产资源有重晶石、粘土、石英砂等。植被类型属亚热带常绿阔叶林，主要有杉木、马尾松、青冈栎、栓皮栎、竹林、乌桕、油桐、油菜、胡枝子、马桑、茅草和蕨类等。水资源丰富，河流密布，均属长江水系。

【经　　济】工业有建材、化工、医药、纺织、能源等产业，是湖北省较早的“五小”工业基地和全国乡镇企业中西部合作示范区。农业以水稻、小麦、玉米为主，是全国首批园艺产品和茶叶出口示范区。

【风景名胜】烈士纪念塔、原始村落遗址、宾洞。

【土特产品】功夫茶、金头蜈蚣、黄陵无核甜橙、天然富锌茶、松云有机茶、波尔羊、光明柑、清江鱼等。

枝江市

【地理位置】位于宜昌市东南部,西、西北与宜昌市辖区和宜都市接壤,南连松滋市,东连荆州区,北抵当阳市。

【人口面积】人口48万，面积1310平方千米。

【历史沿革】枝江,周称丹阳,属楚,秦因“蜀江至此如乔木分枝”而得名,西汉元年始置县治.1955年并入宜都县,1962年恢复枝江县,1996年撤县设市。

【地　　形】地处鄂西山区与江汉平原的过渡地带,荆山山脉南麓,湖泊河流众多。

【交　　通】318国道、沪渝高速公路、焦柳铁路和沪汉蓉高铁(在建)过境,长江黄金水道穿越枝江全境。

【资　　源】矿藏资源有砂金,陶土,矿泉水,磷矿,煤炭,石灰石,花岗石,石墨等。水资源丰富。

【经　　济】工业有食品,机械,化工,纺织,建材,造纸等产业。农业以水稻,棉花,小麦,油菜为主,是国家和湖北省确定的优质粮,棉,油和水果,水产生产基地。

【风景名胜】关庙山遗址,楚墓群,东湖,周家塝遗址。

当阳市 远安县

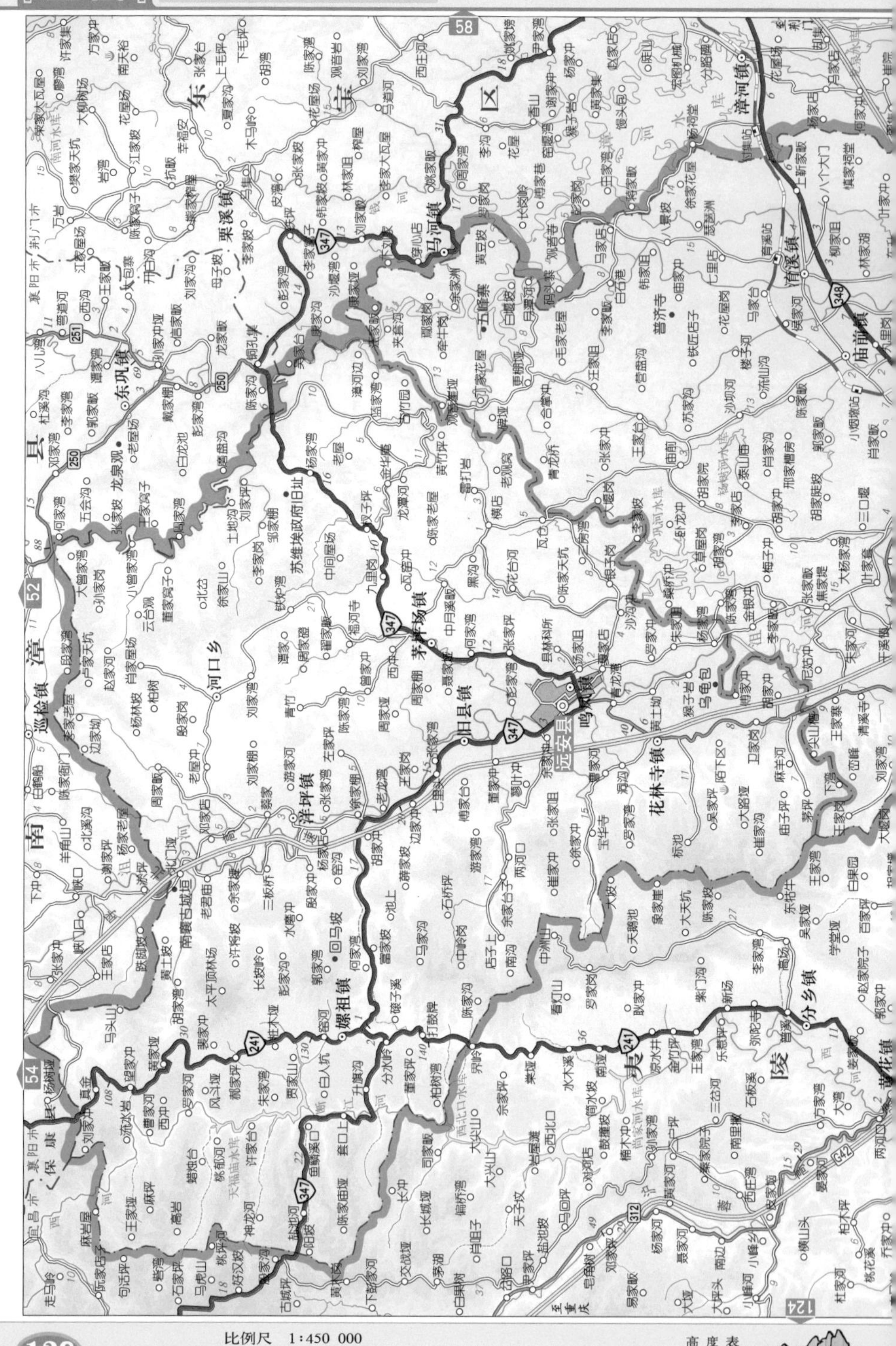

比例尺 1:450 000

4.5千米 0 4.5 9.0 13.5千米

高度表

0 50 100 200 300 400 500 600 800 1000 1200 1500 2000 2500 3000米

当阳市

【地理位置】 位于宜昌市东北部，西北与远安县接壤，西与西南临宜昌市辖区，南接枝江市与荆州市，东连荆门市辖区、沙洋县。

【人口面积】 人口46万，面积2159平方千米。

【地　　形】 西部为鄂西山脉低山丘陵，中部和东南部为冲积平原。

【河流湖泊】 沮河、漳河、沮漳河、巩河水库、官道河水库、三星寺水库、杨树河水库、白河水库。

【交　　通】 焦柳铁路与沪蓉高速公路斜贯境内，107、256、311等省道过境。

【资　　源】 矿藏有煤、石膏、石英砂、磷矿石、石灰石、高岭土、银、铜、铁等。盛产茶叶、蚕茧、烟叶、黑木耳。水资源丰富。

【经　　济】 工业以食品、建材、纺织、化工为主。农业以粮食、棉花、油料等为主，是全国商品粮、商品鱼和水果生产基地。

【风景名胜】 玉泉寺国家森林公园、长坂坡、玉泉寺及铁塔、普济寺、夷城、关帝陵、紫盖寺、五峰寨。

【土特产品】 蚕茧、烤烟、黑木耳、茶叶。

远安县

【地理位置】 位于宜昌市东北部，北抵保康、南漳县，东临荆门市辖区，南接当阳市，西连宜昌市辖区。

【人口面积】 人口19万，面积1752平方千米。

【地方特色】 是黄帝之妻、中华民族之母嫘祖的故里，楚文化发祥地之一。

【地　　形】 地处鄂西山地向江汉平原过渡地带，以低山丘陵为主。

【河流湖泊】 沮河、天福庙水库。

【交　　通】 224、250省道相会县城，223省道纵贯西部。

【资　　源】 矿藏资源丰富。现已探明的有磷矿石、煤矿、紫砂陶土、硅石、石灰石等。是全国磷化工基地；森林覆盖率达65%，素有“林海”之称；为湖北省茯苓、天麻重要产区。水能蕴藏量巨大。

【经　　济】 工业有化工、森林加工、建材、食品、汽车配件等产业。农作物有水稻、花生、油菜、玉米等。

【风景名胜】 南襄古城垣、苏维埃政府旧址、回马坡、乌龟包。

【土特产品】 垭丝、鹿苑茶、鸣凤米、食用菌、冲菜、桑蚕。

明显陵 世界遗产　武当山 国家级风景名胜区　青龙山 国家级自然保护区　神农架 国家级森林、地质公园　服务区　出入口　里程起迄点　收费站

兴山县

【地理位置】位于宜昌市西北部，北接神农架林区，东邻保康县与宜昌市夷陵区，南与秭归县相连，西与巴东县接壤。

【人口面积】人口16万，面积2327平方千米。

【历史沿革】兴山县始建于三国吴景帝永安三年（260年），距今已有1700多年历史。因“环邑皆山，县治兴起于群山”，故名兴山。

【地方特色】历史悠久，是西汉王昭君的故乡。

【地　　形】处鄂西山地，地势为东西北三面高，南面低，由南向北逐渐升高。东北部群山重叠，多山间台地，向南逐渐降低，西北部山高坡陡，沟深谷幽，水流湍急。

【主要河流】东河、香溪河等。

【交　　通】沪蓉高速公路、209国道和230、252等省道

【风景名胜】龙门河国家森林公园、昭君故里、昭君台、井、昭君宅、高岚、王家祠堂、大花屋、三观台、石佛市家坪。

【土特产品】杜仲、脐橙、夏橙、伏苓、猕猴桃。

【景点介绍】**龙门河国家森林公园** 位于湖北省兴境内，1992年建园，面积为46平方千米。公园内气候、植被等都具有南北过渡的特征，被植物学家誉为“天然园”。是以自然山水为主体，兼有原始植被森林景观、传说、风土人情。

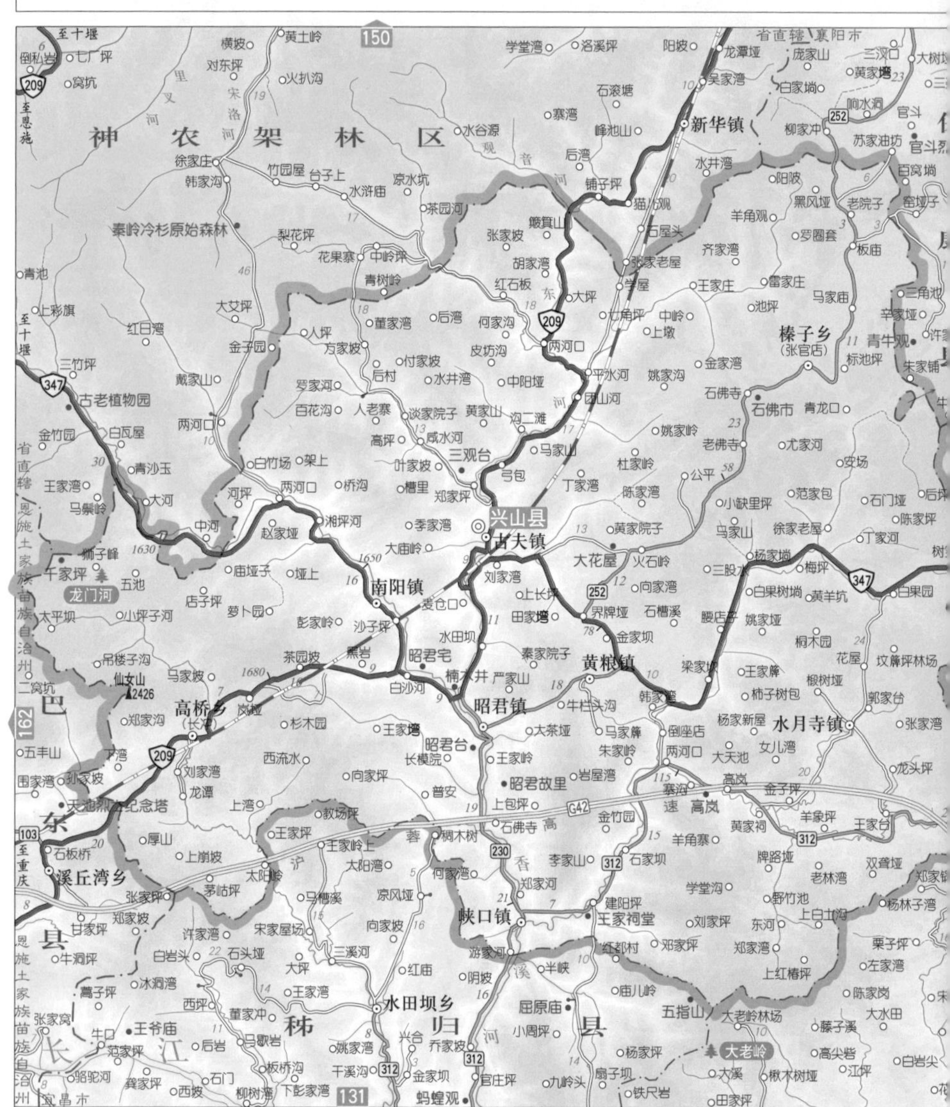

比例尺　1:490 000

4.9千米　0　4.9　9.8　14.7千米

高度表

0 50 100 200 300 400 500 600 800 1000 1200 1500 2000 2500 3000米

归县

【位置】 位于宜昌市西部，东与宜昌市辖区接壤，南同
土家族自治县相接，西邻巴东县，北连兴山县。

面积】 人口37万，面积2427平方千米。

特色】 是楚文化发源地，是世界文化名人屈原的故
居《水经注》，“屈原有贤姊，闻原放逐亦来归，因名
。

形】 地处大巴山、巫山余脉和八面山结合地带，地
四面高，中间低，呈盆地形。

河流】 长江、香溪河等。

通】 255、312等省道过境。

【资　源】 矿藏有煤、铁、金、硅石、白云石等，是全国重点产煤县，省重点产金县。

【经　济】 工业有煤矿、陶瓷、造纸、酿酒等产业；农业以水稻、小麦、玉米、烤烟为主。是全国柑橘主要产区。

【风景名胜】 西陵峡、王爷庙、水府庙、蚂蝗观、屈原庙、五指山、屈原纪念馆。

【土特产品】 脐橙、锦橙、夏橙、桃叶橙。

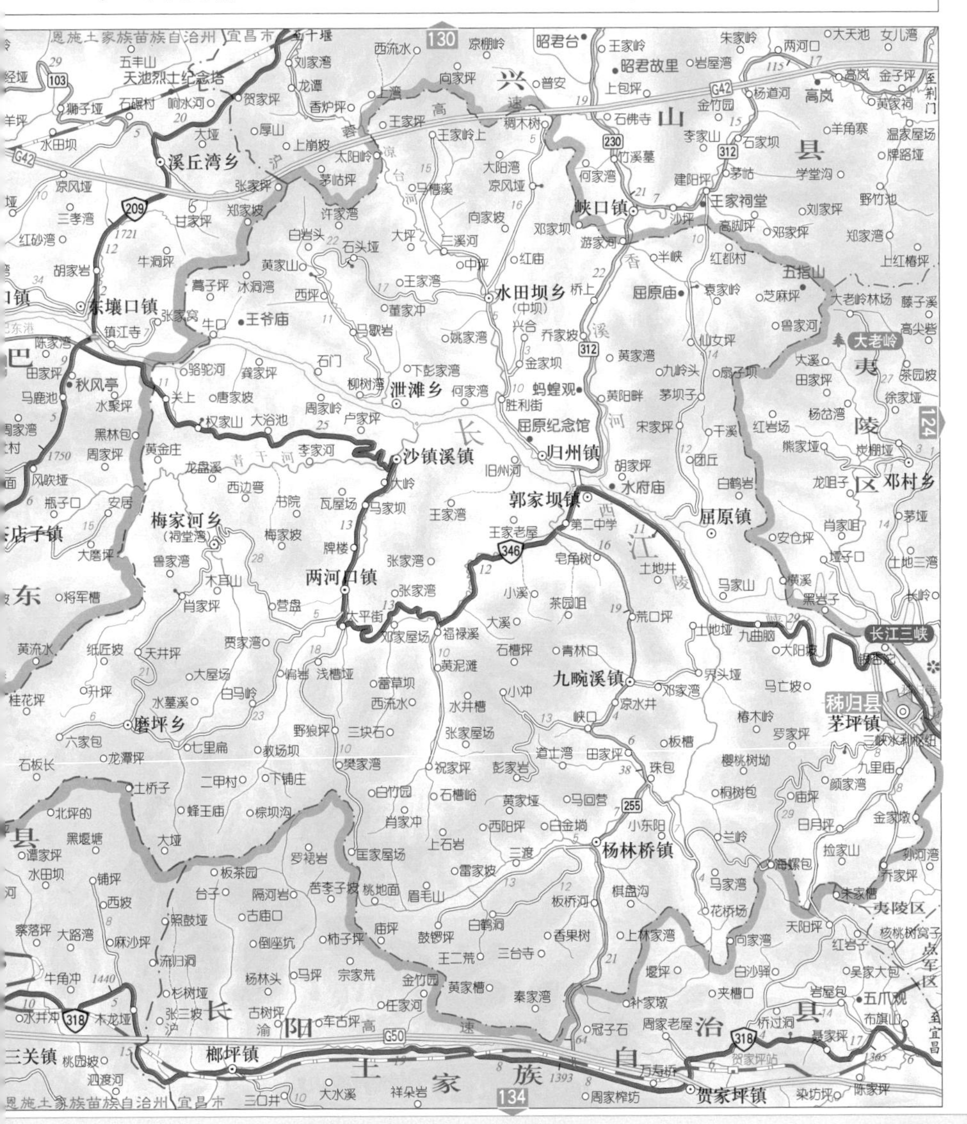

五峰土家族自治县

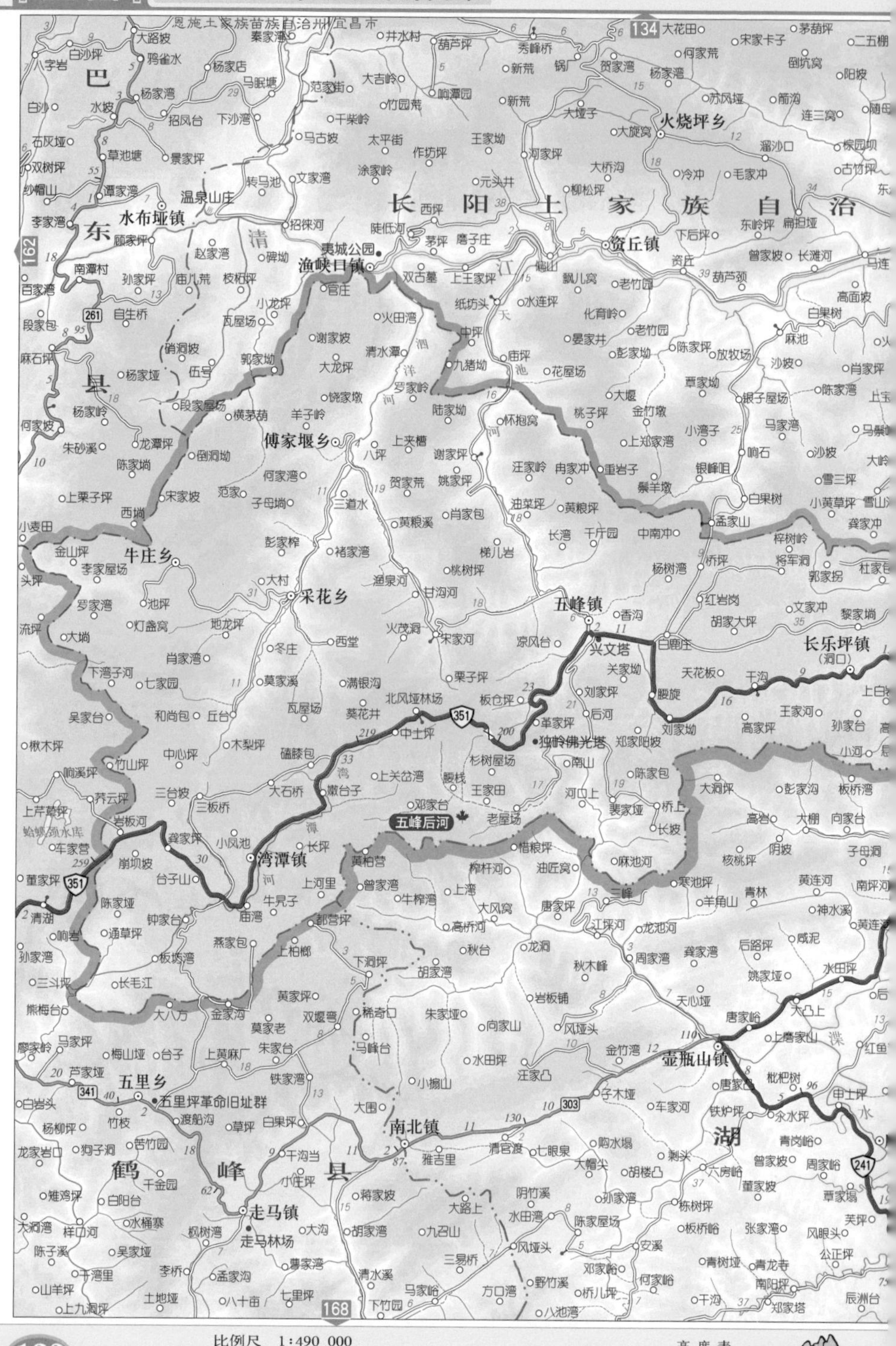

比例尺 1:490 000

4.9千米 0 4.9 9.8 14.7千米

高度表

0 50 100 200 300 400 500 600 800 1000 1200 1500 2000 2500 3000米

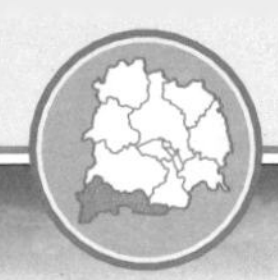

【地理位置】 位于宜昌市南部，北接长阳土家族自治县和巴东县，西邻鹤峰县，南与湖南省接壤，东连宜都市和松滋市。

【人口面积】 人口20万，面积2072平方千米。

【历史沿革】 原名长乐县。雍正13年（公元 1723年）开始设县。1914年更名为五峰县，以县治西南五峰山命名。1984年7月成立五峰土家族自治县。

【地　　形】 属武陵山支脉，全境皆为山区，地势西高东低。

【主要河流】 天池河、泗洋河、湾潭河。

【交　　通】 325省道横贯东西与257省道相会县城。

【资　　源】 矿产资源丰富，已探明矿种有重晶石、方解石、白云石、原煤等。森林覆盖率达79.1%，以松杉、栎为主。是全国无公害农产品（茶叶）示范基地县、全国马里兰烟生产基地和湖北省绿色食品示范基地县之列。盛产党参、独活、当归、天麻、黄连等中药材。

【经　　济】 工业建成林产林化、水电和农副产品加工三大支柱产业。农业以种植水稻、小麦、玉米为主，是全国茶叶、烟叶生产基地之一。

【风景名胜】 柴埠溪国家森林公园、五峰后河国家级自然保护区、国家地质公园五峰、兴文塔、独岭佛光塔、云台观、三仙庙。

【土特产品】 烟叶、中药材、魔芋、采花毛尖、剑毫、虎狮茶叶。

【景点介绍】 **柴埠溪国家森林公园** 位于五峰土家族自治县境内。1996年被批准为国家级森林公园，总面积近60平方千米，是一条东西走向长30千米，南北宽1至3千米的深切型大峡谷。溪岸有天然而生的八大崖口进入溪谷。柴埠溪以峡谷、石林、绝壁、清溪、密林最富魅力，以幽野、险峻、原始、神奇四绝著称。有坛子口、大湾口、蛟口、断山口四大景区，还有一个内口生态保护区。此外，柴埠溪是土家族聚居地。在此可观赏民族建筑吊脚楼、土家织锦西兰卡普、南曲、堂戏等。

柴埠溪国家森林公园

明显陵 世界遗产　　青龙山 国家级自然保护区　　服务区　　里程起迄点

武当山 国家级风景名胜区　　神农架 国家级森林、地质公园　　出入口　　收费站

长阳土家族自治县

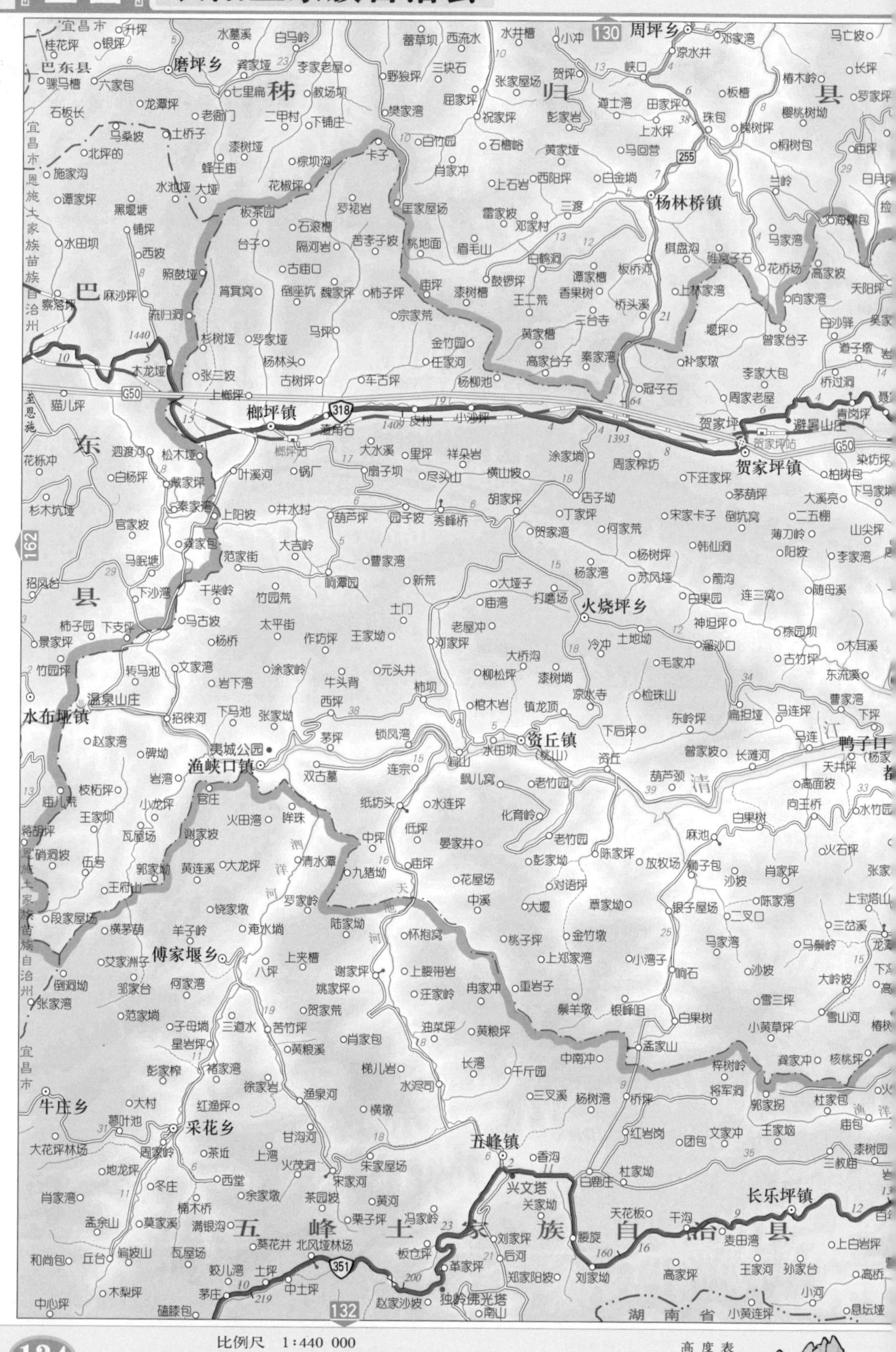

比例尺 1∶440 000

4.4千米 0 4.4 8.8 13.2千米

高度表

0 50 100 200 300 400 500 600 800 1000 1200 1500 2000 2500 3000米

【地理位置】 位于宜昌市中南部，清江中下游，东邻宜都市，南依五峰土家族自治县，北接秭归县和宜昌市辖区，西毗巴东县。

【人口面积】 人口39万，面积3430平方千米。

【历史沿革】 设县始于西汉。自西汉高祖元年，长阳首置佷山县，至隋朝时改佷山县为“长杨”县，唐易“长杨”为“长阳”，县名自此始定。1949年后，设长阳县人民政府。1984年7月，设立长阳土家族自治县。

【地方特色】 历史悠久，文化璀璨。是19万年前“长阳人”的故乡，是四千年前巴人的发祥地，有“歌舞之乡”之美誉。

【河流湖泊】 清江、隔河岩水库。

【交　通】 沪汉蓉高铁、沪渝高速公路和318国道从本县北部过境，清江航道横穿全境。

【资　源】 矿产资源丰富，主要有铁、汞、煤、锰、磷等，其中汞是湖北唯一矿藏，锰是全国九大锰田之一，煤是全国重点产煤县之一。林业、畜牧、药材、水产业发展得天独厚，古生稀树种有珙桐、水青、天狮栗、银鹊、巴山榧、铁肩杉等，较名贵和珍稀的动物有金钱豹、香獐、穿山甲、灵猫、麂子、猕猴等。

【经　济】 工业以印刷、造纸、农产品加工为主。农作物有水稻、玉米、小麦、油菜等。是国家油桐重点生产县。棕片产量居全国首位。

【风景名胜】 清江国家森林公园、国家地质公园长阳清江、龙门春水、鸣凤塔、民族公园、园头观、天主堂、避暑山庄、五爪观、温泉山庄、夷城公园、长阳人化石洞。

【土特产品】 皱皮木瓜、香菌、木耳、天麻、杜仲、栀果、魔芋粉条、山羊板皮、棕片。

【民族风情】 民风淳朴，习俗奇异，以歌舞祭奠亡灵的跳丧舞、哭泣庆贺婚嫁的哭嫁歌为代表的民俗文化独具魅力。长阳山歌、 南曲、 巴山舞被誉为土家文化“三件宝”，蜚声海内外。

【景点介绍】 **清江国家森林公园** 位于长阳土家族自治县境内，北望三峡，南屏五峰，东通江汉平原，西达鄂西山区，距举世闻名的长江三峡大坝70千米，距世界水电旅游名城宜昌市45千米。清江，是长江冲出三峡后的第一大支流，从鄂西齐岳山逶迤而来。1996年建园。

清江风景

明显陵 世界遗产　青龙山 国家级自然保护区　服务区　里程起迄点
武当山 国家级风景名胜区　神农架 国家级森林、地质公园　出入口　收费站

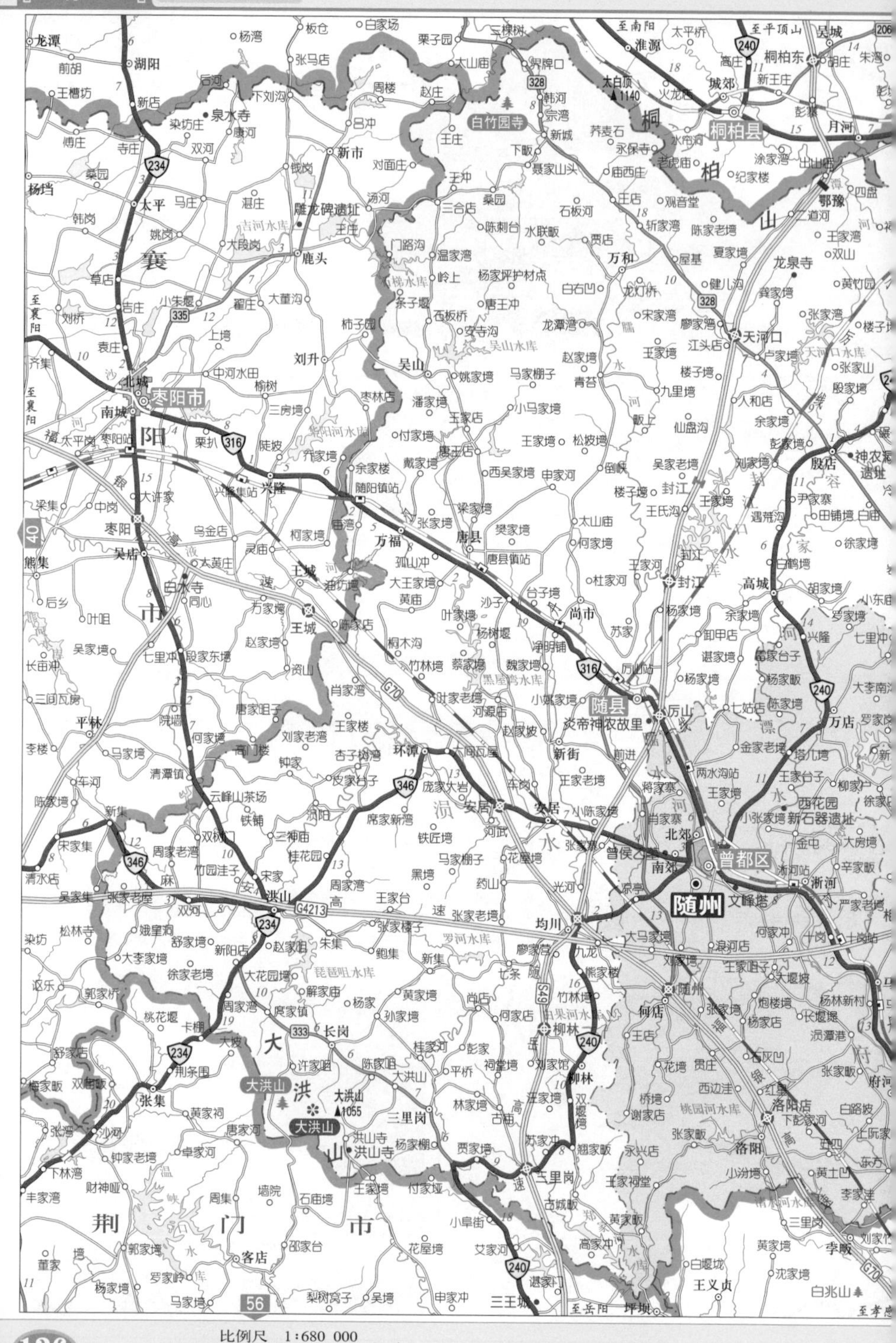

比例尺 1:680 000

6.8千米 0 6.8 13.6 20.4千米

【地理位置】位于湖北省北部，东、东南与孝感市毗邻，西南与荆门市接壤，西与襄阳市相连，北、东北与河南省交界。

【行政区划】辖曾都区、随县和广水市，市政府驻曾都区。

【人口面积】人口249万，面积9636平方千米。

【历史沿革】夏商为厉国，周为随侯国，春秋为汉东大国。战国末楚灭随建县。新中国成立后，曾分设随县、洪山两县，1979年设随州市和随县，1983年撤县并入随州市，2000年设立地级随州市。

【地　　形】地处汉江和淮河流域的交汇地带。地貌以低山丘陵为主，兼有山地和冲积平原。

【最高山峰】太白顶，海拔1140米。

【气　　候】属亚热带气候，日照充足，气候温和。

【交　　通】京广、汉丹、宁西铁路和福银、麻竹、随岳高速公路及107、312、316国道过境，小厉铁路连接宁西铁路和丹阳铁路。210、212、306、328等省道在境内相连成网。

【资　　源】境内矿产有：金、银、铜、大理石、钾长石、磷矿石、矾石等。森林覆盖率达50%以上。稀有珍贵树种有银杏、水杉、香果树、青檀、山拐枣、白玉兰、牛鼻栓、黄杨木等。野生动物有雉鸡、杜鹃、穿山甲、娃娃鱼等。水利资源发达，境内大小河流480余条。

【风景名胜】随州市是国家历史文化名城，旅游资源以“山奇水秀林珍古迹多”而闻名。主要有国家级风景名胜区大洪山，国家森林公园中华山、大洪山，洪山寺、西花园新石器遗址、神农洞遗址、相公庙、高桂三潭、曾侯乙墓、匡家湾遗址、龙泉寺等。

【土特产品】神农李、中华猕猴桃、吉阳大蒜、金黄蜜枣、香菇、茶叶、红头蜈蚣、水杉、青檀、牛鼻栓、山拐枣、银杏、白玉兰、香果树等。

【景点介绍】**大洪山**　位于随州市西南部，方圆360多平方千米，横卧江汉，蜿蜒荆襄。山体自西北向东南绵延约140千米，大洪山主峰宝珠峰，海拔1055米，相对高差800多米，四周悬崖峭壁，与近在咫尺的悬钩岩、笔架山环峙鼎立，十分壮观。1988年批准为国家级风景名胜区。景点主要有洪山寺、千年银杏、仙人洞、双门洞、黄岩洞、白龙池、珍珠泉和新阳温泉等。

大洪山

明显陵 世界遗产　青龙山 国家级自然保护区　服务区　里程起迄点
武当山 国家级风景名胜区　神农架 国家级森林、地质公园　出入口　收费站

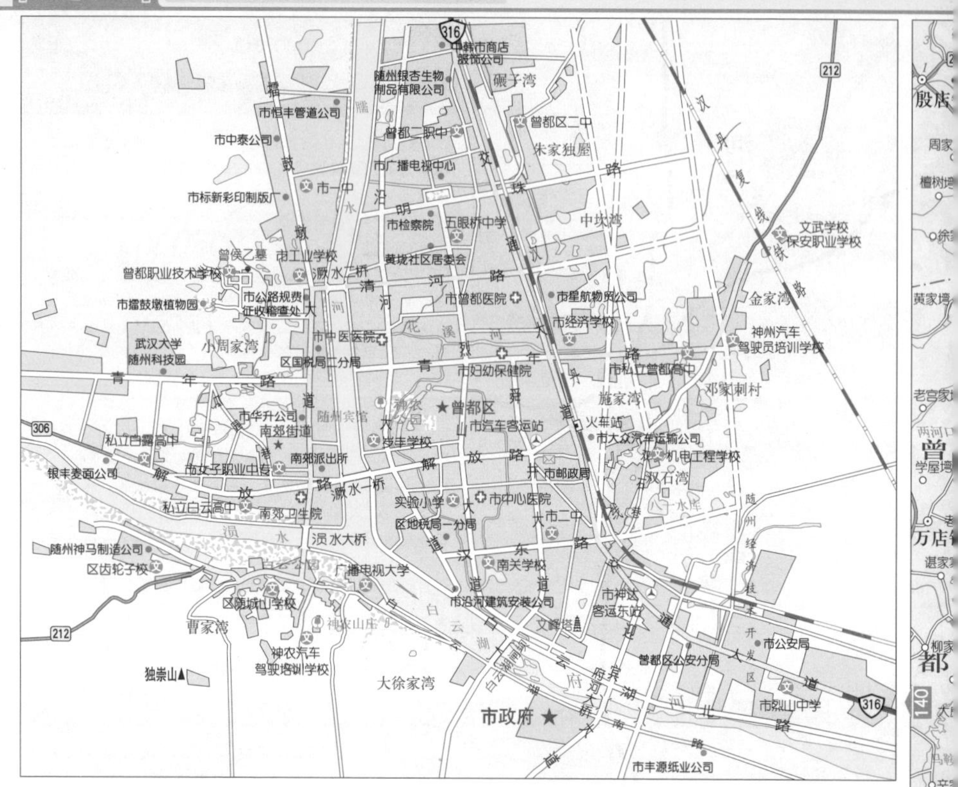

随州城区

【城市特色】 国家历史文化名城，风景毓秀，旅游资源以“山奇水秀林珍古迹多”而闻名。

【交　　通】 国家历史文化名城，汉丹铁路、316国道和 212、306省道穿过城区。

【土特产品】 茶叶、银杏、蜜枣。

【风味小吃】 蜜枣羊肉、滑肉。

【风景名胜】 曾侯乙墓、文峰塔、白云公园、神农公园。

【景点介绍】 **曾侯乙墓** 位于随州市区西北2.5千米擂鼓墩，是战国早期曾国国君曾侯乙之墓。这里出土的曾侯乙编钟，是有64件大小不同的青铜编钟组成的大型乐器，铸造之精、音律之全、音色之美，被誉为“世界第八大奇迹”。

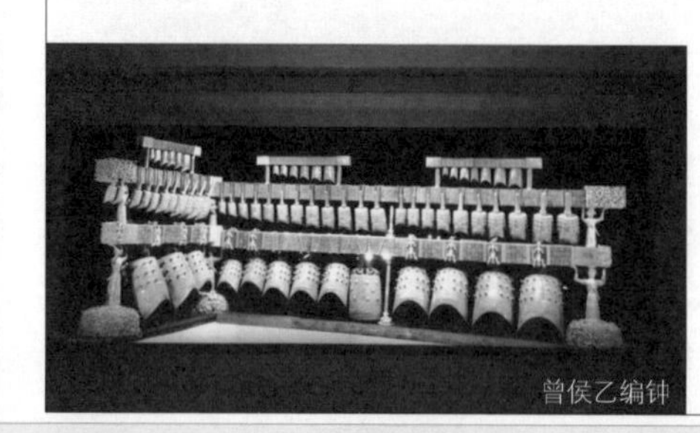
曾侯乙编钟

广水市

【地理位置】 位于随州市东部，北接河南省，东邻大悟县，南与安陆市、孝昌县接壤，西连曾都区与随县。

【人口面积】 人口91万，面积2647平方千米。

【地　　形】 地势东北高西南低，北部层峦叠嶂，南部为低山丘陵，间有小块平原河谷。

【河流湖泊】 府河徐家河水库、花山水库。

【交　　通】 京广铁路和107国道纵贯本市东部，麻竹高速横穿东西，316国道西部过境。210、304、328省道相通。

【资　　源】 矿产资源丰富。有铁、锰、云母、大理石、钇、磷、萤石、白云岩、瓷石等。动植物资源丰富，森林面积92000平方米，活木积蓄量85万立方米，珍贵树种有银杏、香果树、白玉兰、杜仲、青檀等。

【经　　济】 工业有机械、采矿、卷烟、印刷、建材、乳酸、农副产品深加工等。农业水稻、小麦、棉花、油料和薯类。

【风景名胜】 中华山国家森林公园、观音畈遗址、高桂三潭、么湾遗址、周家畈遗址、相公庙、匡家湾遗址、黑洞湾基地、将军寨、娘娘顶、大贵寺、大贵寺龙爬寨大贵寺金顶。

【景点介绍】 **高桂三潭** 又称圣水井。在广水市城北20余千米的高桂山峡谷中。两侧悬崖峭壁，高处青苔密布。三座石潭，顺峡底依次排列，呈不规则圆形。

明显陵 世界遗产　青龙山 国家级自然保护区　服务区　里程起迄点
武当山 国家级风景名胜区　神农架 国家级森林、地质公园　出入口　收费站

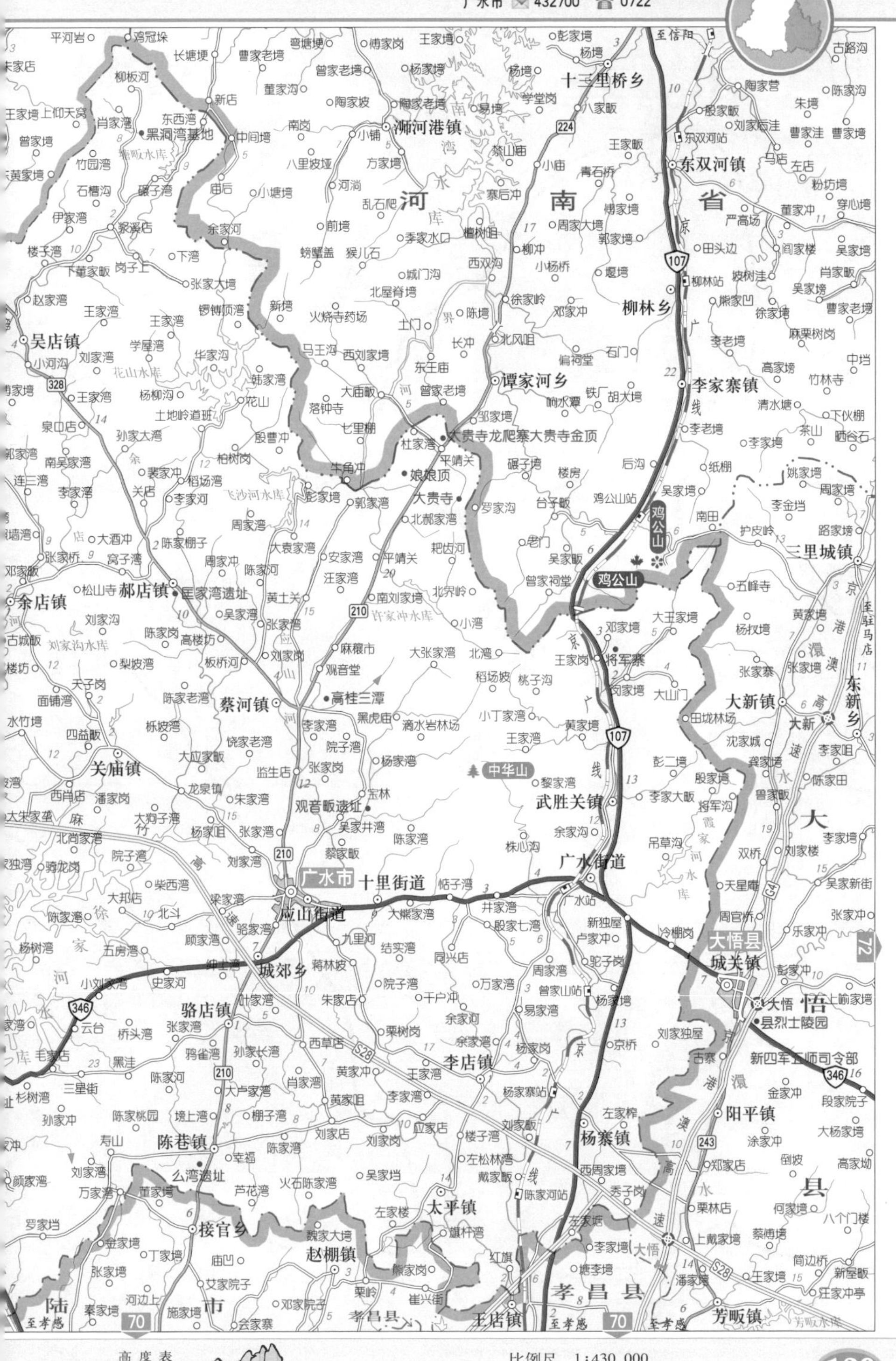

高度表

0 50 100 200 300 400 500 600 800 1000 1200 1500 2000 2500 3000米

比例尺 1:430 000

4.3千米 0 4.3 8.6 12.9千米

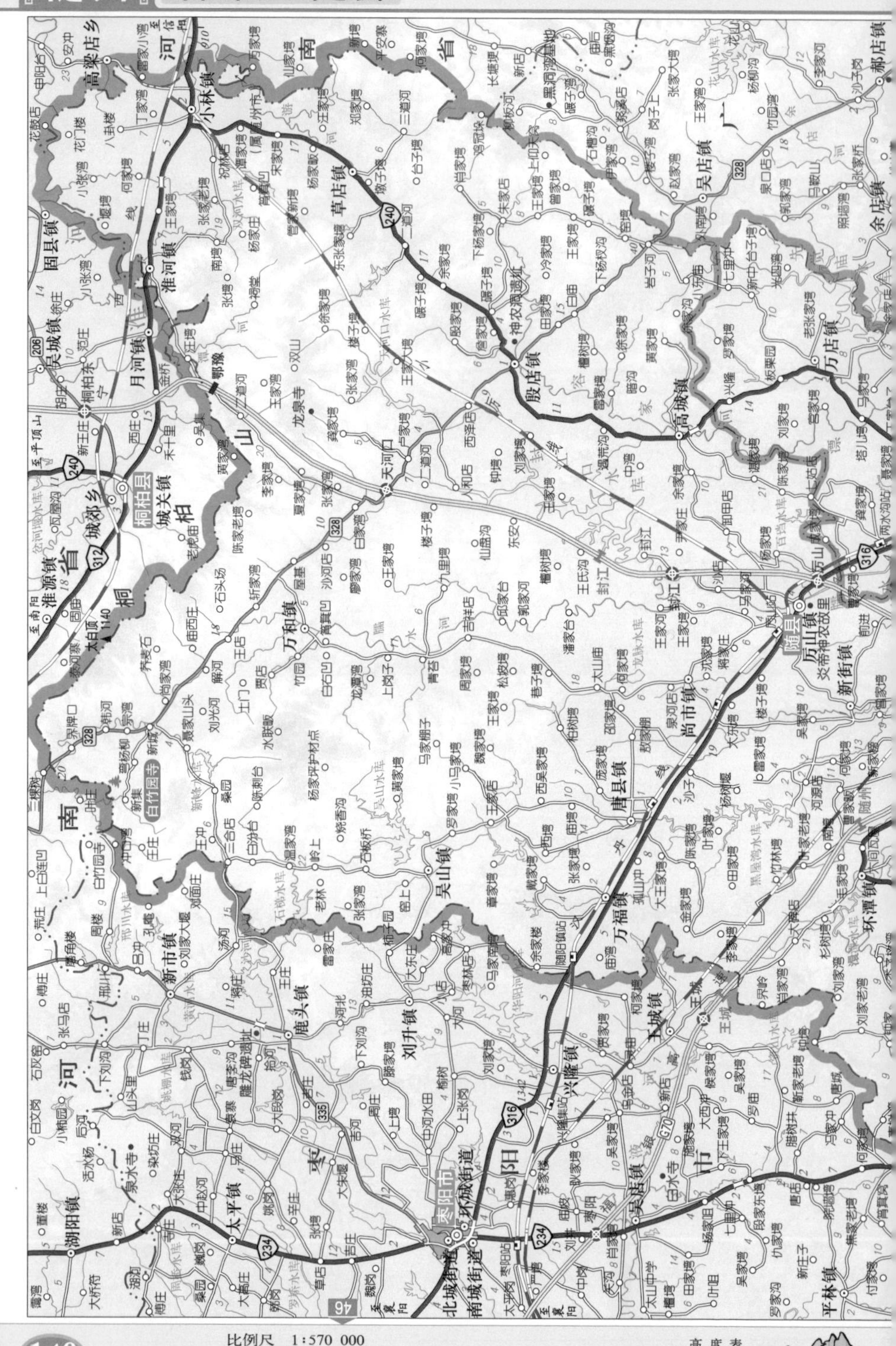

比例尺 1:570 000

5.7千米 0 5.7 11.4 17.1千米

高度表

0 50 100 200 300 400 500 600 800 1000 1200 1500 2000 2500 3000米

曾都区

【地理位置】 位于随州市南部，西、北接随县，东连广水市，南与安陆市、京山市相接。

【人口面积】 人口66万，面积1379平方千米。

【地方特色】 是国家历史文化名城，中华民族的始祖炎帝神农就诞生在这里，他创耕耘、植五谷、尝百草、兴贸易，开创了中华民族的农耕文明。

【河流湖泊】 涢水、漂水、桃园河水库、郑家河水库。

【交　　通】 汉丹铁路过境，福银、麻竹高速公路和316国道过境。

【资　　源】 矿产资源有金、银、铜、铁、铝、稀土、重晶石、大理石、莹石、石灰石、钾长石、磷矿石等，其中重晶石储量居全省之首，质量居全国之冠。

【经　　济】 工业有纺织、建材、汽车、轻工、医药、食品等产业。农业以水稻、棉花、油料为主，素有“鄂北粮仓”之称。

随县

【地理位置】 位于随州市西部。北接河南省，东连广水市和曾都区，南与京山市、钟祥市相连，西与宜城、枣阳市接壤。

【人口面积】 人口92万，面积5610平方千米。

【地　　形】 境内北部有桐柏山，南部有大洪山，中部为岗地和冲积平原。

【河流湖泊】 淮河、涢水、封江口水库、罗河水库、琵琶咀水库、黑屋湾水库等。

【交　　通】 汉丹铁路与小厉铁路相连，福银、随岳高速相交，316国道过境。

【风景名胜】 大洪山风景名胜区和国家森林公园，炎帝神农故里、洪山寺、神农洞遗址、龙泉寺。

【景点介绍】 **炎帝神农故里** 位于随州市曾都区北部20千米处。因史书记载“神农母安登，感农而生炎帝”于此，故称神农故里。在此，建有炎帝神农洞、炎帝神农碑、炎帝神农纪念广场、炎帝神农纪念馆、神农百草园、炎帝神农牌坊等。主要有姜河新潮、九岭晴岚、烟寺晚钟、山村夕照、古洞青雪、断岩缩雾等自然景观。几千年来，每逢炎帝生辰祭日，世界各地的群众前来敬奉，缅怀华夏始祖。

神农故里

明显陵 世界遗产
武当山 国家级风景名胜区
青龙山 国家级自然保护区
神农架 国家级森林、地质公园
服务区
出入口
里程起迄点
收费站

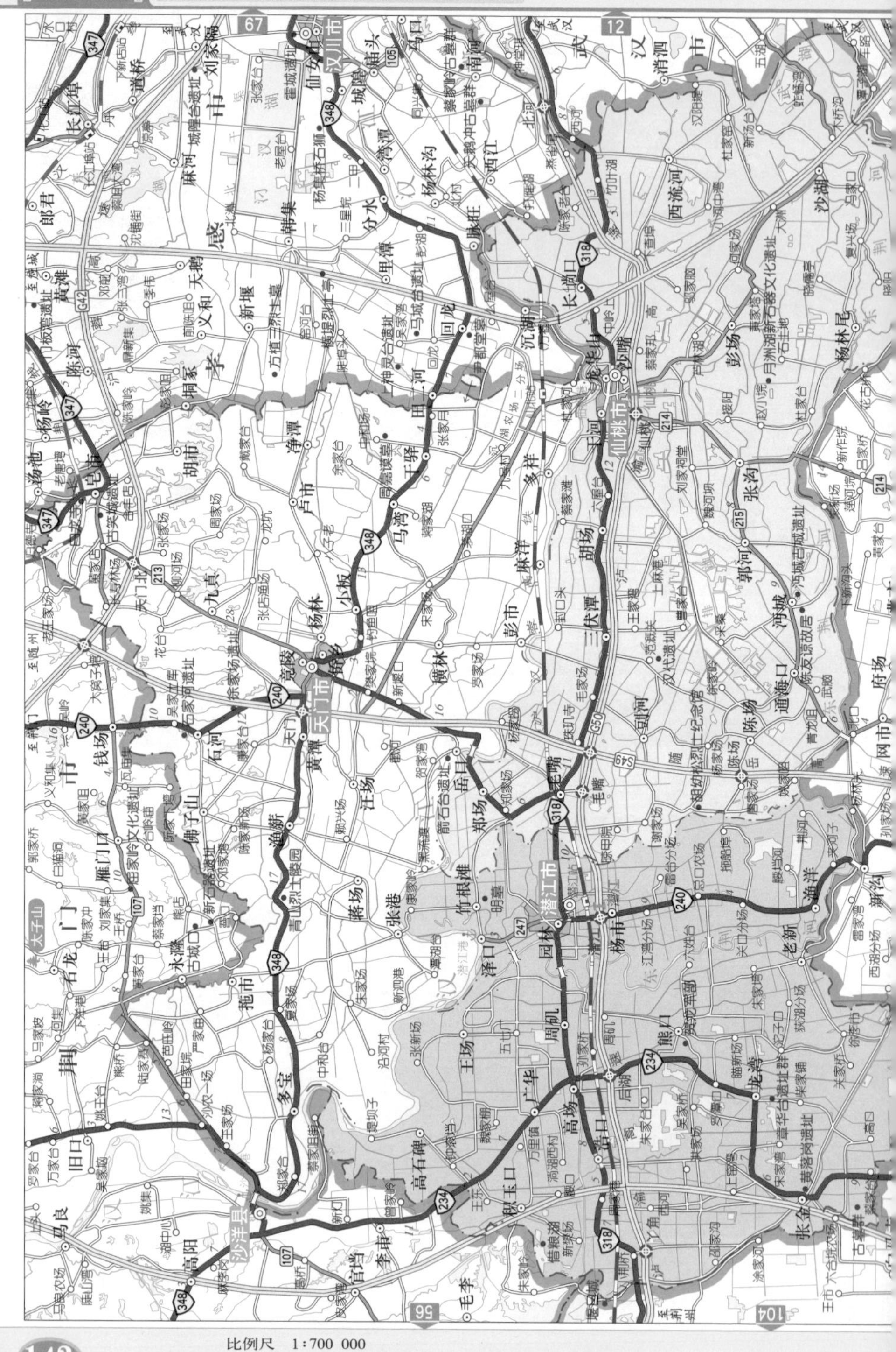

比例尺 1:700 000

7.0千米 0 7.0 14.0 21.0千米

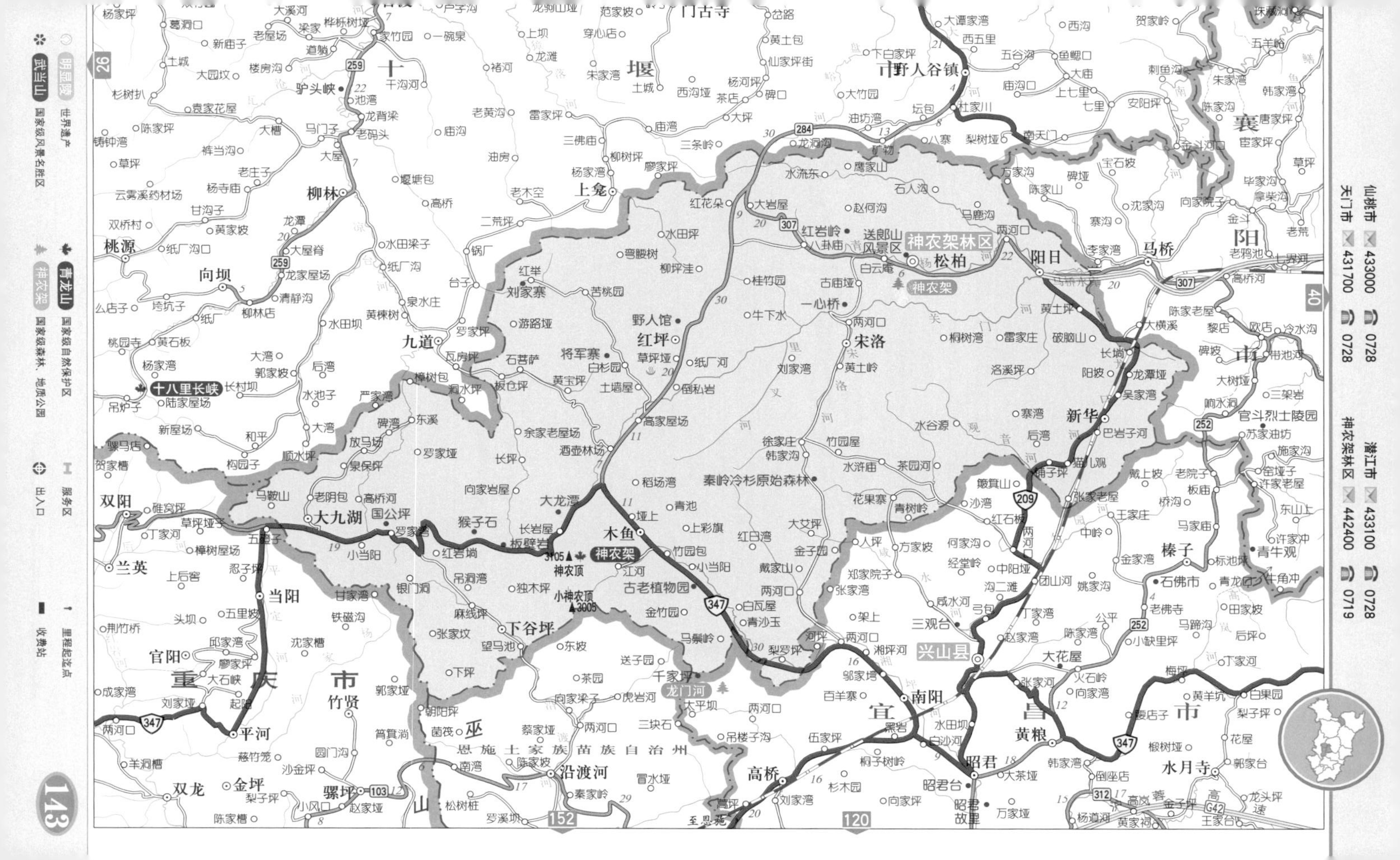

世界遗产　国家级自然保护区　服务区　里程起迄点
国家级风景名胜区　国家级森林、地质公园　出入口　收费站

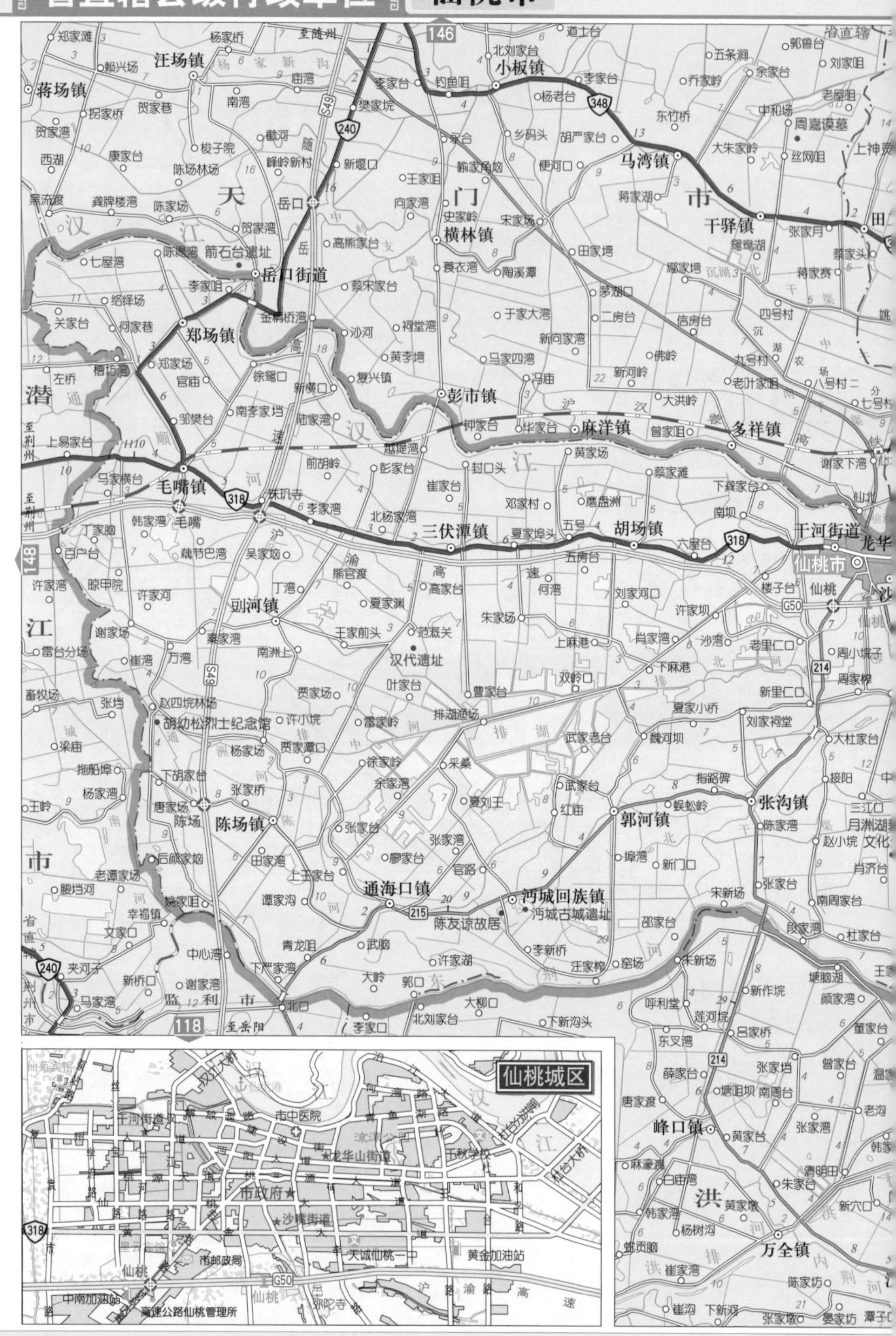

比例尺 1:400 000

4.0千米 0 4.0 8.0 12.0千米

高度表

0 50 100 200 300 400 500 600 800 1000 1200 1500 2000 2500 3000米

【地理位置】 位于湖北省中南部，东邻武汉市和蔡甸区、汉南区,西接潜江市，南与洪湖市相望，北隔汉江与天门市、汉川市为邻。

【人口面积】 人口153万，面积2538平方千米。

【历史沿革】 秦时属南郡，北周时为复州建业县城。隋大业三年（公元607年）将建业县改为沔阳县，明为沔阳州，沿用到清末。1913年改沔阳州为沔阳县。1951年析县南境置洪湖县，属荆州专区。1986年撤县设市改称仙桃市（县级），1994年改为省直辖县级市。

【地　　形】 境内为冲积平原，地势平坦，起伏甚微。

【河流湖泊】 汉江、东荆河、通顺河、通州河。排湖、鲫鱼湖、南武湖等。

【气　　候】 属亚热带季风气候，四季分明。年平均气温16.5℃，年无霜期258天，年平均日照时数为1934.8小时。

【交　　通】 沪渝高速公路和318国道横穿东西，随岳高速纵贯西部，214、215等省道过境，沪汉蓉高铁过境。

【资　　源】 境内非金属矿产丰富。其中石油、天然气资源分布广泛，岩盐资源丰富。

【经　　济】 工业有纺织服装、医药化工、食品加工等产业。农业以水稻、棉花、油料为主,盛产粮、棉、油、鱼、猪、鸭、藕等多种农副产品，是国家重要的粮、棉、鱼生产基地,誉称“鱼米之乡”。

【风景名胜】 沙湖新石器文化遗址、沔阳古城遗址、陈友谅故居、汉代遗址、胡幼松烈士纪念馆、月洲湖新石器文化遗址等。

【土特产品】 沙湖红心盐蛋、毛嘴卤鸡、汉水源豆豉、沙湖干刁子鱼、松花皮蛋。

【景点介绍】 **陈友谅故居** 位于仙桃市沔城回族镇，占地8000多平方米。陈友谅是元末著名农民起义领袖。其故居原来是宋代时沔城一个员外的府第，既有四进三天井的主体建筑，又有高低错落的群体建筑，规模宏伟壮观。故居内现存有陈友谅的遗物，其周围有点将台、陈友谅石刻像、拴马石、喂马槽、刑锅、青云接武石牌、玉泉古井等景点。

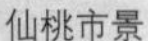
仙桃市景

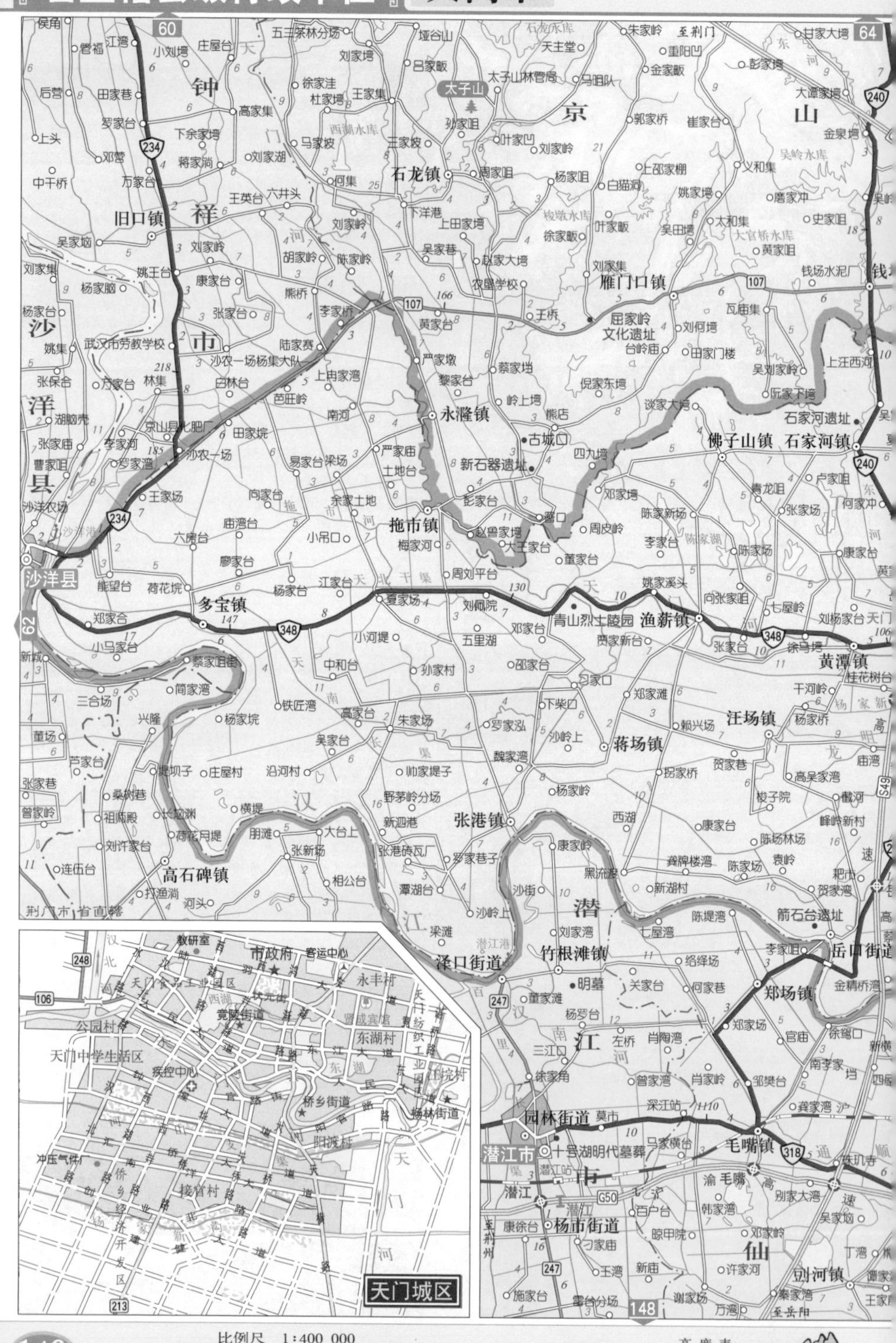

比例尺 1:400 000

4.0千米 0 4.0 8.0 12.0千米

高度表

0 50 100 200 300 400 500 600 800 1000 1200 1500 2000 2500 3000米

【地理位置】 位于湖北省中部，东邻汉川市，西接沙洋县，南与潜江、仙桃市隔汉江相望，北连京山市，西北同钟祥市毗邻，东北与应城市接壤。

【人口面积】 人口161万，面积2622平方千米。

【历史沿革】 战国始有竟陵名，后晋改名为景陵县，清雍正四年（公元1726年）为避康熙陵墓名讳，始改为天门县。因其县城西北有天门山而得名。1987年撤县设市，1994年改为省直辖县级市。

【地　　形】 地处江汉平原北部，汉江下游北岸，地势自西北向东南倾斜，形成低丘、岗状平原和河湖平原三种地貌。

【河流湖泊】 汉江、汉北河、南支河。华严湖、龙骨湖、张家湖、江家湖等。

【气　　候】 属亚热带季风气候，季风气候影响特别显著。年平均气温16.2℃，年平均降水量1101.4毫米，年日照时数4426.8小时。

【交　　通】 随岳高速公路纵贯南北，沪汉蓉高铁和106、213、248等省道过境，水运以汉江和汉北河为主。

【资　　源】 矿产丰富，有原盐、无水芒硝、石油、石灰石、石膏、硫磺等。水利资源丰富，河流众多。

【经　　济】 工业有机械、化工、冶金、纺织等产业。农业主产棉花、稻谷、小麦、油料等，是全国优质棉、瘦肉型猪生产基地，是全国著名的棉乡。

【风景名胜】 白龙寺、古笑城遗址、箭石台遗址、徐家场遗址、石家河遗址、青山烈士陵园等。

【景点介绍】 **白龙寺** 位于天门市皂市镇五华山麓，传为南齐武帝萧赜次子竟陵王萧子良所建，唐朝鄂国公尉迟恭主持修建，明代重修，清代增修殿阁，自建造至今已有一千五百多年历史。1994年，修复了白龙寺，寺内立佛像32尊。前殿供有弥勒佛、韦驮、四大天王；大雄宝殿供有如来佛、阿弥陀佛、药师佛、观世音、善才、龙女、文殊、普贤、十八罗汉。还有5块明清以来的石碑，碑文书法极精。院内绿树成荫，青竹挂翠，钟鼓悠悠，风铃自鸣，一派超凡脱俗之境。

白龙寺

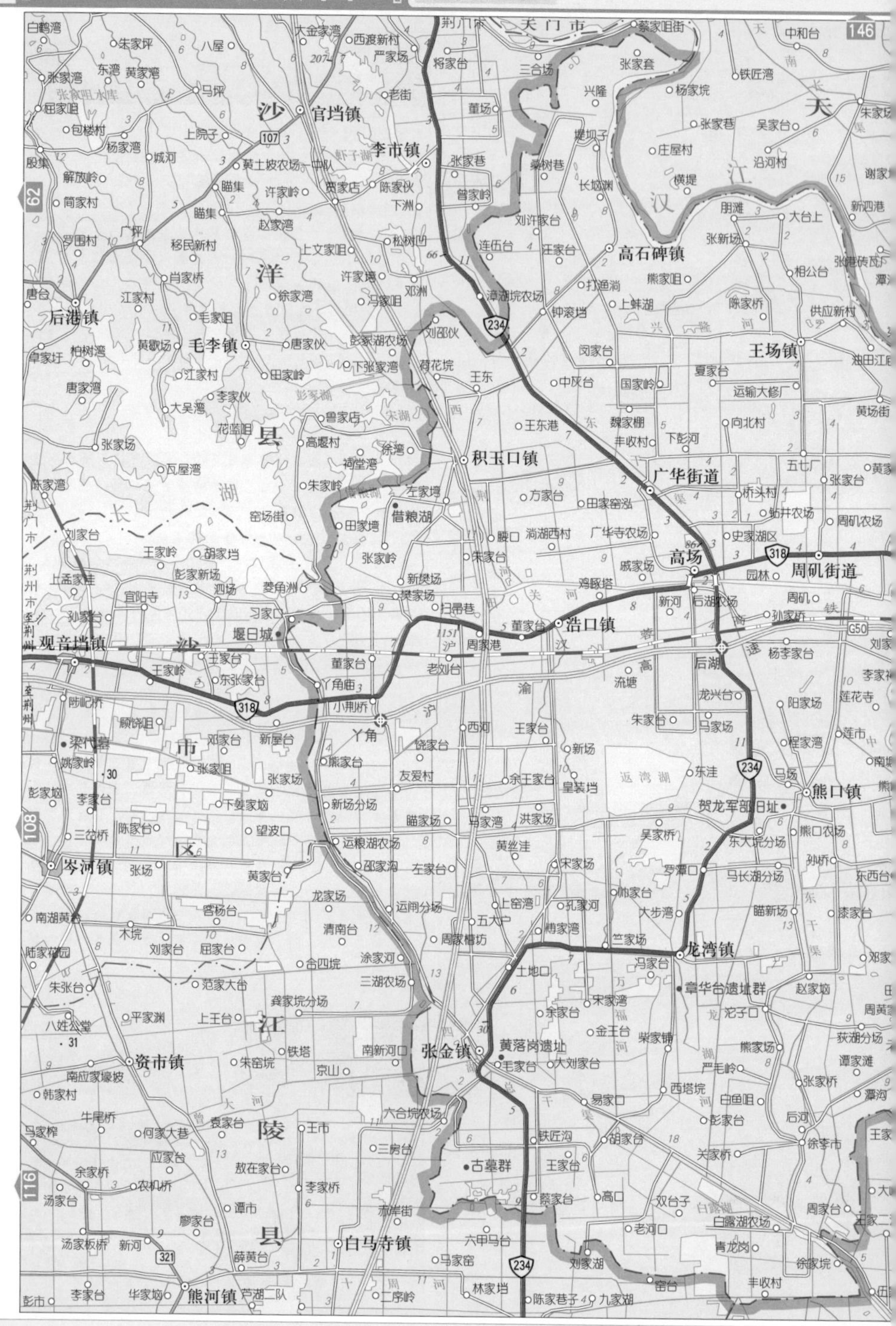

比例尺 1:350 000

3.5千米 0 3.5 7.0 10.5千米

高度表

0 50 100 200 300 400 500 600 800 1000 1200 1500 2000 2500 3000米

【地理位置】位于湖北省中南部，北隔汉江与天门市接壤，南与江陵县、监利市为邻，东接仙桃市，西连沙洋县和荆州市沙市区。

【人口面积】人口101万，面积2004平方千米。

【历史沿革】夏商时属荆州地域；春秋战国时为楚地。汉以后，这里又分为江陵、竟陵两县。五代时，定名为远安镇。宋乾德三年（公元965年），升远安镇为潜江县，属江陵府。新中国成立以后，潜江县属荆州地区。1988年撤县设市，1994年改为省辖县级市。

【地　　形】属于典型的平原湖区，地势平坦，河湖密布，素称“水乡泽国”。

【河流湖泊】汉江、东荆河、返湾湖、张家湖等。

【气　　候】属亚热带季风性气候，温暖湿润，年平均气温16℃。

【交　　通】沪渝高速公路和318国道横穿东西，249、247省道纵贯南北。沪汉蓉高铁贯穿全境。

【资　　源】地下资源丰富，蕴藏着丰富的石油、天然气、卤水和岩盐。

【经　　济】工业以石油、化工、纺织、服装、机械、轻工、食品为主。农业主产棉花、水稻、小麦、芝麻，是国家确定的商品粮、优质棉、瘦肉猪、速生丰产林和水产品基地。

【风景名胜】黄落岗遗址、贺龙军部旧址、章华台遗址群、明墓、十号湖明代墓葬、古墓群等。

【景点介绍】**章华台遗址群** 位于潜江市龙湾镇，楚灵王曾在这里建造著名的离宫章华台，现章华台村下的遗址东西长141米，南北宽120米，总面积16920平方米。

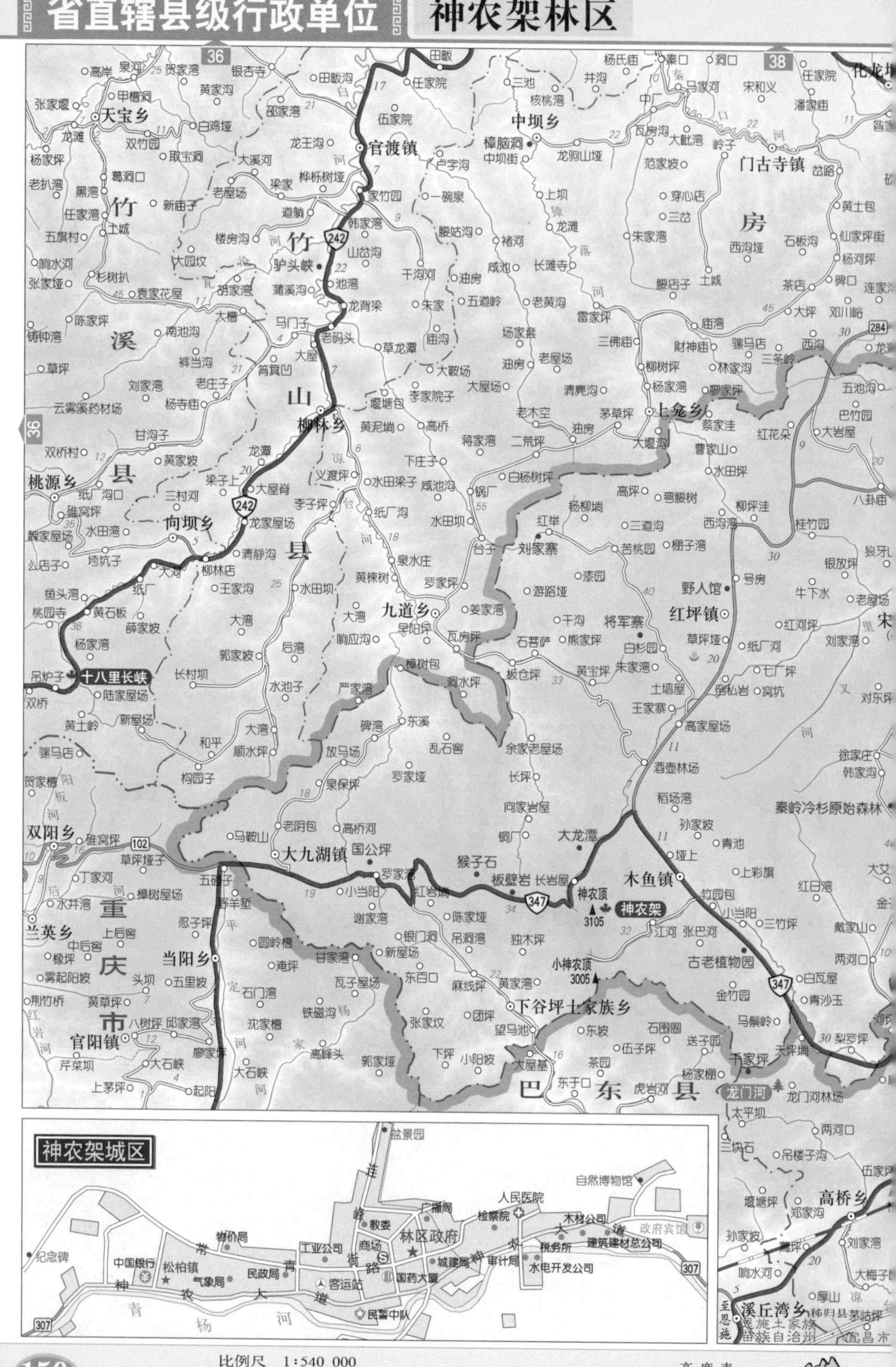

比例尺 1:540 000

5.4千米 0 5.4 10.8 16.2千米

高度表

0 50 100 200 300 400 500 600 800 1000 1200 1500 2000 2500 3000米

【地理位置】 位于湖北省西北边陲，北与房县相连接，东与保康县接壤，西邻重庆市、竹山县，南与兴山、巴东县毗邻。

【人口面积】 人口8万，面积3253平方千米。

【历史沿革】 相传上古时代神农氏（炎帝）曾在此遍尝百草，为民除病。由于千峰陡峭，珍贵药草生长在高峰绝壁之上，神农氏就伐木搭架而上，采得药草，救活百姓，神农架因此而得名。1970年改为省直辖县级林区，是全国唯一以“林区”命名的行政区。

【地　　形】 全境山峦重叠，峡谷纵横，脊岭连绵，高低悬殊，地势由西向东、由南向北逐渐降低。

【最高山峰】 神农顶，海拔3105米。

【主要河流】 青杨河、关门河等。

【气　　候】 属亚热带湿润季风气候，因山体高大，海拔高差悬殊，地形复杂多变，“立体气候”特征明显。年平均气温12℃，年降水量900毫米。

【交　　通】 以公路交通为主。209国道纵贯南北全境，307省道与县乡公路相连。

【资　　源】 矿藏资源丰富，已探明的有磷、硅、水晶、玛瑙、冰洲等。森林覆盖率达88%。有珙桐、银杏、香果树、水青树、领春木等珍稀植物，药用植物有党参、当归、黄连、独活、川芎等，还有粗榧、蟹甲等特用药材和扣子七、白三七、头顶一颗珠、金钗等名贵药材。有金丝猴、华南虎、白熊、金猫等珍稀动物。

【风景名胜】 神农架国家森林公园、神农架国家级自然保护区、红岩岭、古老植物园、国公坪、大龙潭、板壁岩、猴子石、秦岭冷杉原始森林、野人馆。

【土特产品】 猕猴桃、灵芝、百花蜜、神农茶叶。

【景点介绍】 **神农架国家森林公园** 位于湖北省神农架林区，建于1992年，面积有705平方千米。植物多达3106种，脊椎动物有493种，昆虫约560种。雄奇的山峰，幽深的峡谷，奇特的喀斯特地貌，形成了许多风光旖旎的自然景观。

神农架风景

恩施土家族苗族自治州

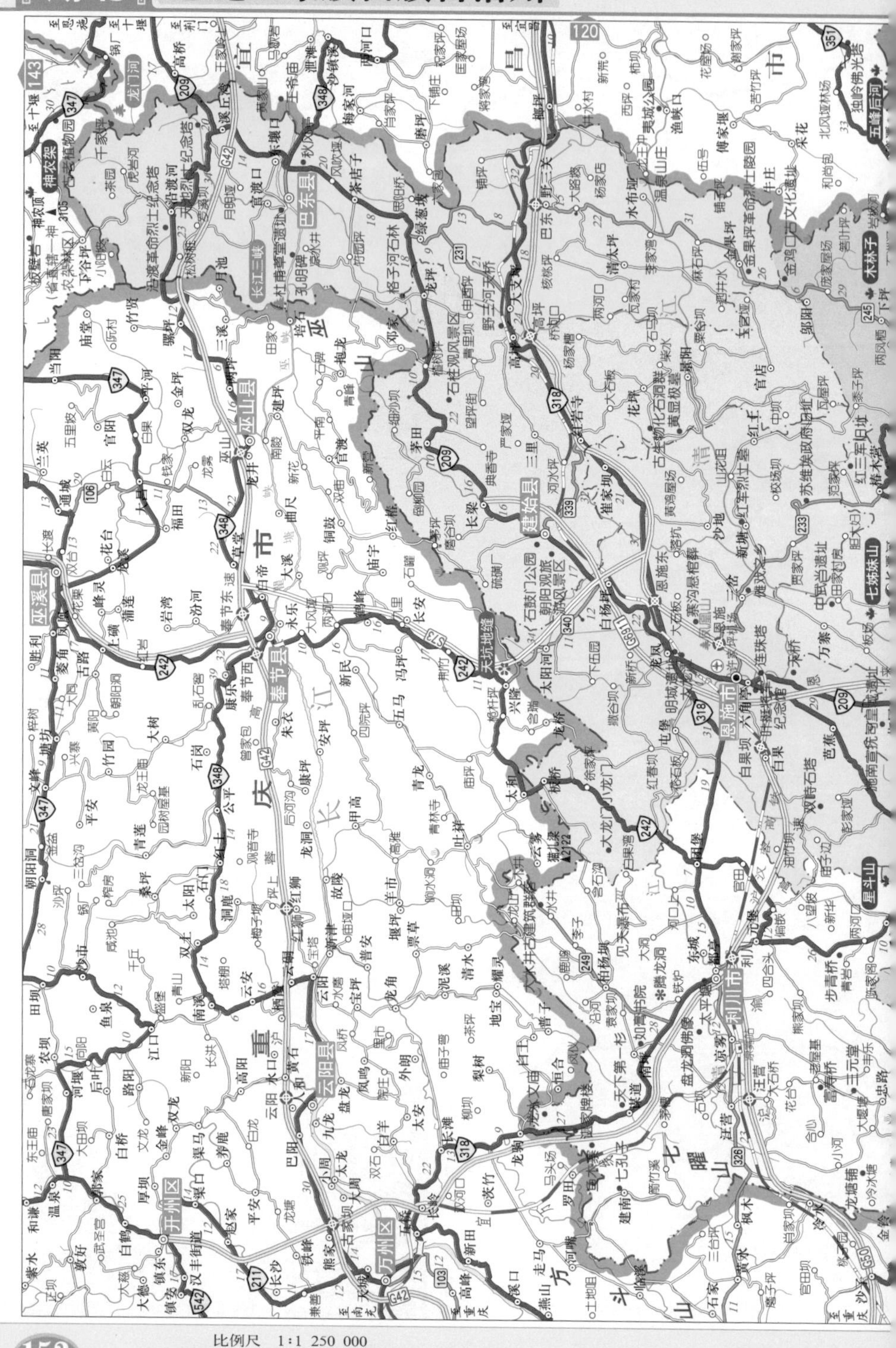

比例尺 1:1 250 000

12.5千米 0 12.5 25.0 37.5千米

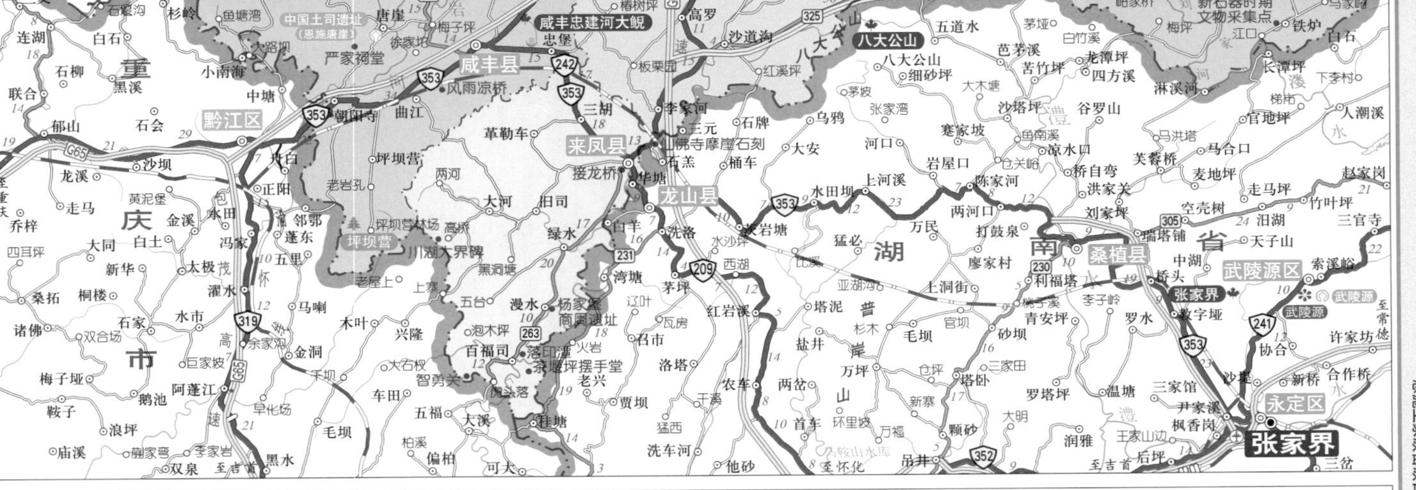

【地理位置】 位于湖北省西南部，北与西邻重庆市，南连湖南省，东北接神农架林区，东与宜昌市交界。

【行政区划】 辖恩施、利川2市和建始、巴东、宣恩、咸丰、来凤、鹤峰6县，自治州政府驻恩施市。

【人口面积】 人口402万，面积24111平方千米。

【历史沿革】 州域始于春秋，为巴国地，战国时期，属楚巫郡，秦属黔中郡，汉属南郡，历代曾是州、郡、卫、府、道及专区治所。雍正七年(1729年)设恩施县。1949年11月设恩施专区，1970年改恩施地区，1983年8月，成立鄂西土家族苗族自治州；1993年4月正式更名为恩施土家族苗族自治州。

【地　　形】 属云贵高原东部延伸部分。境内大部分是山地，清江横贯中部地区。

【主要河流】 长江、清江。

【气　　候】 属亚热带季风性山地湿润气候，年均气温13℃～16℃，年降水量1500毫米。

【交　　通】 209、318国道相交市内并贯穿全境，沪渝高速横穿东西，沪汉蓉高铁过境。许家坪机场是华中的重要航空港；长江航运横穿巴东。

【交　　通】 境内矿藏资源比较丰富，有铁、煤、石煤、天然气、磷、黄铁矿、耐火粘土等。拥有世界发现的唯一独立硒矿床，被誉为“世界硒都”。森林覆盖率达75%，为省主要林区。原始孑遗树种和珍稀树木举世闻名，水杉、银杏、珙桐、鹅掌楸、香果树、楠木等历来为土家山寨特产，曾被列为朝贡珍品。有板党、窑归、紫油厚朴等珍贵药材。享有“天然植物园”、“华中药库”之美称。

【经　　济】 工业形成了以卷烟、电力、药化、富硒绿色食品、建材为主的五大体系。农业已建立了以烟草、茶叶、畜牧、林果、药材、特色蔬菜等为主的绿色产业基地。

【风景名胜】 世界遗产中国土司遗址（恩施唐崖）、坪坝营国家森林公园、长江三峡国家地质公园、星斗山、七姊妹山、咸丰忠建河大鲵、木林子国家级自然保护区、凤凰山森林公园、腾龙洞、叶挺将军纪念馆、明城遗址、杜甫草堂遗址孔明碑、古生物化石洞群、天下第一杉、金鸡口古文化遗址、如膏书院、唐崖土司城遗址、连珠塔等。

【土特产品】 金丝桐油、毛坝生漆、山野菜、富硒茶、利川黄连、巴东豆腐干、土家织锦西兰卡普等。

【风味小吃】 土家油茶汤、土家腊肉系列、社饭、葛仙米、福宝山莼菜等。

明显陵 世界遗产

武当山 国家级风景名胜区

青龙山 国家级自然保护区

神农架 国家级森林、地质公园

服务区

出入口

里程起迄点

收费站

恩施城区 来凤县

恩施城区

【地理位置】 位于市境中北部。

【城市特色】 历史悠久，是湖北省历史文化名城之一。

【交　　通】 209国道纵贯全境、清江南北穿越城区，许家坪机场通航全国主要城市。

【土特产品】 富硒茶、富硒肉品、富硒蛋粉、菊花石、土家织锦西兰卡普等。

【风味小吃】 清江鱼、清江虾、早晚茶、熏鱼腊肉烤鸡鸭等。

【风景名胜】 叶挺纪念馆、文太守德政碑、挂榜岩、五峰山连珠塔、中共湘鄂西特委旧址、凤凰山民族公园等。

【景点介绍】 **五峰山连珠塔** 位于恩施城区东南部、五峰山龙首峰顶，清道光十一年（公元1831年）营建，后又在塔前建石坛、围墙、院门，塔左侧建斋堂，四周有花墙，占地225平方米，造工精细，气势雄浑，为鄂西著名古建筑之一。

恩施夜景

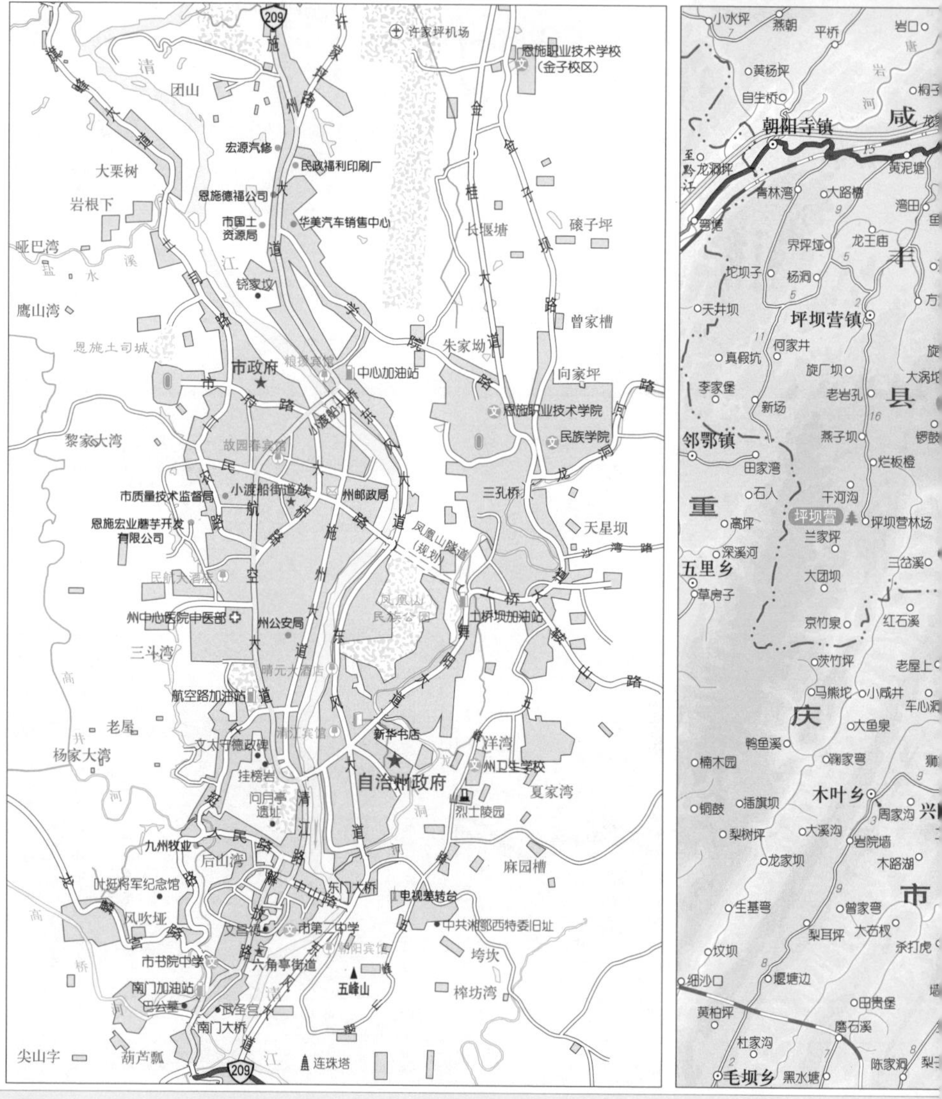

明显陵 世界遗产　青龙山 国家级自然保护区　服务区　里程起迄点

武当山 国家级风景名胜区　神农架 国家级森林、地质公园　出入口　收费站

县

【置】 位于自治州最南部，北抵宣恩县，西北与咸丰县西南与重庆市相邻，东部邻湖南省。

【积】 人口33万，面积1344平方千米。

【形】 以山地为主，西北崇山峻岭，东南盆地开阔。

【泊】 酉水、大沟水库、新峡水库、纺车溪水库。

【通】 209国道和233、263等省道过境。

【济】 工业有农机、卷烟、水泥、化肥和食品等产业，产水稻、玉米、薯类、茶叶、烤烟等。

【胜】 接龙桥、仙佛寺摩崖石刻、杨家堡商周遗址、落茶堰坪摆手堂、川湖大界碑。

【土特产品】 凤头姜、大头菜、凤鸣藤茶、宝石花漆筷。

【民族风情】 跳摆手舞、唱五句子歌、喝油条汤。

【景点介绍】 **仙佛寺摩崖石刻** 位于来凤县城东北7千米的酉水河岸，河中有一个碧绿的深潭，岸旁红色山石壁立，因石壁上有古代摩崖佛造像，故称河中的潭为佛潭，有寺庙名曰仙佛寺。仙佛寺上倚石壁，下临深潭，木阁三层，古朴典雅，蔚为壮观。周围树竹葱茏，绿荫掩映，风景秀丽。

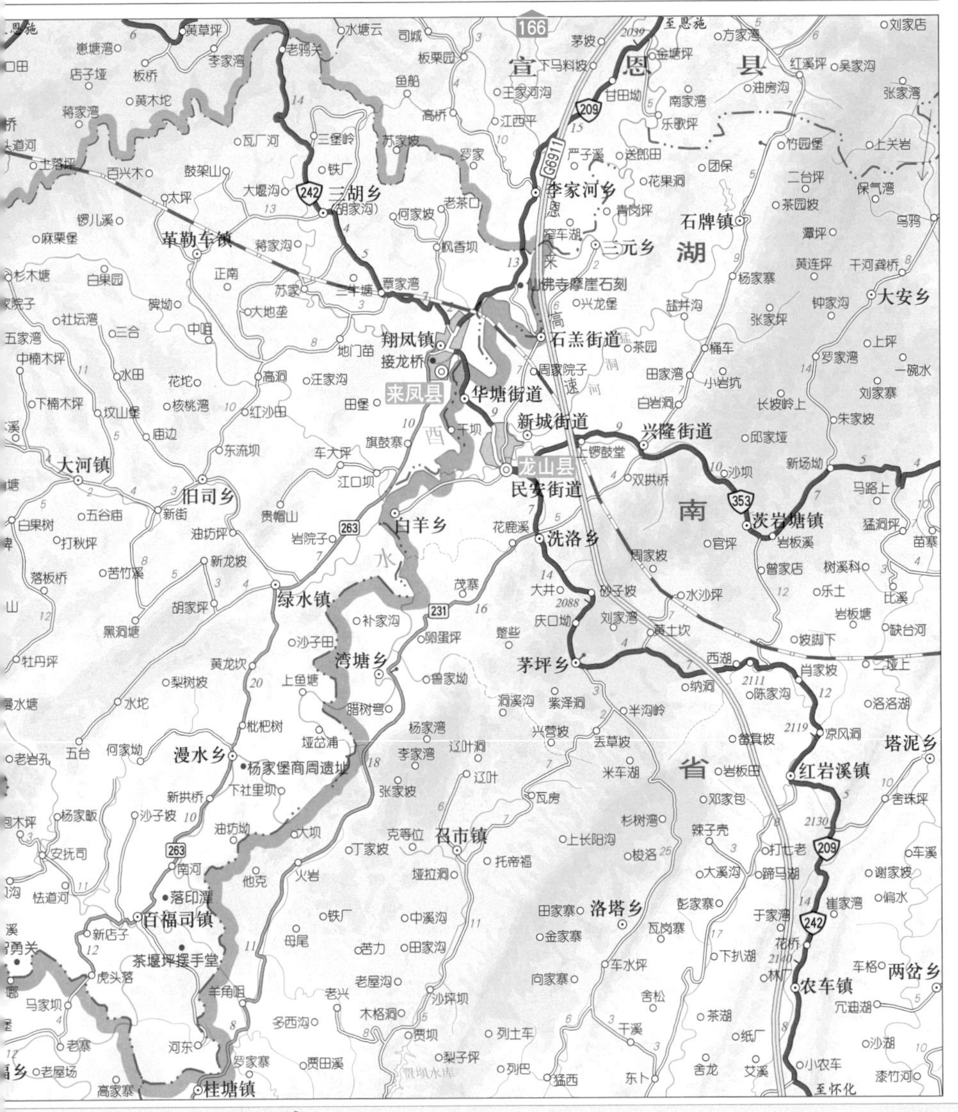

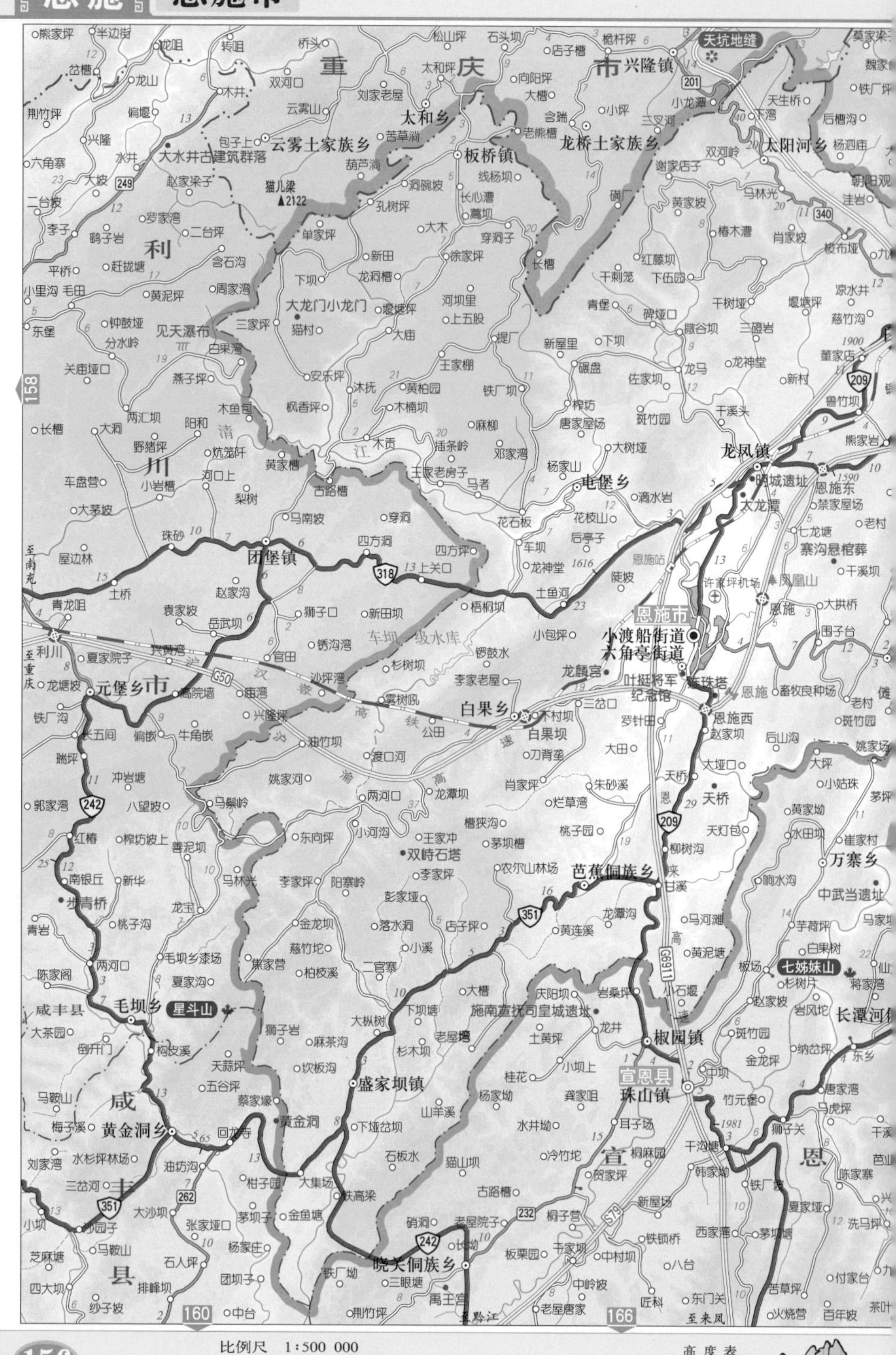

比例尺 1:500 000

5.0千米 0 5.0 10.0 15.0千米

高度表

0 50 100 200 300 400 500 600 800 1000 1200 1500 2000 2500 3000米

【地理位置】 位于自治州中北部，东邻建始、鹤峰两县，西连利川市，南接咸丰、宣恩县，北依重庆市。

【人口面积】 人口81万，面积3972平方千米。

【历史沿革】 春秋属巴国，战国隶属楚巫郡，隋为庸州，唐为施州，清为施南府，民国为鄂西行政区，雍正七年（1729年）设恩施县，抗日战争时期为湖北省临时省会，现为自治州人民政府驻地。

【地　　形】 地处湖北省西南山地腹地、清江中游，以山地为主。中部为断陷盆地。

【河流湖泊】 清江、冷水河、车坝一级水库、柳家沟水库。

【交　　通】 沪汉蓉高铁和沪渝高速横穿全境，209、318国道在此交会，许家坪机场可通航各主要城市。

【资　　源】 境内有硒、煤、铁、铜、重晶石等矿藏，硒矿床出露面积达850平方千米，而且境内的粮食、油料、中草药、矿泉水中硒含量极为丰富，被誉为“世界硒都”。动植物资源丰富，有香樟、珙桐、银杏、金钱松、水杉、穗花杉等珍稀树种。享有“天然植物园”美称。产党参、当归、天麻、厚朴、贝母、黄连、等中药材。

【经　　济】 工业有采矿、能源、医药化工、建材、制茶等产业。农业主产玉米、水稻、小麦、土豆、烤烟。

【风景名胜】 叶挺将军纪念馆、连珠塔、双峙石塔、龙麟宫、大龙潭、明城遗址、傩戏之乡、红军烈士墓、大龙门小龙门、凤凰山森林公园等。

【土特产品】 板党、窑归、宜红茶、玉露茶、烟叶等。

【景点介绍】 **叶挺将军纪念馆** 位于恩施市后山湾西门河畔。占地面积170平方米，两层殿厅陈列有叶挺将军生平事迹资料和图片，馆后绿茵草坪上建有将军纪念碑和将军亭。馆的右侧是叶挺将军囚居旧址。旧址占地面积2992平方米。

龙麟宫 位于恩施市西郊8千米处麒麟溪源头，以雄、奇、神、秀而堪称洞穴景观一绝。属山水洞穴，分水洞和旱洞。水洞“小三峡”长500多米；旱洞“迷津洞”呈Q字形，游客不走回头路。主要景观有1坛2府3峡9龙13厅28奇珍，共200多个景点。

土家族跳摆手舞

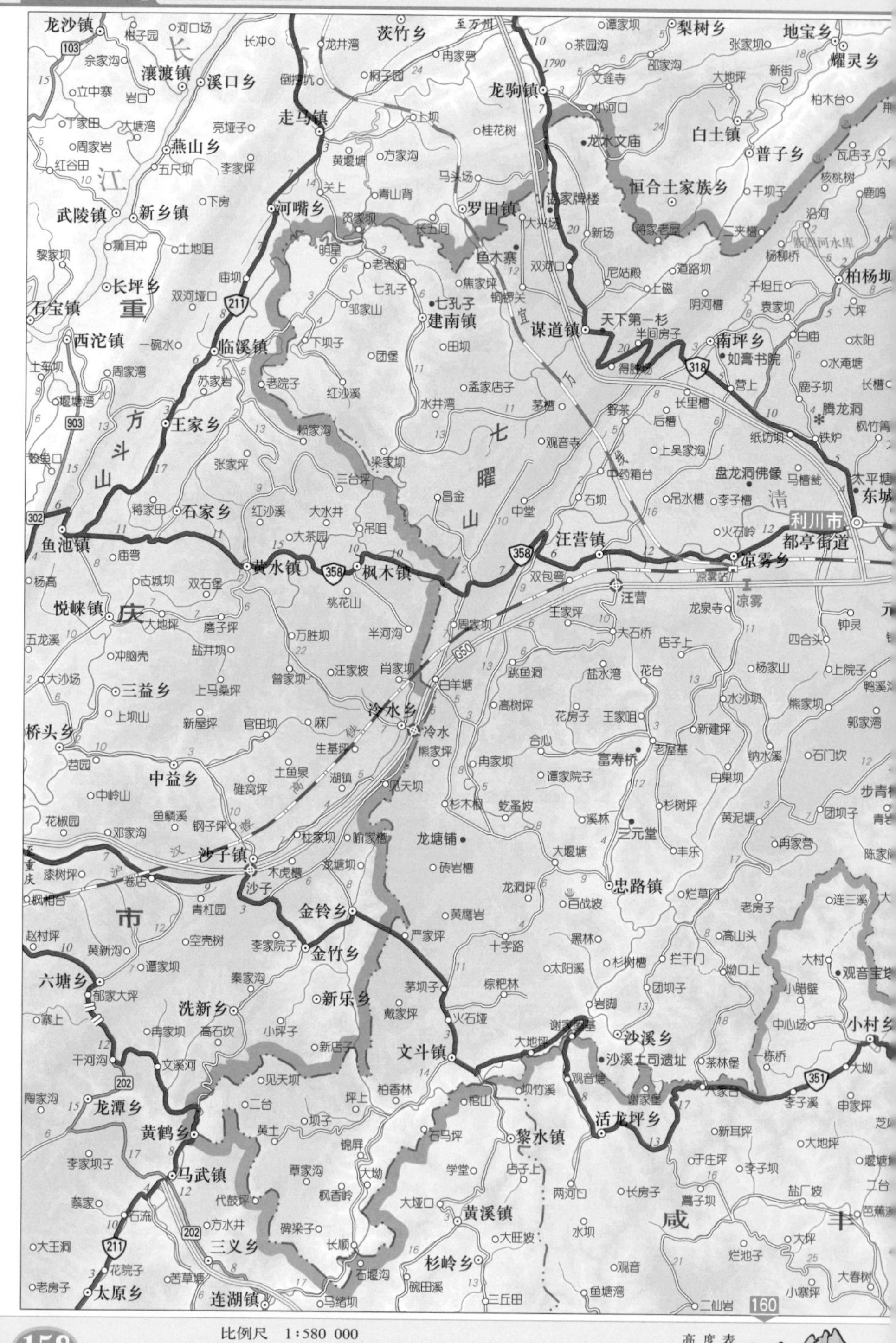

比例尺 1:580 000

5.8千米 0 5.8 11.6 17.4千米

高度表

0 50 100 200 300 400 500 600 800 1000 1200 1500 2000 2500 3000米

【地理位置】 位于自治州最西部，西部和北部与重庆市接壤，东部与恩施市为邻，南部与咸丰县相连。

【人口面积】 人口92万，面积4603平方千米。

【历史沿革】 因清江自西向东横贯境内，平川大坝与山地丘陵镶嵌两岸，为有利之川，故名“利川”。上古为廪君要地，周属巴国，战国属楚巫郡。元、明、清三代，建土司。清雍正十三年，(公元1735年)设立利川县，1986年撤县置利川市，为县级市。

【地　　形】 地处鄂西山地，位于大巴山东南支脉和武陵山北上余脉的交会部。地势高耸，中部地势平旷，呈丘陵状起伏，具有高原特征。

【河流湖泊】 清江、福宝山水库、青龙水库、黄泥坡水库、新四河水库。

【交　　通】 318国道和262、326等省道过境。沪汉蓉高铁和沪渝高速公路横穿本市全境。

【资　　源】 境内矿产资源有天然气、煤、热卤水、石膏等。林产以松、杉、栎为主,有水杉、珙桐、秃杉等珍贵林木，盛产天麻、黄连、人参、贝母等中药材。有中国南方最大的山地草场，著名的“坝漆之乡”、“黄连之乡”、“纯菜之乡”、“齐岳山草场”、“水杉之乡”。

【经　　济】 工业以烟草、化工、医药、建材、食品为主。农业有烟草、林业、茶果、禽畜、蔬菜、药材等。

【风景名胜】 星斗山国家级自然保护区、腾龙洞、盘龙洞佛像、如膏书院、天下第一杉、太平塘等。

【土特产品】 雾洞茶、烤烟等。

【景点介绍】 **腾龙洞** 位于利川市近郊、清江上游，距利川市城区约6.5千米，是省级风景区。腾龙洞由水洞、旱洞、鲇鱼洞、凉风洞、独家寨以及三个龙门、化仙坑等景区组成。洞口垂直高度74米,宽64米,洞长约53千米，总面积2平方千米，是世界最大的溶洞之一，位居世界第七，亚洲第一。清江至此跌落形成“卧龙吞江”瀑布，水声如雷，气势磅礴。腾龙洞集山、水、洞、林于一体，以雄、险、奇、幽、秀的神奇风光和独特魅力而驰名中外。

腾龙洞风景

明显陵 世界遗产　青龙山 国家级自然保护区　服务区　里程起迄点
武当山 国家级风景名胜区　神农架 国家级森林、地质公园　出入口　收费站

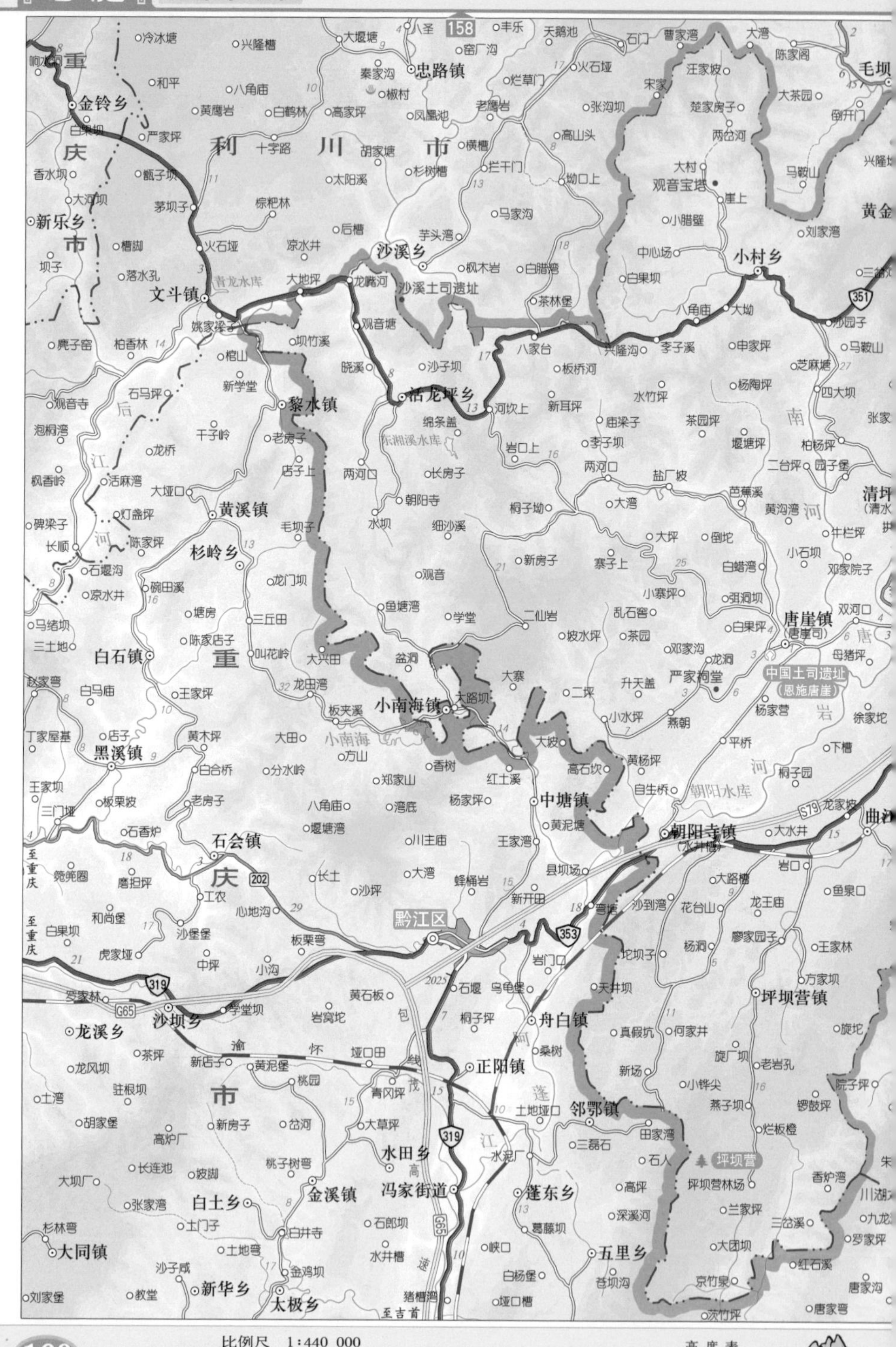

比例尺 1:440 000

4.4千米 0 4.4 8.8 13.2千米

高度表

0 50 100 200 300 400 500 600 800 1000 1200 1500 2000 2500 3000米

【地理位置】 位于自治州南部，西部和南部与重庆市接壤，西北邻利川市，东北接恩施市、宣恩县，东南连来凤县。

【人口面积】 人口39万，面积2550平方千米。

【历史沿革】 始建于公元1735年（清雍正十三年），县名取“咸庆丰年”之意，是中国唯一与皇帝年号同名的县，古有“荆南雄镇”、“楚蜀屏翰”之誉，今有湖北“西大门”之称。

【地　　形】 境内山峦叠嶂，沟壑纵横，溪河密布。地势自西北、东南向中部河谷倾斜。

【河流湖泊】 大河、濯河、东湘溪水库、板栗园水库。

【交　　通】 232、233、262省道在此交会。

【资　　源】 境内有稀世珍品贵妃玉、松香玉，有世界罕见的高品位硒资源矿床，还有煤炭、汞矿、重晶石、大理石、方解石、铜矿、高岭土等矿藏。森林覆盖率达77.3%，拥有珙桐、古杜鹃、古鹅掌楸、古桑、水杉、红豆杉、银杏、金银桂、紫油厚朴等世界级珍稀树种群落，“坝漆”产量居全国前列，是国家桐油生产基地县。

【经　　济】 工业以化工、采矿、建材、电力、食品为主。农业主产水稻、玉米、小麦、油菜、烤烟等。

【风景名胜】 世界遗产中国土司遗址(恩施唐崖)、坪坝营国家森林公园、国家级忠建河大鲵自然保护区、黄金洞、观音宝塔、唐崖土司城遗址、严家祠堂、风雨凉桥等。

【土特产品】 红豆杉、银杏、金银桂、天麻、党参、甜味绞股蓝、半节烂等。

【景点介绍】 **黄金洞** 位于咸丰县黄金洞乡下街口，海拔700米，是一个巨大的天然溶洞，据考察，该洞形成于侏罗纪以前迄今已有1.5亿多年，是集山、水、洞和奇、绝、雄于一体的天然石灰石大溶洞，被人们称为“地下仙宫”。该洞有上、中、下三个洞口，内有40多条岔洞。洞分为东西两大景区。东洞区有约108万立方米的大厅，厅内有形态各异的钟乳石和石笋。西洞区有5条主洞，27条支洞。洞高100米，有7个大厅，4个天窗。洞内以溶岩景观为主，洞中有景，景景相连，瑰丽无比。洞外奇峰峻岭，树林繁茂，风景独特，是一座令人神往的洞穴公园。

黄金洞钟乳石奇观

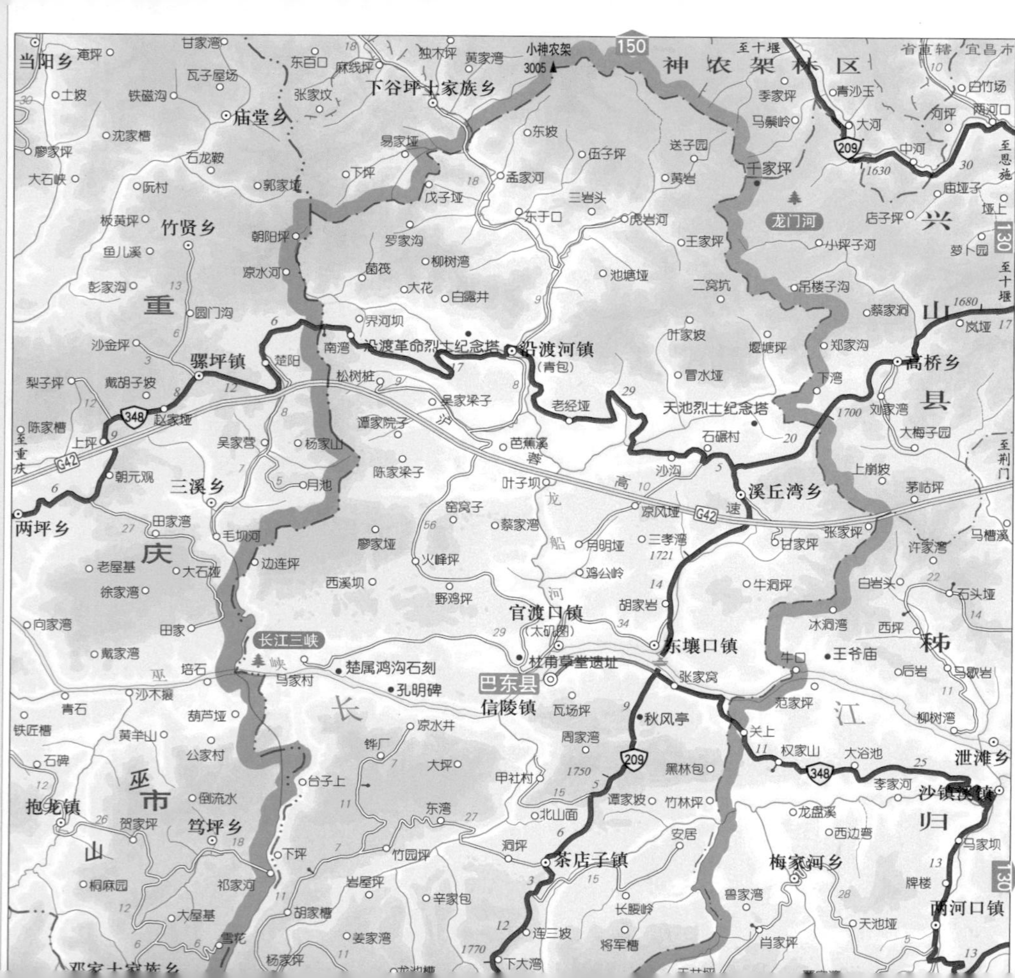

【地理位置】 位于自治州东北部，北抵神农架林区，西北接重庆市，西南邻建始县，南连鹤峰县，东与五峰土家族自治县、长阳土家族自治县、秭归和兴山县接壤。

【人口面积】 人口49万，面积3354平方千米。

【历史沿革】 历史悠久，于南朝宋景平元年(公元423年)设县，迄今已有1500多年。

【地　　形】 地形南北狭长，山峦起伏，沟壑纵横，河流众多。

【最高山峰】 小神农架，海拔3005米。

【主要河流】 长江、清江、神农溪。

【交　　通】 沪渝、沪蓉高速公路和沪汉蓉高铁横穿全境。209、318国道过境。103、231、261省道纵横境内。长江水道横贯全境。巴东港为长江重要港口。

【资　　源】境内有煤、铁、石灰石、白云岩、大理石、石膏、石板材、磷、钾等。其中无烟煤储量居全省第一，是全国100个重点产煤县之一。有巴东木莲、珙桐、水杉、冷杉等珍贵树种。有天麻、壮细辛、黄连、独活、木瓜、红花、冬花、杜仲、厚朴、黄柏、大力子等名贵药材。

【经　　济】 工业以机械、烟草、化工、医药、建材、食品、电力、冶炼为主。农业主产玉米、小麦、水稻、油菜、烟草。

【风景名胜】 长江三峡国家地质公园、杜甫草堂遗址、孔明碑、楚属鸿沟石刻、沿渡革命烈士纪念塔、天池烈士纪念塔、秋风亭、格子河石林、金果坪革命烈士陵园。

【土特产品】 富硒天麻、夏橙、白皮大蒜、绞股兰、脐橙、大果青扦、晒青毛茶。

【景点介绍】 **神农溪** 位于巴东县城溯长江上行9千米处。神农溪，发源于神农架主峰，是一条典型的峡谷溪流，全长60千米，相对落差2900米，由北向南穿行于深山峡谷之中，至巫峡口东汇入长江。神农溪流经三个风景各异的峡谷：棉竹峡、鹦鹉峡、龙昌洞峡。神农溪经过两个

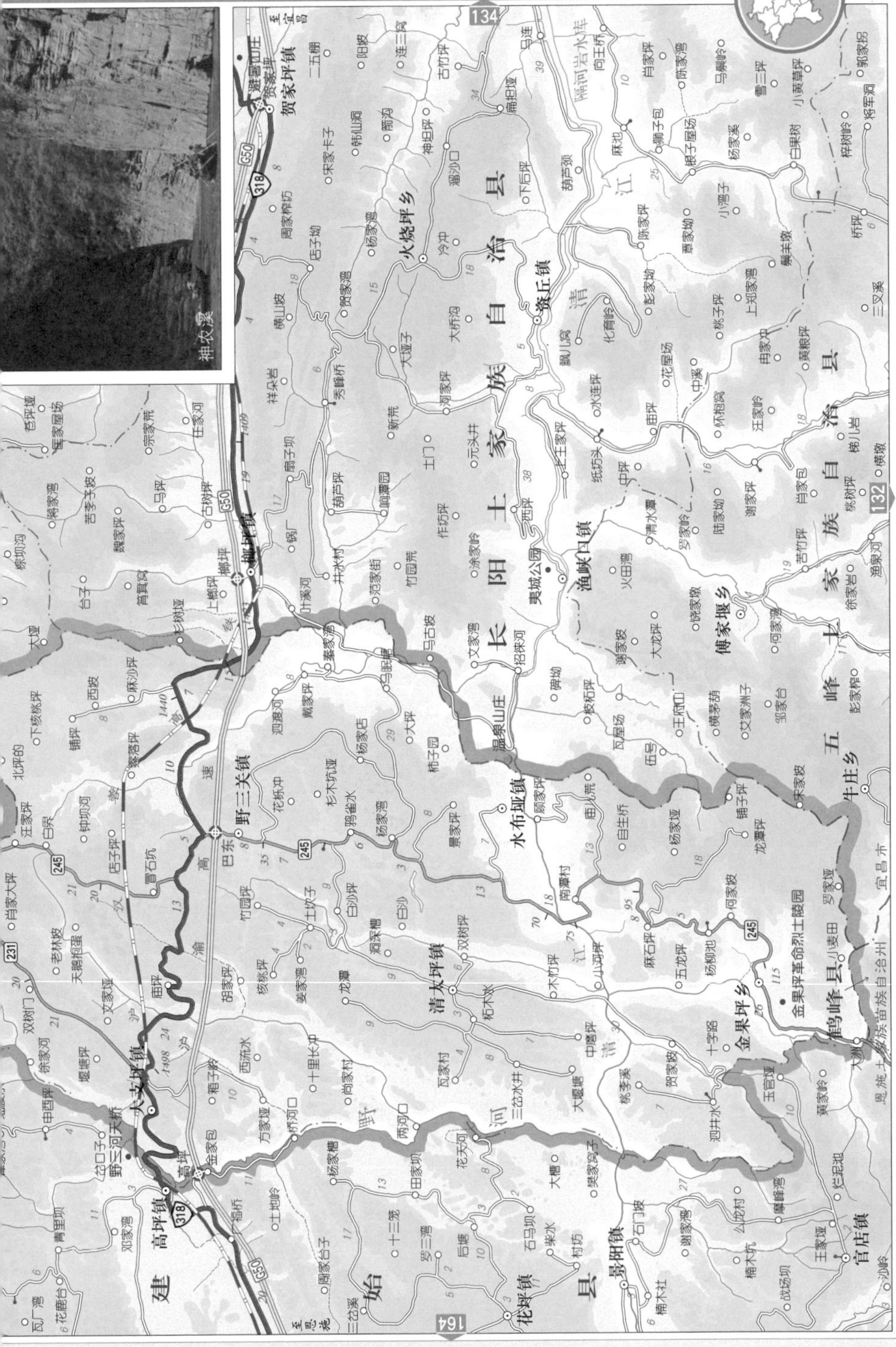

明显陵 世界遗产

武当山 国家级风景名胜区

青龙山 国家级自然保护区

神农架 国家级森林、地质公园

服务区

出入口

里程起迄点

收费站

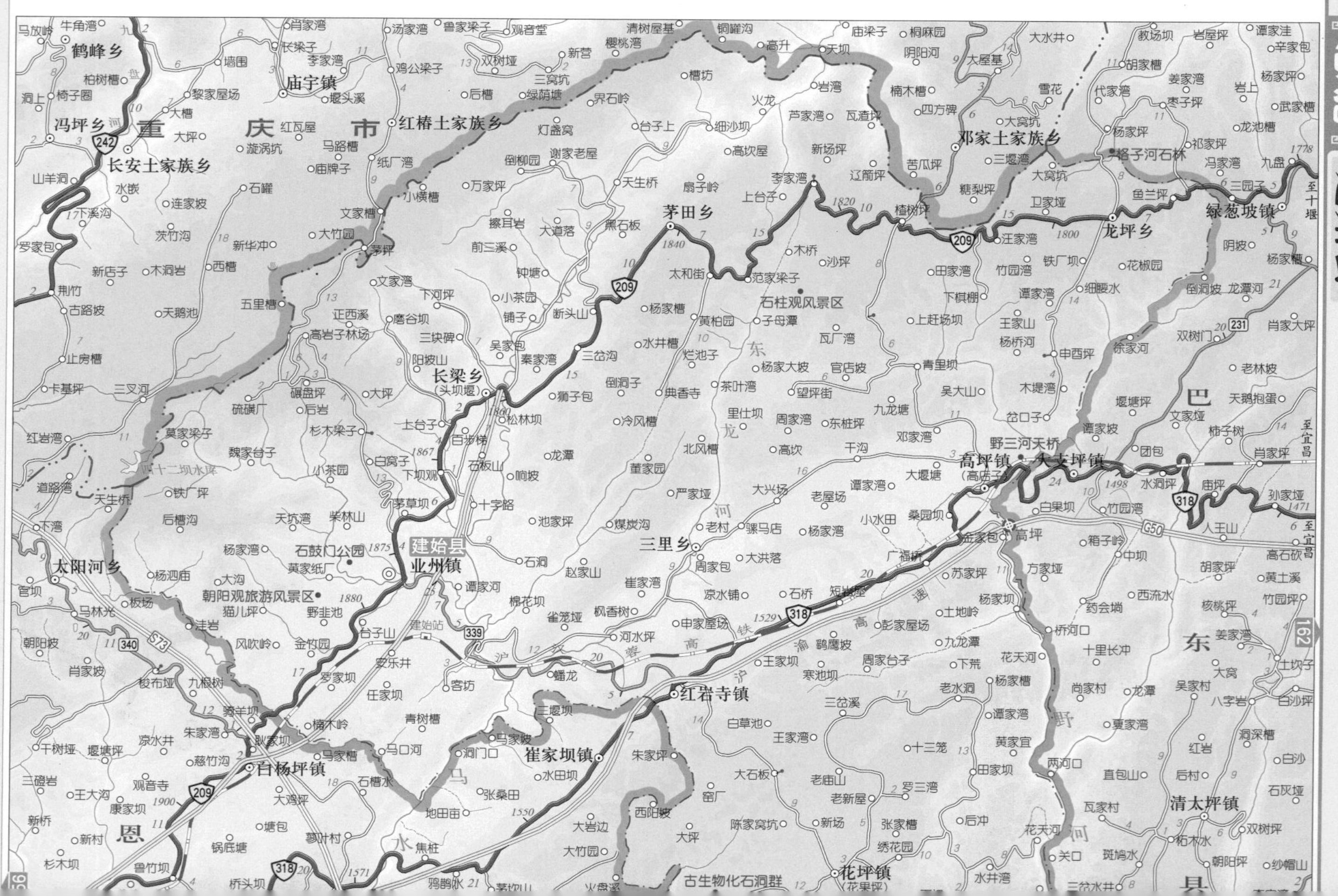

比例尺 1:410 000

4.1千米 0 4.1 8.2 12.3千米

高度表

0 50 100 200 300 400 500 600 800 1000 1200 1500 2000 2500 3000米

【地理位置】 位于自治州北部，北抵重庆市，西邻恩施市，南连鹤峰县，东与巴东县接壤。

【人口面积】 人口51万，面积2666平方千米。

【历史沿革】 晋泰始元年（公元265年）始置建始县。1933年成立建始县苏维埃政府。1949年属恩施专区，1970年属恩施地区，1983年属鄂西土家族苗族自治州，1993年属恩施土家族苗族自治州。

【地　　形】 地处鄂西南山地，北部属巫山，南部属武陵山脉北缘，中部为山地，西南部为盆地。

【主要河流】 清江、野三河。

【交　　通】 沪渝高速公路、沪汉蓉高铁和209、318国道横贯全境。

【资　　源】 境内主要有煤、铁、硫磺、石灰石等矿藏，是世界罕见的富硒县、我国主要白肋烟出口基地、中国南方最大的日本落叶松生产与科研基地、中国首批农村电气化试点县和重点产煤县、湖北省最大的魔芋生产基地县之一。具有丰富的水能资源，河流众多。

【经　　济】 工业有卷烟、采矿、化工、农机、化肥、水泥、建材等门类。农业主产玉米、小麦、薯类、豆类。

【风景名胜】 石鼓门公园、黄显极墓、古生物化石洞群、朝阳观旅游风景区、石柱观风景区、野三河天桥。

【土特产品】 生漆、贝母、宜红茶、桐油、油茶。

【景点介绍】 **石鼓门公园**　　位于建始县境内，距县城以北2千米。景区占地面积约20000平方米。石鼓门以其天然的喀斯特地貌、神奇洞穴群景观而得天独厚，洞穴溶蚀与沉积形态奇特、类型多样、景点集中，溶洞内天然形成大小厅堂10余个，面积8000平方米，空阔高敞，各洞厅均有岔道相通。

建始风景

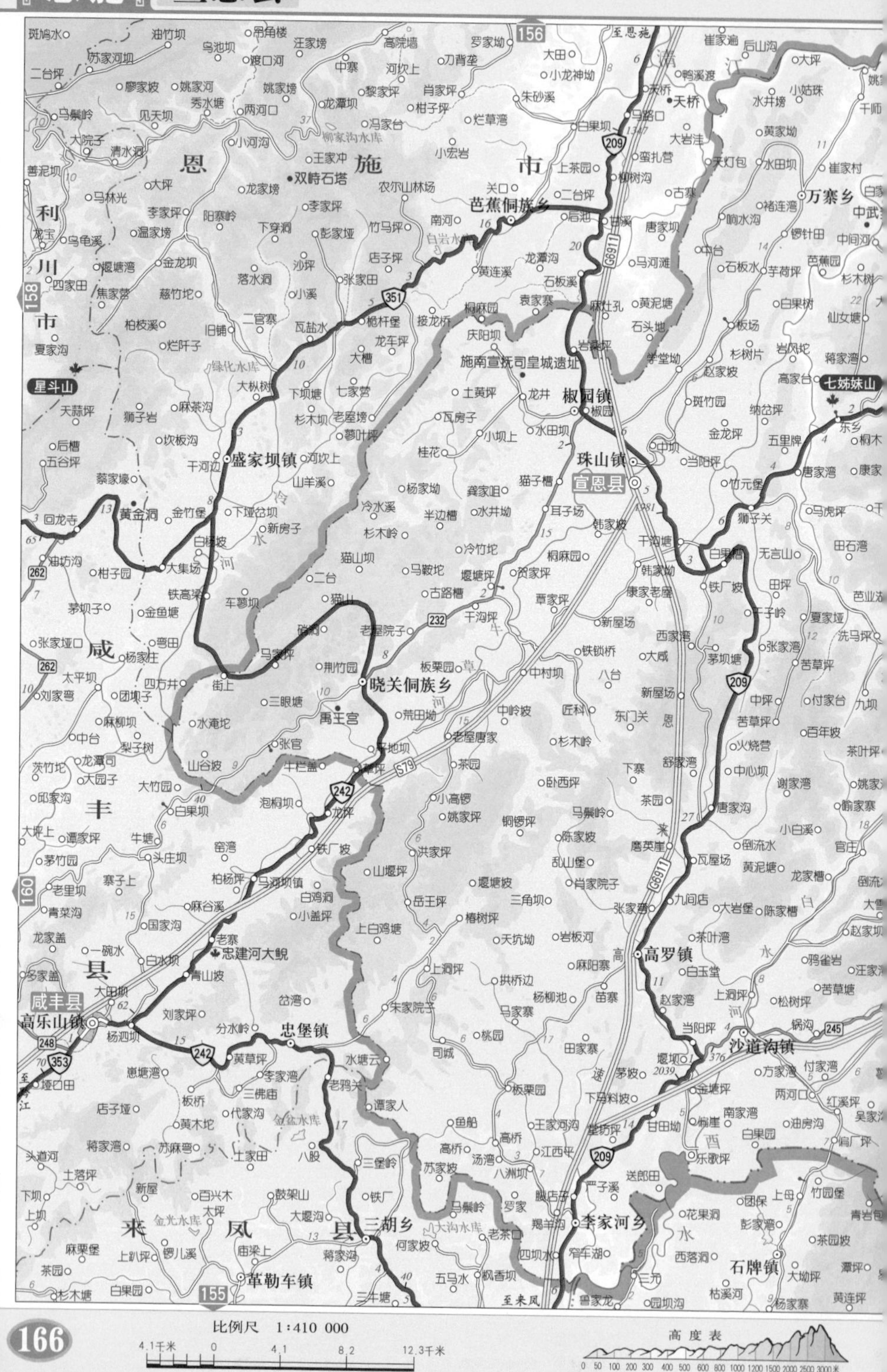

比例尺 1:410 000

4.1千米 0 4.1 8.2 12.3千米

高度表

0 50 100 200 300 400 500 600 800 1000 1200 1500 2000 2500 3000米

【地理位置】 位于自治州中南部，东南邻湖南省，西南接来凤县，东接鹤峰县，北抵恩施市，西与咸丰县接壤。

【人口面积】 人口36万，面积2730平方千米。

【历史沿革】 在清朝改土归流后，于乾隆元年间（公元1736年）设宣恩县，含“传布恩德”之意。1949年11月属恩施专区；1970年属恩施地区；1983年12月属鄂西土家族苗族自治州；1995年改属恩施土家族苗族自治州。

【地　　形】 属云贵高原延伸部分，地处武陵山和齐跃山的交接部位。境内多台地、岗地、平坝和峡谷地。

【主要河流】 清江、牛草河、白水河。

【交　　通】 209国道纵贯南北，232、325省道过境。

【资　　源】 矿产资源有煤、硫铁矿、白云石、菊花石、冰洲石等。境内物种资源繁多。有水青树、连香树等国家保护植物。有世界罕见的天然珙桐（中国鸽子树）群落，其中原生纯林面积约2.3平方千米。有年产1500公斤银杏的古老银杏树“九子抱母”，水资源丰富。

【经　　济】 工业有机械制造、采矿、木料加工、食品等产业。农作物有水稻、玉米、薯类、小麦等，盛产茶叶、柑橘、桐油、油菜、花生和中药材。

【风景名胜】 七姊妹山国家级自然保护区、中武当遗址、施南宣抚司皇城遗址、中央局会议旧址、红三军旧址。

【土特产品】 贡茶、猕猴桃软糖、桐油、茶叶、生漆、五倍子等。有乾隆帝御笔题写“皇恩宠锡”的宣恩“贡茶”，有色鲜味美的柑橘“贡果”，有全国四大名腿的“贡腿”，有“白柚之乡”的美称。

【景点介绍】 **中武当遗址** 中武当，是宣恩的一大名山，位于宣恩县长潭河侗族乡中间河畔，海拔922米。中武当，又名大寨山、轿顶山，后来改名铜钟山、中武当。几易其名，有其来历。清朝乾隆年间，湖南南武当有范道等二人来此，各背一口铜钟和一尊菩萨，拟在大寨山顶建庙，因未征得当地人同意，将铜钟埋在大寨山拂袖而去。尔后，当地人掘得此铜钟，铜钟山由此得名。铜钟实为编钟。由周边乡邻捐助，在铜钟山开始建观，从此更名为中武当。这里，山顶平宽，昔日观殿林立，先后建有玉皇殿、观音殿、灵观殿、地母庙。

清江风光

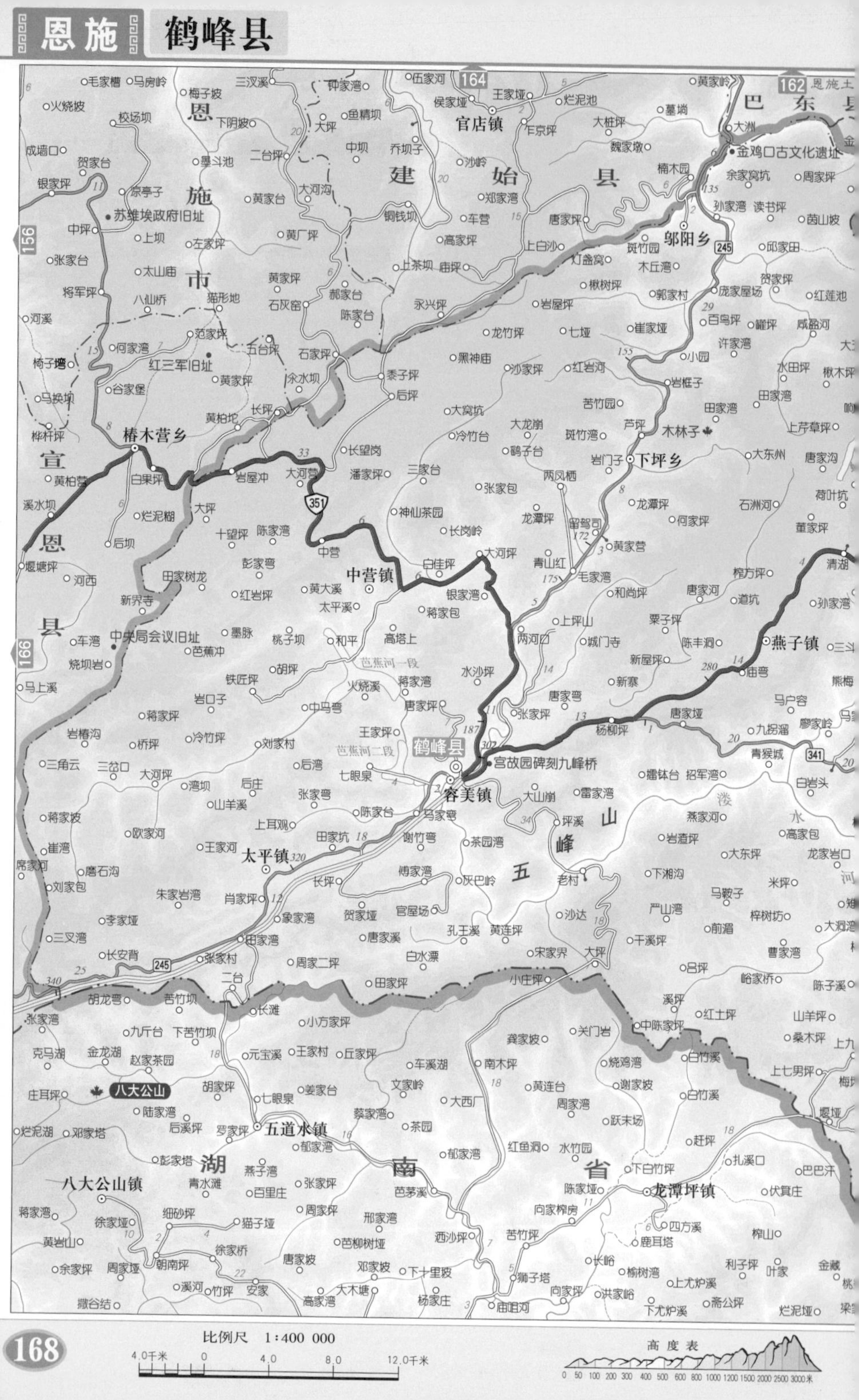

毛家槽
马房岭
三汊溪
钟家湾
伍家河
164
王家垭
侯家垭
烂泥池
黄家岭
162
恩施土
巴
东
县
火烧坡
梅子坡
恩
鱼精坝
大坪
官店镇
下京坪
大桩坪
墓垴
大洲
校场坝
下阴坡
中坝
乔坝子
建
始
县
魏家墩
金鸡口古文化遗址
成墙口
贺家台
墨斗池
二台坪
沙岭
楠木园
余家窝坑
周家坪
银家坪
凉亭子
施
大河沟
郑家湾
黄家台
孙家湾
读书坪
苏维埃政府旧址
铜钱坝
车营
唐家坪
邬阳乡
茵山坡
中坪
上坝
黄厂坪
高家坪
上白沙
斑竹园
156
左家坪
邱家田
张家台
太山庙
市
上茶坝
庙坪
灯盏窝
木丘湾
贺家坪
将军坪
八仙桥
猫形地
黄家坪
郝家台
石灰窑
永兴坪
楸树坪
郭家村
庞家屋场
红莲池
河溪
陈家台
岩屋坪
百鸟坪
罐坪
咸盈河
范家坪
龙竹坪
七垭
崔家垭
何家湾
五台坪
许家湾
椅子塆
石家坪
小园
红三军旧址
黑神庙
沙家坪
红岩河
水田坪
楸木坪
马换坝
谷家堡
黄家坪
余水坝
枣子坪
岩框子
田家湾
后坪
苦竹园
田家湾
黄柏坨
长坪
大窝坑
大龙崩
芦坪
木林子
上芹草坪
桦杆坪
椿木营乡
冷竹台
斑竹湾
宣
长望岗
鹞子台
岩门子
下坪乡
大东州
唐家沟
黄柏营
白果坪
岩屋冲
大河营
潘家坪
三家台
张家包
两凤栖
351
龙潭坪
石洲河
荷叶坑
溪水坝
大坪
烂泥糊
神仙茶园
何家坪
董家坪
十望坪
陈家湾
龙潭坪
留驾司
后坝
中营
长岗岭
黄家营
恩
大河坪
清湖
堰塘坪
彭家弯
白佳坪
青山红
毛家湾
河西
田家树龙
中营镇
榨方坪
红岩坪
黄大溪
银家湾
和尚坪
唐家河
新界寺
道坑
孙家湾
县
太平溪
蒋家包
上坪山
栗子坪
车湾
中央局会议旧址
墨脉
桃子坝
和平
高塔上
两河口
城门寺
陈丰洞
燕子镇
三斗
166
芭蕉冲
芭蕉河一段
烧坝岩
胡坪
新屋坪
铁匠坪
蒋家湾
水沙坪
新寨
庙弯
熊槽
马上溪
火烧溪
岩口子
中马弯
唐家坪
唐家弯
马户容
蒋家坪
张家坪
唐家垭
岩椿沟
桥坪
冷竹坪
刘家村
王家坪
杨柳坪
九拐溜
廖家岭
三角云
三岔口
芭蕉河二段
鹤峰县
宫故园碑刻九峰桥
青猴城
341
大河坪
后湾
七眼泉
擂钵台
招军湾
白岩头
湾坝
后庄
张家弯
容美镇
大山崩
雷家湾
蒋家坡
山羊溪
陈家台
马家弯
坪溪
山
燕家河
欧家河
上耳观
谢竹弯
溇
高家包
田家坑
茶园湾
岩渣坪
崔湾
王家河
太平镇
峰
水
席家河
磨石沟
大东坪
龙家岩口
傅家湾
老村
刘家包
长坪
灰巴岭
五
下湘沟
米坪
河
朱家岩湾
肖家坪
马鞍子
官屋场
象家湾
贺家垭
沙达
严山湾
梓树坊
李家垭
孔王溪
黄连坪
前湄
大洞湾
三叉湾
田家湾
唐家溪
干溪坪
长安背
宋家界
大坪
曹家湾
张家村
白水漂
周家二坪
245
吕坪
小庄坪
二台
田家坪
峪家桥
陈子溪
胡龙弯
苦竹坝
溪坪
长滩
红土坪
山羊坪
张家湾
小方家坪
中陈家坪
九斤台
下苦竹坝
龚家坡
关门岩
桑木坪
克马湖
金龙湖
元宝溪
王家村
丘家坪
南木坪
白竹溪
上九
赵家茶园
车溪湖
烧鸡湾
上七男坪
胡家坪
文家岭
黄连台
谢家坡
庄耳坪
八大公山
姜家台
白竹溪
七眼泉
大西厂
周家湾
陆家湾
蔡家湾
后溪坪
罗家坪
五道水镇
茶园
跃末场
堰垭
烂泥湖
邓家塔
红鱼洞
水竹园
郁家湾
赶坪
彭家塔
湖
郁家湾
扎溪口
燕子湾
南
省
下白竹坪
巴巴汗
八大公山镇
青水滩
张家坪
陈家垭
龙潭坪镇
伏賀庄
百里庄
芭茅溪
蒋家湾
周家坪
向家榨房
徐家垭
细砂坪
邢家湾
四方溪
猫子垭
黄岩山
芭柳树垭
酉沙坪
苦竹坪
鹿耳塔
榨山
徐家桥
朝南坪
唐家坡
长峪
余家坪
周家垭
邓家坡
下十里坡
狮子塔
利子坪
叶家
金藏
榆树湾
上尤炉溪
溪河
竹坪
安家
大木塘
向家坪
洪家峪
撒谷结
高家湾
杨家庄
庙咀河
下尤炉溪
斋公坪
烂泥垭
比例尺 1:400 000
4.0千米
0
4.0
8.0
12.0千米
高度表
0 50 100 200 300 400 500 600 800 1000 1200 1500 2000 2500 3000米

【地理位置】 位于自治州东南部，南和东南部与湖南省接壤，东北连五峰土家族自治县，北部接建始与巴东县，西部邻宣恩县和恩施市。

【人口面积】 人口22万，面积2892平方千米。

【历史沿革】 鹤峰，古时称拓溪、容米、容阳，曾是容美土司治所。1912年置鹤峰县。1949年属恩施专区，1970年属恩施地区。1980年改置鹤峰土家族自治县，1983年复为鹤峰县，属鄂西土家族苗族自治州，1993年属恩施土家族苗族自治州。

【地　　形】 地处武陵山脉北段，地势西北高，东南低。境内峰峦起伏，溪河纵横。

【主要河流】 刘家河、下坪河。

【交　　通】 261、325、341等省道纵横境内。

【资　　源】 境内矿产资源有磷、石灰石、煤等，其中走马磷矿属全国10大磷矿区之一。森林覆盖率64.9%，以松、杉、白杨、泡桐为主，有黄杉、银杏、红豆杉、香果树、珙桐等珍贵树种，是全国杉木林基地县之一。有虎、豹、熊、大鲵、棘胸蛙、红腹角雉、竹鸡等珍稀动物。水能资源丰富。

【经　　济】 工业以电力、化工、医药、木材加工、食品为主，八峰药化是目前国内最大的氨基酸生产线和国有化、产业化高科技示范基地。农业现已经建成茶叶、香菇、薇菜、烟叶、薯叶等几大绿色出口创汇产业。茶叶产量居全省各县首位，为“宜红茶”主要产地，“容美茶”为著名传统绿茶。

【风景名胜】 宫故园碑刻九峰桥、五里坪革命旧址群、新石器时期文物采集点、走马林场、金鸡口古文化遗址。

【自然保护区】 木林子自然保护区。

【土特产品】 薇菜、葛仙米、香料等。

【民族风情】 撒尔嗬、摆手舞、柳子戏、穿号子、四道茶、傩戏。

鹤峰风景

明显陵 世界遗产
武当山 国家级风景名胜区
青龙山 国家级自然保护区
神农架 国家级森林、地质公园
服务区
出入口
里程起迄点
收费站

318国道

1179	1119	1029	937	872	638	573	526	454	398	355	293	240	188	156	94	54	安徽竹坪
1125	1065	975	883	818	584	519	472	400	344	301	239	186	134	102	40	英山	
1085	1025	935	843	778	544	179	432	360	304	261	199	146	94	62	罗田		
1023	963	873	781	716	482	417	370	298	242	199	137	84	32	枣树店			
991	931	841	749	684	450	385	338	266	210	167	105	52	新洲区				
939	879	789	697	632	398	333	286	214	158	115	53	黄陂区					
886	826	736	644	579	345	280	233	161	105	62	武汉						
824	764	674	582	517	283	218	171	99	43	侏儒							
781	721	631	539	474	240	175	128	56	仙桃								
725	665	575	483	418	184	119	72	潜江									
653	593	503	411	346	112	47	荆州										
606	546	456	364	299	65	枝江											
541	481	391	299	234	宜昌												
307	247	157	65	红岩寺													
242	182	92	龙凤														
150	90	利川															
60	苏拉口																
重庆万州																	

105国

		黄梅
	孔垄	23
江西九江	34	57

316国

江西柯埊	33	109	126	160	230	307	327	356	424	500	564	642	674	734	766
	贾家源	76	93	127	197	274	294	323	391	467	531	609	641	701	733
		大冶	17	51	121	198	218	247	315	391	455	533	565	625	657
			铁山区	34	104	181	201	230	298	374	438	516	548	608	640
				鄂州	70	147	167	196	264	340	404	482	514	574	606
					武汉	77	97	126	194	270	334	412	444	504	536
						孝感	20	49	117	193	257	335	367	427	459
							云梦	29	97	173	237	315	347	407	439
								安陆	68	144	208	286	318	378	410
									随州	76	140	218	250	310	342
										枣阳	64	142	174	234	266
											襄州区	78	110	170	202
												老河口	32	92	124
													石花	60	92
														武当山	32
															十堰

207国道

湖南澧县							
32	东岳庙						
85	53	公安					
121	89	36	荆州				
200	168	115	79	荆门			
279	247	194	258	79	宜城		
321	289	236	200	121	42	襄阳	
407	375	322	286	207	128	86	河南邓州

107国道

河南柳林									
44	广水								
89	45	孝昌							
133	89	44	孝感						
210	166	121	77	武汉					
241	197	152	108	31	江夏区				
309	265	220	174	99	68	咸宁			
358	314	269	225	148	117	49	赤壁		
380	336	291	247	170	139	71	22	赵李桥	
417	373	328	284	207	176	108	59	37	湖南临湘

湖北省
国道里程表
单位：千米

209国道

	来凤	宣恩	恩施	龙凤	建始	巴东	钢厂坪	房县	十堰	郧县	河南寺湾
湖南龙山	9	99	136	149	191	339	539	613	716	748	818
来凤		90	127	140	182	330	530	604	707	739	809
宣恩			37	50	92	240	440	514	617	649	719
恩施				13	55	203	403	477	580	612	682
龙凤					42	190	390	464	567	599	669
建始						148	348	422	525	557	627
巴东							200	274	377	409	479
钢厂坪								74	177	209	279
房县									103	135	205
十堰										32	102
郧县											70

106国道

	南沙窝	小界岭	麻城	凤凰	新洲区	枣树店	黄冈	鄂州	铁山区	大冶	贾家源	通山	崇阳	通城
小界岭	12													
麻城	67	55												
凤凰	113	101	46											
新洲区	125	113	58	12										
枣树店	167	145	90	44	32									
黄冈	186	174	119	73	61	29								
鄂州	191	179	124	78	66	34	5							
铁山区	225	213	158	112	100	68	39	34						
大冶	242	230	175	129	117	85	56	51	17					
贾家源	318	306	251	205	193	161	132	127	93	76				
通山	375	363	308	262	250	218	189	184	150	133	57			
崇阳	425	413	358	312	300	268	239	234	200	183	107	50		
通城	471	459	404	358	346	314	285	280	246	229	153	96	46	
湖南南江	507	495	440	394	382	350	321	316	282	265	189	132	82	36

湖北省主要城镇间公路里程表

单位：千米

	武汉	鄂州	黄冈	黄石	仙桃	咸宁	天门	阳新	赤壁	随州	荆州	荆门	宜昌	襄阳	十堰	恩施	钟祥	石首	松滋	老河口	丹江口
鄂州	60																				
黄冈	69	9																			
黄石	80	38	48																		
仙桃	92	152	161	172																	
咸宁	95	110	120	119	150																
天门	122	182	192	202	79	261															
阳新	126	86	96	71	218	111	249														
赤壁	134	157	166	166	133	46	212	157													
随州	178	238	247	258	250	272	170	304	312												
荆州	225	285	294	305	133	283	128	351	252	294											
荆门	233	293	302	313	159	310	111	359	292	209	87										
宜昌	319	379	388	399	227	377	222	445	358	340	106	130									
襄阳	334	394	403	414	286	428	230	460	419	157	214	127	257								
十堰	494	554	563	574	467	589	411	620	599	338	395	308	372	181							
恩施	562	585	594	594	510	475	505	585	428	644	377	435	306	562	564						
钟祥	207	267	276	287	159	301	103	333	292	162	134	47	177	127	308	482					
石首	260	320	329	340	168	268	173	379	222	377	83	170	190	297	478	376	217				
松滋	279	339	348	359	187	337	182	448	291	348	54	140	79	267	448	324	187	137			
老河口	402	462	471	482	361	496	305	528	494	232	282	195	311	75	127	549	195	365	335		
丹江口	429	489	498	509	388	523	332	555	521	259	309	222	328	102	102	566	222	392	362	27	
利川	600	623	633	632	548	513	543	766	467	725	415	473	385	600	643	107	520	414	362	628	645
竹溪	669	729	738	749	681	763	573	795	800	530	548	462	449	373	221	627	462	631	528	319	323

中国分省系列地图册

编辑部

主　　编	薛贵江　姚　杰
副主编	周瑞祥　柳红军
执行编辑	宋二祥　高小玲　李东海　田　蔚　孟　晶　李淑芳 刘更田　程福润　赵福祥　陈振国　王　岩　温军武 杨　毅　寿幸禄　张晖芳　申　怡　朱　杰　南哲民

《湖北省地图册》编辑出版人员

责任编辑	赵福祥
编辑设计	程海斌　李柱林　柳　广　徐小东　蔡　华　温程杰
制　　图	吴建武　崖恒安　肖国中　付华彬　张　苹　徐　桥 谢明霞　李晓轩　唐衡丽　盛　超　刘胜全　刘辅兵 刘国强　周振华
审　　校	王　立　丁海燕　郑　莉　张　宁
印刷工艺	张　岩　滕俊国
出版审定	姚　杰　周瑞祥　刘爱珍
出版人	马晓春

《湖北省地图册》第二版编辑出版人员

责任编辑	游永勤
制　　图	张　贺　孙琳琳　祁　欣
审　　校	王晋秀　贾卫华
印刷工艺	谢　清　滕俊国
出版审定	周瑞祥　高小玲　牛顺明
出版人	姚　杰